Werner Kraft
STEFAN GEORGE
edition text + kritik

. . . denn die Zeit ist vorbei,
da die Sibyllen unter der Erde weissagten;
wir fordern Kritik und wollen urteilen,
ehe wir etwas annehmen und auf uns anwenden.

Goethe

Für Erna

CIP-Kurztitelaufnahme der Deutschen Bibliothek

Kraft, Werner:
Stefan George / Werner Kraft. –
München : Edition Text und Kritik, 1980. – 303 S.
ISBN 3-88377-065-5

Redaktion: Jörg Drews
Satz: Druckservice München-Ost GmbH
Druck: Johannesdruck Hans Pribil KG, München
Umschlag-Entwurf: Dieter Vollendorf, München
ISBN 3-88377-065-5

Inhaltsverzeichnis

Das Werk

Gedichte

Vorwort

In diesem Buch habe ich versucht, ein Bild von Stefan George zu geben, dem außerordentlichen Mann, der zwischen 1900 und 1930 in seinem „Kreis" als „Meister" verehrt wurde und darüber hinaus für viele als einer der größten deutschen Dichter seiner Epoche galt. Bald wird der Mensch, bald der Dichter in den Mittelpunkt der Betrachtung gerückt, seine Größe und seine Grenze, seine Freunde und seine Gegner, seine Problematik und die Vollkommenheit seiner Gedichte. Die Gebiete überschneiden sich. Wiederholungen sind so möglich wie Widersprüche. Nirgends ist Vollständigkeit angestrebt. Überall werden Fragen aufgeworfen, die eine lebendige Auseinandersetzung mit Stefan George anregen mögen.

W.K.

Jerusalem
im März 1980

George, der Mensch

EDGAR SALIN

Der Titel „Um George" des Buches von Edgar Salin, der einen Kampf um die Gestalt Georges nahelegt, verdankt wohl nur einem Sprachfehler die gemeinte Bedeutung: nur die *Sphäre* um George, in welcher der Verfasser gelebt hat, wird dargestellt. Der *Kampf,* die lebendige Auseinandersetzung, muß fehlen, weil dieser Autor im Einklang mit dem gesamten Kreis um George und mit George selbst die Kunst als Lebensmacht verehrt und die Kritik als regulatives Prinzip der Kunst ausschaltet. Daraus entspringt der unannehmbare Ton: er huldigt ohne Maß. Da sich aber die Darstellung auf wissenswerte Fakten bezieht, ist das Buch in einem hohen Grade lesenswert, und es bringt Gewinn, wenn es dem Leser gelingt, die einzelnen Aussagen in die Sprache nüchterner Besinnung zu übersetzen. Gibt man dem Buch zunächst seinen Ton und seine These vor, so enthält es eine eindrucksvolle Darstellung der geistigen Bewegung in Heidelberg, im wesentlichen zwischen 1910 und 1920, mit George und seinem Kreise hier, die die Dichtung, mit Max Weber und Eberhard Gothein dort, die die Wissenschaft repräsentieren, bei heftiger Anziehung und Abstoßung, wie sie da natürlich auftreten, wo dichterische und wissenschaftliche, idealistische und ökonomische, prophetische und skeptische Aspirationen sich zu einem lebendigen Chaos verbinden, das der Kampf zwischen Jugend und Alter zu natürlicher Leidenschaft steigert. Der bezaubernde Gundolf, der für Wolfskehls Kinder eine Weltgeschichte in Versen zeichnet und dichtet und Vogelstimmen nachahmt, der „verkauzte" Hellingrath, der „ruzt", d.h. eine neue Methode praktiziert, Gedichte in der mutmaßlichen physischen Stellung der Dichter zu sagen, der strömende Wolfskehl, der bedenkliche Wolters, der den Zerfall des Kreises vorbereitet, werden lebensvoll geschildert. Nicht minder lebendig tritt Max Weber ins Licht, der leidenschaftlich ausruft, es gebe keinen gotischen Menschen, die Gotik sei nichts als die Lösung eines technischen Problems, und welcher als Hüne, mehr nach innen als nach

außen gerichtet, „das Gesicht von düsteren Gedanken zerfurcht", durch die Campagna schreitet, oder Eberhard Gothein, der in der Georgeschen Rezeption des Platonischen Staates „nur formale Kriterien" erkennt.
Und George selbst? Von dem reichen Schatz an Beleuchtungen des Augenblicks seien nur zwei herausgegriffen: ein Gespräch über Dante in der Eisenbahn („Das dunkelgraue Cape hatte er abgelegt, die kleine Baskenmütze abgezogen – aus dunkelgrauer Jacke und hohem Kragen stieg sein mächtiger Kopf mit dem nun fast weißen Haar – die rechte Hand griff haltend in die Maschen des Gepäcknetzes – es war ein solch ungewöhnlicher und großartiger Anblick, daß alle Insassen des überfüllten Abteils ihre Augen nicht von ihm lassen konnten und gespannt dem Gespräch zu folgen suchten, von dem sie nach ihrer späteren Aussage nicht ein Wort verstanden"); der Ausruf des Gärtners im Park des Heidelberger Schloßbergs beim Anblick Georges („Dieser Mann hat ja die Augen eines Rehs") – das sind glaubhafte Zeugnisse von der Wirkung eines bedeutenden Menschen, welcher freilich auch wieder anders mag ausgesehen haben, als er den Verteidigern Gundolfs in seinem sinnlosen Kampf gegen dessen Ehe zuruft: „Ihnen fehlt die Härte! Ihnen fehlt die Härte!" Dennoch ist Georges Zusammenleben mit seinen Freunden ergreifend, freilich mehr geistig als menschlich. Das Menschliche steht im Zeichen des Dämons, und das Eingreifen in Gundolfs Absicht, eine Ehe zu schließen, hätte dem Leser erspart werden können, denn hier muß der Erzähler selbst bei größter persönlicher Zurückhaltung die Diskretion verletzen, und er verletzt sie. Es ist aber bewundernswert, daß Gundolf diesen Konflikt überstanden hat, ohne George die höhere Treue zu brechen, als er die geringere preisgab. Salin selbst hält Gundolf die Treue und gibt eine schöne Schilderung von seiner letzten Begegnung mit ihm in Paris. Anderseits zitiert er von ihm die Äußerung: „Wenn das Schicksal es nicht so gut mit mir gemeint hätte, wäre bestenfalls ein zweiter Heine aus mir geworden". Das wäre genau um so viel mehr gewesen, als Heine selbst mehr war, abseits der Massenwirkung seines Negativen. George erlaubte eine ihm nicht genehme Entwicklung als Spiel, privat, und verbot sie für die Öffentlichkeit, als Ernst. Gundolf fügte sich. Dennoch muß gesagt werden, daß Georges Hingabe an die jungen Menschen, um sie zu erziehen, dort ihre Grenze findet, wo er das

Eintreten in die Beziehung gleichsam zurücknimmt, indem er als Mensch in sie eintritt und als „Meister“ aus dem Spiel bleibt und Raum hat, um je nachdem zu verstummen oder zu befehlen. Der unbedingten Zustimmung der Betroffenen ist George in jedem Falle sicher. In der geistigen Beziehung dagegen läßt George seinen jugendlichen Partnern den breitesten Spielraum, und hier hat das Buch trotz aller sachlichen Einwände ein besonderes Gewicht, das den vielfachen Ausstrahlungen eines außerordentlichen Menschen zu verdanken ist. Er steht in aktivster Mitarbeit hinter Gundolfs Shakespeare-Übersetzung und hinter Hellingraths Herausgabe von Hölderlins Hymnen. Stellen aus Coriolan und Antonius und Cleopatra, Szene aus Romeo und Julia (I,5 und II,2) sind von ihm selbst übersetzt. Er spricht nie über seine eigenen Gedichte, dagegen sehr viel über Plato und Aristoteles und ist auch auf Gebieten, die ihm praktisch unerschlossen sind, wie etwa auf dem der Ökonomie, der Belehrung offen. Was hier auffällt, das ist die bei stärkster Förderung der wissenschaftlichen Arbeiten seiner Freunde geradezu schroffe Ablehnung des wissenschaftlichen Geistes an sich, so daß der Eindruck entsteht, er fördere wissenschaftliche Tendenzen nur, soweit sie seine eigene geistige Sphäre nicht durchbrechen. Wo dann die Tendenz zur Wissenschaft das Lebendige zu versehren scheint, wie im Falle Gundolfs, kann der geistige Gegensatz den aus anderen Gründen entstandenen menschlichen Konflikt verstärken. Die Paradoxie dieses Verhaltens bleibt dauernd unaufgelöst und führt zur konventionellen Ablehnung der Technik statt ihrer geistigen Durchdringung, nicht anders als bei Otto Weininger, Theodor Haecker und anderen idealistischen Denkern. Wenn der junge Percy Gothein den Neckarkanal trotz der Zerstörung des früheren Landschaftsbildes als ein volkswirtschaftlich wichtiges Werk verteidigt und George nur erwidert: „Dreck!“, hat der Meister das letzte Wort, aber der Jünger ist im Recht. Die verspätete Rezeption der Technik hat Walter Benjamin als einen der entscheidenden Gründe für die Abwärtsbewegung des 19. Jahrhunderts erkannt. Ähnlich ist es in der Politik.
Die vielen Äußerungen dieser Art stehen auf verschiedenem Niveau, und sie müssen wie alle mündlichen Äußerungen eines Künstlers, der in seinem Werk das für ihn Entscheidende nicht nur gesagt sondern gestaltet hat, mit Zurückhaltung gewertet werden. George war eben ein Mensch, der trotz der ihm zugeschriebenen Unfehlbar-

keit und trotz des Ranges seines Werkes auf die Unübersehbarkeit des politischen Chaos normal, will sagen: heute falsch und morgen richtig und gerade darum mit Leidenschaft reagiert hat. Das Antipreussische seines Standpunkts fällt unmittelbar auf. Gundolf schreibt ein Gedicht gegen Friedrich den Großen, und Hellingrath hat 1914 in den ersten Tagen des Weltkriegs phantastische, süddeutsch-bayrisch orientierte Rheinbundpläne. George entwickelt aus der Platonischen Auffassung von der zyklischen Wiederkehr der Verfassungen die Möglichkeit der Wiederkehr einer Tyrannis, er ist gegen Nietzsches Übermenschen, welcher den Menschen gefährde, wenn jeder preussische Junker ihn spielen könne, als habe er den Aphorismus von Karl Kraus im Ohr: „Der Übermensch ist ein verfrühtes Ideal, das den Menschen voraussetzt". Er ist gegen nationalen Patriotismus, Chauvinismus und Rassenwahn, er bestreitet, daß der „Stern des Bundes" ein Kriegsbuch sei und sich auf diesen Krieg beziehe, ja er ist gegen den Krieg überhaupt, welchen er als Massenkrieg mit der Verteidigung der Thermopylen konfrontiert, und schickt doch seine Freunde ausdrücklich in den Kampf, selbst wenn er ihre Begeisterung später zu zügeln sucht. Auch diese Paradoxie ist ungelöst. Die flachste Äußerung ist die vor dem ersten Weltkrieg gefallene: „Nur wenn die gelben Affen kommen, dann nehme ich selbst die Flinte". Ein immerhin relativ sinnvolles Wort Bebels gegen das zaristische Rußland wird variiert und entwertet. Nicht zu Ende gedacht ist die folgende Äußerung: „Jede Staatsform ist so viel oder so wenig wert wie die Menschen, die sie tragen. Von mir aus mag es Demokratie auf allen Gebieten geben, nur im geistigen Bereich hat sie nichts zu suchen". Der erste Teil ist richtig, so lange es keine verbindliche Theorie der Politik gibt, der zweite fraglich; denn selbst vorausgesetzt, daß die Kunst autonom ist, kann der Zusammenhang zwischen der Kunst und dem Gesellschaftsdenken einer Epoche selbst von dem größten Künstler nicht außer Kraft gesetzt werden. Die tiefste Äußerung aber ist die aus dem Jahre 1920 nach einem Ausbruch gegen die Franzosen, welche „auszurotten" seien, indem George „nach einer langen Pause" und „mit anderer Stimme" hinzufügt: „Haben Sie darüber nachgedacht, welche barbarischen oder teuflischen Werkzeuge sich das Schicksal meistens aussucht, um seine Urteile zu vollziehen?" In dieser großen Selbstkorrektur, welche durch das vorhergehende Schweigen des Gesprächspartners

noch beweiskräftiger wird, verwandelt sich Georges prophetische Gebärde in eine echte Ahnung von dem weltzeitbedingten Wesen geschichtlicher Kräfte.
Hier ist George nicht eigentlich prophetisch sondern wissend. Wo er prophetisch ist, verstrickt er sich in die dämonisch große Sprache des Nichtwissens. Als er 1920 zugleich krank und verzweifelt war über den moralischen Zusammenbruch des deutschen Volkes und seine eigene Wirkungslosigkeit, tröstet ihn Salin mit der richtigen Bemerkung, daß „Weissagungen des Unheils darum sich restlos erfüllen, weil sie nach ihrem Wesen gar nicht gehört werden dürfen". George stimmt zu, sagt aber nach einer Pause, daß er „genug" habe. Er zeigt auf einen Arbeiter, der „fröhlich pfeifend mit seinem Hammer Steine zerschlug" und sagt: „Es ist heute besser und wertvoller, ein guter Steinklopfer zu sein als ein Dichter". Salin, der an einer anderen Stelle George gerade wegen der Fähigkeit bewundert, seinen Untergangsvisionen geheime Hoffnungen einzuweben, und George, der ein Leben ohne Hoffnung für sinnlos erklärt – beide verkennen den eigentlichen Sachverhalt. Prophetie sagt weder das Glück noch das Unglück der Zukunft voraus, sondern sie lehrt das richtige Verhalten in der Gegenwart. Es ist keineswegs sicher, daß der Steinklopfer sich hier richtiger verhält als der Dichter, er verhält sich so, wie es seine Existenzform gebietet. George aber hätte sich in der Erkenntnis dieser Existenzform richtig verhalten können, wenn er dieser Erfahrung die Kraft der Verwandlung abgelernt hätte. Das vermag er nicht. Der erkannte Zusammenhang bleibt dunkel und offenbart ihm nur seine eigene Einsamkeit. Daß diese Einsamkeit ungeheuer gewesen sein muß, diesen Eindruck teilt das Buch hinter allem zeitlich und sachlich Bedingten seines Inhalts wahrhaft erschütternd mit.

ROBERT BOEHRINGER

Wirft man einen Blick auf den Tafelband dieses ebenso liebevoll geschriebenen wie ausgestatteten Buches „Mein Bild von Stefan George" von Robert Boehringer, 1951, das eine Fülle von neuem und wichtigem Material über den Dichter und seine Welt vor dem Leser ausbreitet, so strahlt eine historisch abgeschlossene geistige Bewegung noch einmal auf in den Abendfarben des Abschieds. In guten Photographien wird der Lebensweg eines außerordentlichen

Menschen durch die Zeit von 1868 bis 1933, von Bingen bis Minusio im Bilde festgehalten, Eltern, Schwester, Freunde, Freundinnen, Mitstrebende, Schüler, Landschaften, und immer wieder der Dichter selbst, dessen Abschließung von der Welt es nicht verschmäht hat, etwas von dem festzuhalten, was von Natur weit eher dem Vergehen zubestimmt ist als der Dauer über den Tod hinaus. Die Zeugen eines Künstlers, daß er gelebt hat, sind seine Werke; hier wird der Versuch gemacht, etwas von dem gelebten Leben selbst festzuhalten. Bevor es problematisch wird, ist es eindrucksvoll. Der Beschauer sieht einen zentralen Ausschnitt aus der letzten deutschen Epoche, die sich um eine neue Kultur bemüht hat, in Gesichtern von reifen Männern und Frauen, von schönen jungen Menschen an sich vorüberziehen. Verwey und Wolfskehl, Schuler und Derleth, Gundolf und Kommerell blicken uns mit wechselnden Augen an. Das Bild, auf dem von zwei kaum dem Knabenalter entwachsenen Jünglingen mindestens der eine in einer schwärmerischen Bewegung dem Dichter sich zuwendet, erschüttert: dies ist Claus von Stauffenberg, der Deutschland, weil es zu spät war, nicht retten konnte und schrecklich unterging. Auf Georges in den verschiedenen Lebensepochen vielfach wechselnden Gesichtsausdruck geht Boehringer an vielen Stellen seines Textes ein. Die Titel unter manchen dieser Bilder hätten wegbleiben dürfen, mögen sie in dem Freundeskreise unter solchen Namen bekannt gewesen sein, der fremde Beschauer, wenn er etwa „Profil mit der Schläfenader" liest, wird doch eher verstimmt als überzeugt sein, da dies wohl verboten ist, sich mit solcher Fixierung *eines* körperlichen Zuges darzustellen, und der Geist nur als *Einheit* des Gesichts der Erhaltung würdig ist. Es muß auch die Frage gestellt werden, warum unter so vielen Menschen, die Georges Bahn gekreuzt haben, zwei so wichtige Figuren wie Georg Simmel und Max Weber fehlen, welche beide für den Dichter entscheidend sich eingesetzt haben. Es fehlt auch, wahrscheinlich mit erwogener Absicht, ein Bild von Maximilian Kronberger; das Bild von einem der Münchener Kultfeste ist kaum repräsentativ für ihn, angesichts des schönen Knabenbildnisses, das der Ausgabe seiner nachgelassenen Gedichte und Aufzeichnungen voransteht.

Ein Werk, das nicht mehr enthielte als sein Schöpfer mit ihm angestrebt hat und die ihm nahestanden darin fanden, enthält weniger. Dieses Mehr, das Georges Werk enthält, kann nur in einem unabhängigen Medium im Wege produktiver Kritik entfaltet werden. Boehringer hat mit großer Sorgfalt und Mühe zusammengetragen und verarbeitet, was die Bausteine für eine künftige Biographie Georges liefern kann. Vergleicht man dieses Buch eines der letzten überlebenden Freunde Georges, welcher in edler Bescheidenheit (sieht man vom Titel des Buches selbst ab) sich nahezu auslöscht, obwohl er doch durch 28 Jahre den Weg des Dichters begleitet hat, mit dem Buch von Friedrich Wolters, an dessen Entstehung George bis ins Detail beteiligt war, so wird eines deutlich: Wolters ist dogmatisch gebunden und läßt in sein Buch nur ein, was dem Bilde entspricht, das George durchsetzen wollte; Boehringer ist menschlich gebunden und nimmt in wechselnder Form an verschiedenen Stellen persönlich Stellung oder verhindert nicht, daß andere Stellung nehmen könnten, etwa zu dem Bruch Kommerells mit George. Keinerlei persönliche Unsicherheit seines Glaubens wird deutlich, und doch erweist er George einen Dienst, den dieser in der erstarrten Gußform seines Bildes sich nicht selbst erweisen konnte. Das Bild wird lebendig, menschlich, kritisch, konturiert, zeigt Licht und Schatten, Grenze und Größe. Aus dem Anfang von Georges Laufbahn wird nun deutlich, daß die verschiedenen Wege, die dem jugendlichen Menschen offen standen, auf den einen führten, den der Dichter wirklich ging, weil ein dreifaches Scheitern ihn auf seine Bahn stieß: das Scheitern der Freundschaft mit Hofmannsthal, welches schon in der ersten Begegnung angelegt war, das Scheitern der Liebe zu der Jugendfreundin Ida Coblenz, später Dehmels zweiter Frau, der frühe Tod Maximilian Kronbergers. Der Notausgang der Seele aus einer dreifach ausweglosen Situation wurde zur Quelle der Kraft. Sie gab dem Geist das Vermögen, im Bunde mit einer originalen Künstlerschaft die negative Grunderfahrung der Existenz in eine positive zu verwandeln; hier zugleich liegen die Wurzeln seiner Einsamkeit: im Anfang, als er mit den feindlichen Mächten der Zeit um Werk und Idee kämpfte; am Ende, als er das Versagen seines Volkes sehen mußte, dessen Erneuerung er angestrebt hatte. Bei Boehringer lesen wir, der Dichter habe einmal sein Erstaunen darüber ausgesprochen, daß bei Goethe im Gegensatz zu Dante Begriff und Gestalt des Verbrechers nicht vorkomme, und George gerät, da sein eigener Typus des Verbrechers bis zur Tilgung jeder Möglichkeit der Sühne als positiv gedacht ist, nicht auf den Gedanken, daß Fausts

Verbrechen an Gretchen und an Philemon und Baucis in einem höchsten Sühnezusammenhang stehen. Wir lesen ferner, daß George sagt: „Hätte ich zwanzigjährig 20000 Soldaten gehabt, so hätte ich alle Potentaten Europas verjagt“ und „daß er meinte, in jedem anderen Jahrhundert als dem neunzehnten wäre er ins Gefängnis gekommen“. Dies war damals eine fortschrittliche Auffassung. Ihre letzte Konsequenz aber ist die revolutionäre Einzelaktion und die Lehre von dem Mythos des Generalstreiks bei Sorel, eine Lehre, die sich später ganz andere Mächte zueigen gemacht haben; es ist nicht die der Lehre von Marx inhärente Umgestaltung der Gesellschaft als ganzer. Fern von diesen äußersten Polen revolutionärer Theorie wirkt sich Georges revolutionäre Haltung als antihistorische Rebellion aus, die das historisch Gewordene untergräbt, statt es zu verwandeln. Einstweilen aber erscheint das Problematische noch als positiv, und George herrscht im Bereich der Kunst souverän über das eigene Wort und über die Geister seiner Zeit, soweit sie ihm erreichbar waren.

Wie er aktiv an der dichterischen oder geisteswissenschaftlichen Arbeit seiner Freunde teilnimmt, das ist schon aus dem Buch von Salin bekannt; hier häufen sich die Zeugnisse. Vor allem wäre es interessant, in Gundolfs Shakespeare-Übersetzung Georges Beiträge sprachlich zu untersuchen. Überaus eindrucksvoll ist der folgende Bericht: „So sah ich ihn, auf dem Kästrich, im Hinterhaus, dessen Erdgeschoß über den Dächern von Mainz lag, oben in den Nordzimmern ein paar Schritte machen, ein Etwas zum Spielen in der Hand, das gewaltige Haupt bekrönt von der ergrauenden Bärenmütze seiner crinière abondante, und mit einem unbeschreiblichen Ausdruck von Glück und Laune im Dichter-Bauerngesicht, das freche Liedchen des Autolykus aus dem Wintermärchen sagen:

Kauft ihr nicht etwas Band
Und Spitzen fürs Gewand
Mein Täubchen meine Dam-ala.
Etwas Seid und Zwirn
Zierat für die Stirn
Vom neusten feinsten Kram-ala
Kommt zu dem Tändler!
Geld der Zwischen-händler
Schiebt aller Leute Kram-ala.

Gewiß war es seine Übertragung, sonst hätte er das Dam-ala, Kram-ala nicht mit so spitzbübischer Lust aussprechen können". Diese Verse sind darum so erstaunlich, weil sie gleichsam nicht von George sind, sie zeigen, welcher sprachlichen Weite, wenn er wollte, dieser Dichter fähig war. Er sagt ein anderes Mal zu der Stelle aus Gundolfs Übersetzung des Coriolan (II,2), ...,als sein Mündel-alter sich so vermännlicht, Wuchs er dann see-gleich': „Aber Gundel, das ist ja ganz undichterisch; es muß heissen: ,... wuchs er wie die See'." Gundolf dichtet, wie ihn George an hundert Stellen gelehrt hat, in „harter Fügung", und George hat Recht, er dichtet hier in „glatter Fügung" (beides nach Hellingrath), aber es ist nicht einmal glatte Fügung, es ist einfach dichterische Sprache, unkontrolliert von der eigenen Theorie, und „like a sea" heißt es bei Shakespeare, „wie das Meer" bei Schlegel. Wenn dagegen an einer anderen Stelle Boehringer eine Äußerung Hanna Wolfskehls wiedergibt, „daß es Wolfskehl war, mit dem George einen ganzen Nachmittag lang erwogen hat, ob ,im Wind ein Schaukeln wie von neuen Dingen' oder ,der Lüfte Schaukeln wie von neuen Dingen' besser sei, so gehören solche Überlegungen so selbstverständlich zur Arbeit eines gediegenen Künstlers, daß ihre Hervorhebung verwundert, um so mehr als die Gesprächspartner das „Schaukeln" in dem Eingangsvers des wunderbaren Gedichtes aus dem „Jahr der Seele" nicht in ihre Überlegung einbeziehen, denn dies ist eine realistische Metapher, mit schroffer Absicht in einen idealistischen Sprachzusammenhang gestellt, und sie ist nicht schön, sondern neu. Am großartigsten ist wohl der Bericht, wie George einigen jüngeren Freunden die Übersetzung einer Strophe des Chorlieds auf Eros aus der Antigone des Sophokles vorlas, seine Überzeugung aussprach, es sei unmöglich, ein griechisches Sprachwerk zu übersetzen, und seine Übersetzung ins Feuer warf.
Die inneren Beziehungen Georges zu seinen Freunden, zu Schuler, Klages, Wolfskehl und manchen anderen, waren schon aus dem Buch von Wolters bekannt, sie werden hier aber durch neue Zeugnisse vielfach schärfer beleuchtet. Eine zusammenhängende Darstellung dieser Beziehungen konnte Boehringers Absicht nicht sein; teils weil er selbst einer späteren Generation angehört; teils weil seine eigene Beziehung zu George und zu dem Freundeskreise unzusammenhängend war und ihm die vorhandenen Beziehungen nur ausschnittweise zugänglich machte; teils weil die Dokumente fehlen

oder ihm fehlen. George hat viele Briefe von seinen Freunden zurückerbeten, so von Wolfskehl, und offenbar vernichtet; Kommerell hat nach dem Bruch 80 Briefe Georges vernichtet und so fort. Um so klarer wird George selbst beleuchtet, vor allem durch unveröffentlichte Gedichte und Gedichtfragmente. Eine große Überraschung ist die „Teuflische Stanze", die so lautet:

Noch jeder Gott war menschliches geschöpfe
Die immer seligen sind allein die tröpfe
Nur was die narren sprechen ist orakel
Nur was nie war ist frei von jedem makel
Die tugend dankt am meisten dem vergehen
Die liebe kommt vom mangelhaften sehen
Kein heiliger ders nicht aus dem sünder wurde
Und ewige wahrheit bleibt nur das absurde.

Dieses Gedicht hat einen Hauch von Busch, dem Satiriker und Pessimisten, und kaum einen von Baudelaire, es sei denn in der Überschrift. Es beginnt und schließt mit einem genialen Reim, besonders das „Absurde" hätte dem Gedicht die ernste Aufmerksamkeit eines Leo Schestow gesichert, weil hier das ästhetische Nichts durch das metaphysische ersetzt zu sein scheint. Das Gedicht hat eine vorgeorgische Freiheit des Ausdrucks, die es verständlich macht, daß der Dichter, der die Schlußverse in einem Gespräch mit Edith Landmann einmal zitiert hat, auf ihre Frage im Jahre 1925 von einem „Zynismus aus meiner Knabenzeit" spricht, und weiter: „Auf ihren Einwand, er zieme wohl auch dem Mannesalter, sagte er: „Ja, im Gespräch, ins Gedicht gehören solche Zynismen nicht, da ist nur Aufbauendes..."" Dieses „Aufbauende" – das ist, was Schestow bei Dostojewski von allem, was nicht vom Schlage Iwan Karamasoffs ist, mit objektivem Unrecht (aber mit dem subjektiven Recht seiner Philosophie des Absurden) als von „Kulissen" sprechen läßt. Das Merkwürdige ist aber, daß Georges Äußerung nicht stimmt, mindestens unvollständig ist und aus einer Lücke seiner Erinnerung kommt. Es hat sich nämlich ergeben, daß George 1900, also 32 Jahre alt, das Gedicht durch Gundolf Wolfskehl schicken läßt, und zwar anonym, damit dieser entscheide, ob es für den Druck in den Blättern für die Kunst in Frage komme. Das ist so seltsam, daß Boehringers schöne Einordnung der Strophe in einen Zusammenhang mit Shakespeare und Dante fehlgeht, denn sie gehört in Georges eigensten Zusammenhang, als ein Zeugnis, wie es deren einige in der „Fibel" gibt, was George auch hätte werden können, als ihm noch mehrere Wege offen standen; immer vorausgesetzt allerdings, daß der Dichter hier nicht doch das Gedicht eines anderen, mit dem er sich identifizierte, interpoliert habe... Es *könnte* von Gundolf sein, zu welchem es weit besser zu „passen" scheint. Boehringer schließt dieses Kapitel mit den Worten: „Aber auch des Dichters Heimlichkeit ist in jener Geschichte, seine Vorsicht und List – selbst den Nächsten gegenüber. So hat er, ein Knabe, als er einmal allein war im elterlichen Haus, alle Zimmer abgeschlossen und die Schlüssel im Garten vergraben". Das Bismarck-Fragment, das Boehringer mitteilt, gehört in den Zusammenhang des „Siebenten Ringes". Der Bismarck-Mythos wird durch den Napoleon-Mythos ersetzt. Es ist groß gedacht und gleichzeitig die Besiegelung des Verfalls, denn es enthält keine konstruktive Bestimmung der Zukunft. Eine solche Bestimmung wenn nicht der Zukunft so doch der Gegenwart ist enthalten in der Idee des Kreises, welche schon sehr früh bei George auftaucht. Sie wird äußerlich und literarisch angeregt durch das Vorbild Mallarmés, nimmt Gestalt an in der Form einer künstlerischen Gruppe mit einem eigenen Kunstprogramm, und diese Gruppe wird allmählich zu einer „geistigen Bewegung", zu einem „Bund" und schließlich zum „Staat". Die Idee des Kreises, die sich künstlerisch in der Form zyklischen Dichtens ausdrückt, entwickelt sich vom „Siebenten Ring" ab systematisch und erreicht im „Stern des Bundes" ihre stärkste Ausprägung als eine metaphysisch-religiös begründete Kreis-Lehre. Im Mittelpunkt des Kreises steht symbolisch Maximin, in welchem sich Züge eines Gottes mit denen eines nationalen Genius mischen, und in der Wirklichkeit George. Nach dem „Stern des Bundes", der im Januar 1914 erschien, hat George aufgehört, zyklisch und mit der Zeit nahezu ganz aufgehört zu dichten. Irgendwann in seiner geistigen Entwicklung kam der Punkt, an dem er der persönlichen Lehre vor der eigenen Poesie den Vorzug gab. Dies ist aber nicht platonisch, als Wendung gegen die Kunst zu verstehen. Sie stand im Gegenteil nach wie vor im Mittelpunkt, nur daß dem Dichter als Erzieher mehr daran lag, die schöpferische Produktivität seiner Freunde zu steigern als seine eigene. Das zeugt von einer sehr hohen Gesinnung, von einer pädagogischen Tendenz, der die höch-

sten Wirkungen hätten entsprechen müssen, aber nur teilweise entsprachen. Diese Teile von Boehringers Buch haben in ihrem Für und Wider ein erregendes Interesse. Der esoterische Zug in Georges Dichtung ist unverkennbar. Dieser Zug wird innerhalb seines gelebten Lebens als eine bis zur Gewaltsamkeit streng durchgeführte Abschließung von der Welt sichtbar, wofür sonderbare Zeugnisse vorliegen, während die innere Abschließung sich so ausdrückt, daß alle auf ihn unbedingt, er aber auf jeden einzelnen nur bedingt bezogen ist. Der sachliche Gehalt jeder einzelnen Beziehung war *nicht* geheim. In einem 1919 geschriebenen Brief an Lechter, der geheimen Bestrebungen um den Zugang zu einer jenseitigen Welt besonders geneigt war, heißt es: „Ihren wunsch nach der ‚andren ebene' kann ich nicht billigen. Ob die eine ebne von der andren etwas weiss bezweifle ich, nur soviel ist gewiss wenn eine verbindung besteht dass nur der auf der andren ein bessres los zu erwarten hat der auf *dieser* den lauf richtig vollendet".
Es wird vielfach bezeugt, daß Georges Haltung im Umgang schlicht und natürlich war. Auch Wandlungen werden deutlich: das liturgische Lesen von Gedichten weicht einem betont nüchternen, seine Kleidung wird einfacher, seine Handschrift kursiver, und seine Zurückhaltung vor Lechter scheint darauf zu beruhen, daß er allmählich dessen Buchschmuck dem Sinn seiner Dichtung als unangemessen empfand. Die entscheidende Wandlung scheint aber in der relativen Abwendung von seinen älteren oder älter gewordenen Freunden und in der ausschließlichen Hinwendung zu jungen Menschen zu liegen. Während noch Verwey das Gewachsensein von Georges Dialektik im Gespräch bewundernd feststellt, ist es so, als wenn George im Gespräch mit jungen Menschen die Dialektik zurückgenommen habe, wie er vielleicht die Dialektik als ganze zurückgenommen hat, im Bewußtsein der Sicherheit, daß er über ein Wissen verfüge, das keiner Dialektik mehr bedarf und nur einer bedingten Mitteilung. Alle jüngeren Menschen, die später Erinnerungen aufgezeichnet haben – Hans Brasch, Ludwig Thormaehlen, Hermann Schmalenbach, Alexander Zschokke, nicht zuletzt Walter Wenghöfer in seinen überaus schönen Briefen an Hanna Wolfskehl – stimmen darin überein, daß der Eindruck von Georges Persönlichkeit überwältigend war; aber keiner vermag über Andeutungen hinaus anzugeben, *was* George jeweils im einzelnen gesagt hat.

Denkt man an die unvergleichliche Genauigkeit, mit der Julien Green in seinen Tagebüchern Unterhaltungen wiedergibt, etwa die mit Gide, so sieht man, daß diese Hörer Gefäße waren, die George gefüllt hat, nicht eigentlich freie Menschen, die Gedanken und Gefühle aufnehmen, um sie mit Gedanken und Gefühlen zu erwidern. Wenigstens gewinnt der Leser von den teilweise sehr schön geschriebenen Erinnerungen diesen Eindruck. So sieht es auch Kommerell nach dem Bruch mit George, in dem erstaunlichen Brief an seinen Freund Johann Anton, der 1930 den vergeblichen Versuch machte, ihn für George zurückzugewinnen und kurze Zeit später Selbstmord beging; aber manchen Leser mag eine verständliche Scheu davor zurückhalten, sich ohne die Möglichkeit einer Prüfung des inneren Sachverhalts auf diesen Brief als Quelle zu beziehen. In einem Brief Georges an einen seiner jugendlichen Freunde aus dem Jahre 1917 lesen wir: „Dies zur äusseren form: Tritt ein jüngerer bei den wichtigen begegnungen und abschieden vor einen, der schon länger das hohe leben geführt hat, so soll er mit einer leichten neigung seines hauptes grüssen . . ." Der so Ausgezeichnete mag das rechtmäßige Gefühl gehabt haben, daß sein Leben durch die Zugehörigkeit zu einem solchen Menschen wie George geweiht sei, aber zugleich wurde ihm durch die Übertragung einer geistig-moralischen Autorität auf einen zweiten und durch den Zwang, solche Übertragung anzuerkennen, seine Freiheit genommen. Die meisten Beziehungen dieser Art waren befristet. Wenn George einem Menschen nichts mehr glaubte sagen zu können, wandte er sich ab. Er gab sich als Mensch voll hin und behielt sich als Meister zurück. Er lenkte nicht durch die Entfaltung des Sinnes sondern durch Andeutung. Daß das Gute in ihm wirksam war, kann man vielen Stellen dieses Buches entnehmen; aber wo er es aus der Freiheit, dem Erdreich des Guten, entwurzeln wollte, stieß er immer wieder an seine eigene Grenze. Bei Boehringer heißt es: „Es ist behauptet worden, George habe junge Leute auch dann um sich geduldet, wenn sie nicht viel Substanz gehabt hätten, und jemand soll gesagt haben: ‚George pflanzt Eichen in Stockscherben'." Er selbst äußerte einmal: „Ich muss die nehmen, die da sind. Mit Besseren, die nicht da sind, kann ich nichts anfangen". Und in einem Briefentwurf von 1912 heißt es: „Denken Sie sich aber, dass ein Wirkender der festesten überzeugung ist dass unter den heutigen umständen auch von den besten menschen nie ein andrer als ein subalterner mensch ein mensch zweiter ordnung (rein naturgesetzlich) geboren werden kann". Hier geht es um die Erzeugung des Genius, es geht aber auch um das Verbotene der Hybris. An dieser Grenze scheint George im Alter gelebt zu haben, ohne den Zwang zur Schöpfung, aber in der Sprache. Freunden wie Feinden gab er eigene Namen. „Daß er, in Abständen wiederkehrend, dasselbe Wort sagen konnte, durch Tage und Wochen, enthüllt, wie, außer vor dem Gedanklichen der Sprache, ein Irrationales ihm galt von größerer Kraft und ursprünglicherem Leben." Das Unheimliche dieser Haltung faßt Boehringer stark in die Worte zusammen: „Sein ganzes Leben hatte er dieses fast unheimliche Verhältnis zur Sprache, bis ins Alter; es äußerte sich auch in den merkwürdigen Schriftzeichen, die er – nur für sich – auf Zettel kritzelte, und noch in Minusio heftete er solche Zettel an die Wand oder an einen Schrank. Bei dem weißhaarigen Manne wirkte auch dies noch geheimer als vordem, wie überhaupt seine Erscheinung immer stärker und fast erschreckend Ausdruck des Inneren und von eindringender Wirkung wurde".

Der Zerfall des Kreises 1933 wird nicht so deutlich, wie es wünschbar gewesen wäre. Andeutungen sind spürbar. Im ersten Weltkrieg hatte George das Gedicht „Der Krieg" veröffentlicht, die große und dunkle Kundgebung einer starken Intelligenz. Wegen der mythischen Gewalt der Sprache bleibt diese Kundgebung noch in ihrer nüchternen Klarheit dunkel: die Vernunft sucht den Mythos zu durchdringen; der Mythos ist stärker. Darum auch ist George im Leben nicht so sicher wie im Gedicht. Es scheint so, daß auch er nicht nach den letzten Einsichten gelebt hat, deren er gewiß war, und nicht nach ihnen hat leben können. Im Krieg kam es zu einer heftigen Spannung mit Wolters, dessen Hinwendung zur nationalen Politik er leidenschaftlich bekämpfte, im Namen der Kultur, die ihm wichtiger war als der Sieg, auf den auch er nicht verzichten wollte. Boehringer berichtet, George habe nach dem Krieg ehrende Worte gehabt für die republikanischen Führer, wegen der Einfachheit ihrer Lebensführung, wegen der Entschlossenheit, mit der sie in die Bresche gesprungen seien. Aber er hat diesen Gefühlen nur privaten Ausdruck gegeben, öffentlich hat er geschwiegen. Auch was sich George im Jahre des Unheils 1933 gedacht hat, erfahren wir nicht, und wir werden es nie erfahren. Dennoch bleibt seine Gestalt, es bleibt sein Werk, das auf die Zukunft einwirken könnte, es bleibt dieses Buch des Freundes, der alles getan hat, was Liebe und Treue vermögen, um das Nachleben des großen Dichters dieseits und jenseits des Werkes zu sichern.

EDITH LANDMANN

Alle Motive, die bei Salin und Boehringer nicht trennbar von dem Werk auftreten, münden bei Edith Landmann in dem *mündlichen* Menschen Stefan George, der sich in seinen Gesprächen mit ihr von 1913 bis zu seinem Tode beglaubigt. Darum sind diese bestimmungsgemäß erst 1963, dreißig Jahre nach Georges Tod, erschienenen Gespräche eine einzigartige Quelle, an deren Zuverlässigkeit nicht zu zweifeln möglich ist. Die Aufzeichnung ist spontan: „jeden Abend aus der frischen Erinnerung möglichst wortgetreu". Bewußte Weglassungen wären denkbar und erlaubt. Zu Wort kommt direkt der Mensch, indirekt, die Kunst, für sich betrachtet der Mensch, der gegen die Kunst zu existieren sich entscheidet, als Umriß eines *neuen* Menschen. „Wohl kamen auch all diese vertraulichen Äußerungen aus der gleichen Höhe seines immer gleichen Wesens, aber sie waren doch nur aus dem Moment heraus und nur mit der Resonanz alles sonst Gewußten und immer cum grano salis zu verstehen. Weshalb auch immer als Indiskretion galt, einen Ausspruch von ihm weiterzugeben." Und doch die Veröffentlichung? Dies wäre also ein neuer Beitrag für den Zwang zur Indiskretion, wenn nicht alles dafür spräche, daß George, der von den Aufzeichnungen wußte, sie aber nicht gelesen hat, im Prinzip mit einer späten Veröffentlichung einverstanden war.

Edith Landmann ist wie Borchardt 1877 geboren, in Berlin. Sie heiratete in Zürich den Volkswirtschaftler Julius Landmann, der in Göttingen Borchardts Studiengenosse gewesen war. Sie wuchs auf mit der neuen Dichtung des Naturalismus, mit Ibsen und Hauptmann, dann mit Hofmannsthal und Altenberg, mit Wagner und Melchior Lechter, gleichzeitig mit den Ideen der sozialen Revolution, welche sie in der Einleitung des Buches ironisch schon halb entwertet: „Mit fünfzehn Jahren hörte ich zuerst das unheimliche Fremdwort ‚Proletariat' und wurde von einer Freundin in die Mysterien der sozialen

Revolution eingeweiht. Ich wurde nun mit Marx und Kautsky gefüttert, hatte Recherchen zu machen über die Lage der Arbeiterinnen im Kürschnereigewerbe in Berlin S.O. und irrte durch derselben Straßen ‚trostlos graden zug', in welche später den Dichter die Wallfahrt führte". Zu Maximilian Kronbergers Geburtshaus nämlich: in Berlin! Sie sah George zuweilen, in Kunstausstellungen, in der Singakademie, bei Simmel. Sie hörte über ihn von ihren Freunden. In einer Vorlesung bei dem Psychologen Max Dessoir hörte sie ihn Gedichte vorlesen. Er wurde aber in der Zeit von 1905 bis 1911 überschattet durch Borchardt. Von ihm, dem Dichter und dem Politiker, wurde sie tief beeindruckt, ja umgewandelt. Von ihm erfuhr sie, was ein Gedicht ist, das ist das Positive, von ihm, was Politik ist, das ist das Negative. Da stehen die ziemlich jämmerlichen Worte, im Anschluß an die Gespräche, die Borchardt mit Julius Landmann und ihr über Bismarck und England führte: „und kam, indem ich die realen menschlichen Triebkräfte deutlicher sah, endlich von den sozialistischen Weltbeglückungsträumen los, die ich als – freilich schon zerbrochene Eierschalen – doch noch mitgeschleppt hatte". Der Vermittler zwischen ihr und Borchardt einerseits, George andererseits war Robert Boehringer, von welchem sie erfuhr, daß selbst George, der Borchardt aus moralischen Gründen verwarf, von seinen Gedichten gesagt hatte, es seien „begabte Melodien über bekannte Themen". Dies ist ein relatives Lob, das dann viele Jahre später wettgemacht wurde durch eine vernichtende Äußerung über Borchardts „Bacchische Epiphanie" im Gespräch mit dem ganz jungen Michael Landmann, so zu lesen in dessen als Ergänzung wichtigen Erinnerungen an George in den Neuen Deutschen Heften: „Als ich arglos, noch nicht wissend, wie sehr Rudolf Borchardt ihn durch ein Pamphlet getroffen hatte, dessen ‚Bacchische Epiphanie' rühmte: ‚Ein Individuum, so pappig, würde mans an die Wand schmeißen, so würds kleben bleiben'". Das war der große Bann, welcher in Boehringers Buch so zum Ausdruck kommt, daß Borchardt im Namensregister nicht vorkommt aber einmal im Text (S. 13) und zwar im Zusammenhang mit einer Krawatte und daß hier Boehringer *für* Borchardt und *gegen* George Stellung nimmt, indem er gegen den Stachel lökt. George tritt erst in Edith Landmanns Leben ein, als diese reif für ihn ist, indem sie die Beziehungen zu Borchardt abbricht, vielleicht sogar schwereren Herzens als sie erkennen läßt. Sie bricht

sie ab, nicht etwa durch gewaltsame Verwerfung sondern gleichsam durch Erleuchtung. Der entscheidende Satz (S. 14) ist dieser: „Borchardt suchte und fand seine Stelle da, wo, wie bei Hofmannsthal und R.A. Schröder, Reichtum des Geistes, Genialität, Eigentümlichkeit als solche den Ausschlag gaben". Und was gab bei George den Ausschlag? Das hätte sie kaum benennen können oder wollen. Darum ist ihr auch nicht klar, daß sie mit diesem *positiv* formulierten Satz, den sie *negativ* meint, den Dogmatismus eines Konventikels bejaht und das Wesen der Poesie verkennt.
Ich versuche nun, ein Bild von den Gesprächen dieses Buches zu geben, durch eine Auswahl, die beliebig durch eine andere ersetzt werden könnte.

Im Jahre 1919 heißt es:

> Ich sprach vom tragischen Gesetz, das Plotin gesehen hatte, daß die Strahlen der Sonne, je tiefer sie dringen, an Kraft verlieren, und so auch die Ideen, wenn sie in die Welt eingehen verflachen. „Ach", sagte er gemütlich, „das macht mir so wenig Sorge. Ich fand die Strahlen der Sonne heut noch mehr als heiß genug. Das ist all richtig so. Wenn der Gundel mit seinen tiefen Sorgen kommt und ich antworte ihm so, so sagt er: ‚Du bist eben nicht tief!' Aber ich mache mir nur Sorge um das Unrichtige. Wohl verdirbt die Lehre, aber die Lehre ist nicht das Werk. Das Werk bleibt. Jeder Italiener gibt zu: Dante ist der größte aller Dichter aller Zeiten. In dem einen, der das Werk tat, war solche Leidenschaft, daß sie übergehen konnte auf die Menschheit. Jeder nimmt davon so viel, als er kann. Das ist kein Preisgeben der Lehre." Man könnte aus einem Werk fünf oder sechs Lehren machen, aber jetzt kann man keine Lehre machen. Sie werde vielleicht später offenbar werden. Selbst Gundolf, der doch so gut formuliere, würde nicht zu sagen wissen, was er in diesen 20 Jahren gelernt habe. Wolters dagegen dogmatisiere. Das muß er halt so. „Ich werd's nicht hervorrufen, aber ich kann's nicht ändern. Die jeunesse, die stellt sich nun so zu dem Weltlauf: ‚Es mag so schlimm gehen, wie es will, das Schlimmste ist, daß wir sterben, aber wir haben etwas anderes gesehen als nur Grauen und Nacht'. Das ist auch etwas. Das wird gebucht im Buche der Menschheit." Ich sagte, es gebe doch auch den Wunsch nach Aktion, nach etwas, wofür man offen und ehrlich leben und

sterben könne – ,entzückte fehden'. Dieser romantische Heroismus gefiel ihm gar nicht. Er verstößt, sagte er, gegen die Hauptlehre, nichts sinnlos zu tun. Und das ,süß unsinnige Verschwenden'? Er: „Das ist nicht für jemanden, der mehr zu tun hat."

Es lohnt sich, diesen Text – ich gebrauche dieses Modewort sonst nicht, aber dies ist einer! – sehr genau zu lesen, ja sogar zu studieren. Es ist unglaublich, was man da alles erfährt, nämlich: daß Gundolf in seinen berechtigten Sorgen George, der sie nicht teilt, die „Tiefe" abspricht, um ihn *positiv* von sich selbst abzugrenzen, der sie leider hat; daß die Lehre, von der es früher hieß, daß sie „die Jünger" machen[1]), von diesen nicht mehr verstanden werde, weder von Gundolf noch von Wolters; daß George seine eigenen Worte aus dem „Stern des Bundes" von den „entzückten fehden" so ablehnt wie die im „Neuen Reich" von dem „süß unsinnigen verschwenden" und zwar mit *richtigen* Gründen, auf die aber auf die Dauer auch kein Verlaß ist, denn die Zeit des Gesprächs ist vergänglich. Es gibt in Gorkis Erinnerungen an Tolstoi (1920) eine Stelle, von der zweifelhaft ist, ob sie als ganze auf George anwendbar ist, aber mindestens dies läßt über einen Abgrund hinweg an George denken: „Ich bin im Tiefsten überzeugt, daß es hinter allem, wovon er spricht, vieles gibt, worüber er schweigt.. und was er vermutlich nie einem Menschen sagen wird.. es scheint mir eine Art ,Verneinung aller Bejahungen', der tiefste und entsetzlichste Nihilismus, der aus der Erdschicht einer schrankenlosen und hoffnungslosen Verzweiflung entsprungen ist, aus einer Einsamkeit, die wohl keiner außer ihm mit so furchtbarer Klarheit erfahren hat". So Tolstoi, so George. Aber Tolstoi verzichtet auf die Kunst, hinter der George seine Verzweiflung verbirgt.

Ins Politische gewendet sieht die Anwendung der Lehre des *einen* Urgeistes so aus:

---

[1]) In den Blättern für die Kunst (5. Folge 1901) folgt auf einen Titel „Neuer Bildungsgrad (Kultur)" dies: „entsteht indem ein oder mehrere urgeister ihren lebensrhythmus offenbaren der zuerst von der gemeinde dann von einer größeren volksschicht angenommen wird. Der urgeist wirkt nicht durch seine lehre sondern durch seinen rhythmus: die lehre machen die jünger". Die Wendung „ein oder mehrere urgeister" spielt noch im Gebiet der Literatur; der *eine* Urgeist, später, transcendiert und bedroht sie.

Wegen der Demokratisierung ist heute nur noch die sekundäre Leistung möglich. Deutschland aber ist der sekundären Leistung nicht fähig. Es bedarf der primären, und es ist daher durch die nur dem Sekundären Raum gebende Zeit viel tiefer geschädigt als die anderen Völker.

Was geht hier vor? Wir stehen im Jahre 1919, in der Katastrophe nach einem deutschen Angriffskrieg, den George teilweise bejaht, teilweise verneint hat. Die „Demokratisierng" gibt er zu, sie ist die Konsequenz jener Abschaffung der Monarchen, die er in seiner Jugend anarchistisch gefordert hatte. Nun folgt das „Aber". Deutschland ist der sekundären Leistung nicht fähig, aber auch nicht der primären: es bedarf ihrer, weil es einmal ihrer fähig gewesen ist, im Gegensatz zu den anderen Völkern, die sich mit sekundärer Leistung begnügen könnten. Darum ist Deutschland „tiefer" geschädigt. Ist es schon Hochmut, hat es doch Methode. George glaubt, daß nicht einmal das Sekundäre noch vorhanden ist, geschweige das Primäre. Es ist *nichts* da.
Die „Verneinung aller Bejahungen" kann auch zur Verantwortungslosigkeit an sich führen, an der beide Gesprächspartner ihren Anteil haben:

> Als ich von der Zeitschrift ‚Die Kreatur' (eine von M. Buber, V. v. Weizsäcker und J. Wittig herausgegebene psychologische Zeitschrift) erzählte: „Ach, ich dachte, es sollte heissen: ‚Die Kreaturen'. Das hatte ich mir grad so hübsch ausgemalt, wie da fortlaufend von allen berichtet würde." ‚Ach nein', sagte ich lachend, ‚die sind immer noch beim lieben Gott.' (S. 159)

Also ist es keine „psychologische" Zeitschrift, also ist hier kein Kommentar möglich, also ist es so, als wenn eine sehr kluge Frau und ein Mann ersten Ranges sich entschlossen hätten, *einmal* etwas Dummes zu sagen, und es gelingt ihnen!
Edith Landmann gelingt es, Georges Bild durch kleine Züge lebendig zu machen. So heißt es einmal:

> Wie er den kleinen Michael strahlend und eifrig und unsäglich verschmiert mit feuchtem Sand spielen sah: „Sein schmutziges Glück!"

Das ist höchst reizvoll und hätte Walter Benjamin gefallen, welcher es mit Fourier und dessen Erziehungsprinzipien hätte in Verbindung bringen können.
Ein anderes Mal führt der Humor des Augenblicks zu diesem Bilde:

> Als er nicht wohl war und ich fragte, was es abends geben solle: „Trocken Brot mit Ärgernis!“

Das ist großartig. Die Gedichte auf solch ein originales Gefühl der Entsagung fehlen leider. Dennoch ist es etwas Neues. Er kann aber auch, wenn er will, und er will zuweilen, etwas betont Grausames sagen, zu einer Frau und über eine Frau, die nicht nur ihm einmal sehr nahe stand, sondern vor allem er ihr. Seine Briefe als Zeugnisse liegen vor. Er sagt also (S. 182):

> Über Sabine (Lepsius): daß er sie nicht mehr besuche und daß dies für sie das Beste sei. „Jetzt ist das so eine angenehme elegische Stimmung: ‚Der kommt nicht mehr, und wir waren doch so befreundet'. Aber wenn ich jetzt käme, dann würde die Enttäuschung noch größer, das würde viel mehr weh tun.“

Er braucht sie nicht mehr; ob sie ihn brauche, ist ihm nicht wichtig. Es heißt um die gleiche Zeit, um 1927 (S. 183):

> Daß es keine ewige Wahrheit gibt: „Die Ewigkeit ist nur deshalb so beliebt, weil sie so billig ist. Man hört da keine Antwort.“

Aber woher weiß das George? Er kann das nicht wissen, denn die Ewigkeit ist nicht billig sondern teuer, und sie ist (wie man gerade *seiner* Antwort entnehmen könnte, wenn man sich nicht blenden läßt) extrem unbeliebt, weil von dort eine Antwort kommen könnte. Etwas Neues wird in dem Folgenden hörbar:

> Er erzählte von einem Satz von Jean Paul, (S. 202), den er gelesen: ‚Wir haben keine Gegenwart, die Vergangenheit muß aus sich die Zukunft hervorbringen.' Die Perspikazität von Jean Paul sei noch gar nicht genügend gewürdigt. Nicht Fichte war ihm, sondern er war Fichte überlegen. Er hat Goethe gesehen, aber Goethe hat ihn nicht verstanden. – „Mit Kräften muß man rechnen, da hat die Kosmik recht. Damals gab es noch feindliche Kräfte. Wir haben keine Feinde, die Kräfte sind.“

Das ist außerordentlich: George *versöhnt sich* mit den Kräften. Er nimmt ihnen den Wind aus den Segeln, so seinem Feind Alfred Schuler. Klages war menschlich leer, sachlich gehaltvoll aber schwerlich eine Kraft. Goethe hat in den Noten zum Divan Jean Paul kaum als eine Kraft gewertet, eher als ein Phänomen, dem er etwas Sehenswertes absah. Nur in einem irrt George. Er hatte einen Feind, der eine Kraft war: Karl Kraus, welcher sogar hinter allem Recht und Unrecht seines Verdikts ihm die „berechtigte Schätzung einer Energie" eingeräumt hat. Er kommt, soweit man bis heute weiß, bei George nicht vor. Es gibt gewisse Äußerungen gegen die Presse, die dieser auch ohne Karl Kraus hätte tun können. Es ist aber schwer zu glauben, wenn es in der Zeit ein so bekanntes Vorbild gab, wenn es ihm noch dazu sei es auf dem Umweg über Gundolf sei es durch eigene Lektüre erwünschte Argumente gegen Hofmannsthal lieferte. Es kommt hinzu, daß George *alle* literarischen Tendenzen seiner Zeit kannte. Es handelt sich um die folgende Aufzeichnung (S.159):

> „Wie ich im Krieg in einer Nummer der Times las: oben: Mord der Türken an den Armeniern! Das schreit zum Himmel! Diese Türken sind nicht mehr würdig der Kulturgemeinschaft und müssten aus Europa vertrieben werden. Ein paar Zeilen weiter unten: Judenpogrome in Rußland. So und so viele Juden wurden gemartert, getötet, vertrieben. Die Nachricht ist mit Vorsicht aufzunehmen, scheint übertrieben zu sein ... Wie mir da wurde! So was kann man dem Bürger bieten, das merkt er nicht. Da kann man nur noch zynisch werden."

Das ist natürlich ebenso richtig wie hellsichtig, aber die Nebeneinanderstellung von entgegengesetzten Pressezitaten gehört zu der satirischen Methode in den Glossen der Fackel. Ich denke aber auch an einen Satz, der ohne jeden Zusammenhang mit Karl Kraus gedacht ist. Er stand 1904 in der siebten Folge der Blätter für die Kunst und sieht unter dem Titel „Vergewaltigung der Presse" die ganze Gefahr der Presse:

> Der sprache geschieht durch tagesschreiber (aktualität) unrecht indem für gewisse neue weltgültige benennungen sofort genaue gleichsetzungen verlangt werden wo zur lösung zeit nötig ist oder nach den sprachgesetzen umschreibungen bedingt sind.

Dies ist schwierig, George kann aber auch ganz leicht sein. Edith Landmann hatte die Schrift „Georgika“, eine anonyme Preisung Georges, veröffentlicht. Man lese nun (S. 202) dies:

> Über die ‚Georgika‘: Aus drei Gründen habe es nicht so recht gewirkt: erstens: weil's anonym war; zweitens: weil bald darauf Gundolf erschien; drittens: weil man nicht recht wußte, was es sein sollte, ob Biographie, ob Essay. „Aber einige haben's doch mit wirklichem Vergnügen gelesen. Es ist amüsant. Das ist kein Tadel in diesem Fall. Und Sie können sich sagen: es steht wenigstens nichts drin, was nicht sollte, wie manchmal bei Gundolf, bei der zu weit getriebenen Interpretation von Gedichten. Das ist doch etwas.“ Ich sagte: ‚Es war zu naiv.‘ Er: „Das war ja gerade das Nette dran.“ Ich beichtete, daß ich etwas über das NEUE REICH geschrieben hätte. Ob's literarisch wäre oder wie, fragte er. Ich sagte, dem Gegenstande angemessen: politisch. Worauf er: “Da bin ich beinahe gespannt.“

Das ist entzückend! Es handelt von ihm selbst. Er spricht so, als wenn es von einem andren handle. Er tadelt Gundolf, aber so leicht, als habe er noch gar nicht mit ihm gebrochen. Es ist alles „nett“, nett und bestimmt, beinahe in dem französischen Sinn (net) des Wortes. Dazu möchte ich eine Geschichte erzählen, die ich von dem Theaterintendanten Kurt Hirschfeld in Zürich gehört habe. Als die Rede auf George kam, erzählte er, daß er George einmal begegnet sei. Ich war ebenso überrascht wie neugierig und fragte ihn, *was* er gesagt habe. Darauf jener, das wisse er nicht mehr genau, er habe etwas über den Darmstädter Dialekt gesprochen, aber –: „er war einfach sehr sehr nett“. Das hat mir überaus gefallen.

Edith Landmann hat das Buch „Die Transcendenz des Erkennens“ geschrieben, das 1923 von George gebilligt als einziges Buch einer Frau mit dem Signet der Blätter für die Kunst bei Georg Bondi in Berlin erschienen ist. Es ist ein philosophisches Buch, das nicht zufällig in George mündet. Wie es zu diesem Buch gekommen ist, erzählt sie in der Einleitung zu den Gesprächen: „Ich wollte, der idealistischen Lehre entgegen, eine vom Menschen unabhängige gegenständliche Welt, und zwar dadurch erweisen, daß ich für die Glaubwürdigkeit der Aussagen des Bewußtseins eintrat. Ich konnte

dann aber nicht der einen Aussage des Bewußtseins den Glauben verweigern, den ich der anderen schenkte ... Das Prinzip der Gegenständlichkeit löste, konsequent durchgeführt, die Gegenständlichkeit jedes konkreten Dinges auf. Die Lösung dieser Aporie ergab sich mir erst nach Jahren, und zwar im Gespräch mit George. Angesichts des Kosmos, den er darstellte, angesichts der Ideen von Maß, Grenze und Gefüge, die in ihm gleichsam in ihrer Verkörperung mir vor Augen traten, leuchtete mir die Einheit des Bewußtseins als eines strukturell gegebenen und sozusagen beabsichtigten Ganzen auf". Das mag überzeugen.Im Buch selbst kommt es aber anders heraus. Auf der letzten Seite heißt es: „Den Alten muß ein Mensch vorgeschwebt haben, der nicht durch sein Erkennen weise wurde, sondern dessen Erkenntnis Ausdruck war seiner Weisheit. Wir glauben einen Weisen vor uns zu haben, wenn wir konstatieren, daß ein Denker, der auf Grund von Prinzipien des Handelns, die er entdeckte, Ideale des Handelns aufstellt, seiner Lehre entsprechend auch lebt, wenn er sich aus einer Teiltätigkeit zur menschlichen Mitte, aus dem Denken zum Leben mühsam hintastet und, wie Descartes, das Leben zum Provisorium macht, solange das Denken noch nicht fertig ist. So sehr wir ein solch heldisches vitam impendere vero menschlich verehren [dieser Wahlspruch Rousseaus nach einem Wort des Juvenal, sein Leben dem Wahren zu weihen, hebt aber den kommenden Einspruch gegen diese berechtigte menschliche Verehrung auf!], wie kümmerlich erscheint es doch gegenüber dem Bilde des wahren Weisen, der aus der menschlichen Mitte heraus denkt wie handelt, der nicht leben kann, wie er lehrt, weil er nur lehrt, wie er lebt, dessen Größe primär im Sein, nämlich darin liegt, daß er so ist, wie er ist, und dessen Einsicht als selbstverständliche Frucht aus seinem Sein hervorgeht". Gemeint ist George! Das ist sinnverwirrend. Es ist weder wahr noch falsch. Es genügt, zu sagen, daß George manches Wahre gesagt hat, das nahrhaft ist, und manches Falsche, das schädlich ist, daß er sich aber in einem hohen Sinn bemüht hat.
Der kurze folgende Abschnitt, der Schlußabschnitt des Buches lautet: „Uralte, verschüttete Einsichten werden damit lebendig. Keine Trainierung oder Abrichtung auf einen ganz speziellen erkennenden Trick befähigt zum Wissen um das Ganze des Menschen und der Welt, sondern ein Sein. Die großen Gedanken kommen aus dem Herzen, und Erkenntnis, objektiv richtige, absolut gültige Erkennt-

nis ist dem heißesten Bemühen unerreichlich, sie ist Sache der Gnade". Sie ist also aufgehoben im begnadeten „Sein", welches wiederum das Sein Georges ist, ein Unbegnadeter kann ihr nur zustreben. In den Gesprächen steht 1919 dies (S. 90):

> Ich las wiederum ein Kapitel, das später das letzte wurde, aus der ‚Transcendenz des Erkennens' vor. Er nickte bei dem: ‚Die grossen Gedanken kommen aus dem Herzen', fand es schön und klar und meinte: was wohl meine Nicht-Freundin Susa für Augen machen würde bei diesem ‚Rückfall in die Barbarei'!

Das ist wirklich „schön und klar", selbst wenn die „Nicht-Freundin Susa" Sabine Lepsius wäre, mit der zusammen er sich im Hause Simmels über die „Barbarei" der Philosophie lustig gemacht hatte. Ob der Satz „Die großen Gedanken kommen aus dem Herzen" in Edith Landmanns Zusammenhang an der richtigen Stelle steht, ist mindestens eine Frage. Aber wie merkwürdig ist dies: George „nickte", als er diesen Satz hörte, zustimmend, er weiß aber gewiß, daß der Satz „Les grandes idées viennent du coeur" einer der größten von Vauvenargues ist, und sagt es nicht, und Edith Landmann, die ihm möglicherweise von George hat, sagt es auch nicht. Und er kommt sogar noch einmal vor (S. 177):

> Daß Rathenau keine großen Gedanken hatte, denn die kommen aus dem Herzen. Bei aller Gescheitheit ein amusischer Mensch. .

Den Rest lasse ich weg, da er Georges nicht würdig ist. Daß Rathenau kein musischer Mensch war, könnte zutreffen, seine Prosa kommt aus dem Herzen, Georges Dichtung, obwohl er ein im höchsten Sinne musischer Mensch war, weit eher aus dem Geist, „Mir erstem ganz Gewandelten vom geiste" heißt es im „Stern des Bundes". Höchst sonderbar ist die Aufzeichnung 1929 (S. 192):

> Wie er früher das Bedürfnis gehabt hätte, allein und unerreichbar zu sein, wie das so in den ersten Jahren in Basel war. „Das ist ganz weg. Ich könnte es gar nicht mehr."

Es ist nicht auszumachen, ob diese Worte einer Laune des Augenblicks oder einer erwogenen Wandlung entspringen. Deutete dies auf eine Wandlung, müßte man fragen, wie es möglich war, daß er gegen die „Kreatur" so exzedieren mußte, wie er es getan hat. Er war eben doch mehr „allein“ als von anderen erreichbar. Er spürte die „andere“ Seite, die *er* nicht erreichen konnte, als Abneigung, als Haß. Das zeigt sehr deutlich folgende Äußerung über die gleiche Sache (S.167):

> Ich zeigte ihm ein Heft der ‚Kreatur‘ wegen eines Aufsatzes von Frau Simmel, der darin war: „Da muss ich doch einen Rat erteilen: dieses Geistzeug, das ist eigens erfunden, damit alles in den allgemeinen Sumpf hereingezogen wird und die paar Menschen, die noch vernünftig sind, auch verrückt werden. Das ist, wie Schuler sagte: wenn er den Herrn Endell nur sähe, dann träume er von giftigen Spinnen, die sich ihm ins Gehirn setzten. Dieser Aufsatz über die Schmerzen (Weizsäcker), das sind nur giftige Spinnen, die sich ins Gehirn setzen. Ist gar nicht nötig, nimmt nur die Kraft für anderes!“

Es sieht so aus, als wenn er den Aufsatz „Zur Frage der Erziehung“ von Marie Luise Enkendorff (= Gertrud Simmel) gar nicht gelesen oder sogar mit Zustimmung gelesen hat [1]), da er Georg Simmels Frau sehr schätzte, als wenn nun seine ganze Abneigung gegen Weizsäkker exzediere, im Bunde mit dem dunklen Schuler. Weizsäckers erste Sätze dort im ersten Abschnitt „Urszene“ lauten: „Wenn die kleine Schwester den kleinen Bruder in Schmerzen sieht, so findet sie vor allem Wissen einen Weg: schmeichelnd findet den Weg ihre Hand, streichelnd will sie ihn dort berühren, wo ihm weh tut. So wird die kleine Samariterin zum ersten Arzt“. Es ist rätselhaft, warum George eine solche Urszene nicht zulassen kann, obwohl er sich in „Bamberg“ mit dem Arzt im Bamberger Dom identifiziert hat und sogar von anderen als Arzt gepriesen wurde und gerade von Borchardt im „Intermezzo“: „Wir schließen aus ihrer [der „Wortemacher“] Degradation auf keinerlei geistigen Niedergang, seelische Zerspellung, Vernichtung der Zeugungskraft im Innern der Nation, der wir nun aufrichtend, heilend, helfend beizuspringen oder den Arzt – oh, den immergleichen Arzt zu bestellen hätten.“ Aber es

---

[1]) Für ihren im dritten Jahrgang der „Kreatur“ erschienenen Aufsatz „Interpretation von Gedichten“ ist die Zustimmung unsicher. Er ist gegen Gundolfs Georgebuch gerichtet, jedoch für George, ausgenommen die Ankündigung der Gesamtausgabe seiner Werke: „Aber es hat etwas Schauerliches, diese einsame Gestalt und diesen einsamen Namen in das heutige Strömen von Kaufen und Verkaufen gezogen zu sehen“.

wird wohl so sein, daß alle diese menschlichen Zeugnisse lehren: George ist ein Mensch, kein Übermensch, die Rechnung geht nicht auf.

Nahbild Georges von Gundolf

Im August 1908 schreibt Gundolf einen Brief an Wolfskehl über George. Er zeigt, daß, alle Chancen der Klugheit des Beobachters und der Nähe des Beobachteten vorgegeben, es fast unmöglich ist, über einen für groß gehaltenen Menschen *verständliche* Äußerungen zu tun. Das Gegenteil ist der Fall. Wir lesen eher das Gelesene mit Bewegung und bleiben ratlos. Man höre also:

> Das Einzige was all dieser Nachwuchs immer aufs neue gepredigt und gezeigt bekommen muß, ist Charakter und Konzentration, im sittlichen, wie in jedem andren Sinn – Ausdrucksmöglichkeiten, Einsichten, Talente, Beweglichkeiten und Assoziationen und Stoffe sind mehr als genug in der Welt, aber alles was Mark, Halt, Gerüst und Architektur gibt, ist gefährdet oder vergessen – und dem einen GROSSEN Mann der heut lebt, unter vielen Begabten und Gescheiten, so als MANN, als CHARAKTER zu zeigen, kann jetzt die einzige Pädagogik des ‚Kreises' sein.

Hier wird nicht nur von „Konzentration" sondern auch und vor allem von „Charakter" gesprochen und zwar in „sittlichem" Sinn. Das wird fortgesetzt und gleichsam an der gemeinsamen Shakespeare-Arbeit bewiesen:

> Die gemeinsame Arbeit am Shakespeare hat mir George wieder und eindringlicher von dieser – ich meide das Wort nicht und spreche es mit einem dichteren Sinn aus – SITTLICHEN Seite so gezeigt, wie man ihn aus seinen Werken zwar ahnt, aber nicht begreift: eine erhabene, unbarmherzige und hingegebene Sachlichkeit, ein Überschauen und nimmermüdes Ergründen aller Details, ein Kampf mit allen Engeln und mit allen Teufeln, den Tükken des Objekts, eine enorme Akribie und ein verzehrender Fleiß, eine Allgegenwart der Realien, eine solche rührende Ehrfurcht vor jedem positiv Geleisteten, auch dem kleinsten Philologenstückchen, kurz bei dieser leidenschaftlichen Tiefe des Wesens eine Treue und Exaktheit, daß ich nur mit gerührter Ehrfurcht und einem noch vertieften Bild von diesem Menschen auf das letz-

te arbeitsvolle Jahr zurückblicke, aber auch mit einer an Selbstverachtung grenzenden Einsicht in alles was bloß Geist und genialisches Getue ist in vielem, worauf ich mir bisher viel zugute tat.

Das Bild dieser Arbeit ist stark und glaubhaft, setzt aber nicht eigentlich Größe voraus sondern Hingabe. Es ehrt Gundolf. Er hat die volle Einsicht in die Gegenwart eines solchen Mannes:

Lieber Karl, daß ich den Dichter des Teppichs und des Siebenten Rings hier einmal monatelang an der Arbeit gesehen, in die Maschinerie dieses Geistes Einblick gewonnen habe, ist mir ganz unschätzbar – „Luft die wir atmen. . ." Er ist das einzige Genie unsrer Zeit und ein typisches Genie überhaupt und wenn wir aus Büchern von Goethe und Napoleon lesen, was sie all gewußt, gekonnt und wie furchtbar ernst sie ihren Beruf und ihre Gegenstände genommen haben – so bedeutet das nicht den zehnten Teil für unsre Kenntnis, wie die lebendige Teilnahme an dem Wirken eines solchen Mannes. Ich habe über ihn nicht weniger gelernt als für mich, alle freundschaftlichen und gesprächlichen Beziehungen sind wenig gegen solche gemeinsame Arbeit, und ich wünschte nur das eine, es könnten alle hoffnungsvollen Jünglinge eine solche Zucht durchmachen, um von jeder Spielerei, Unfreiheit und Subalternität, soweit möglich, befreit zu werden.

Napoleon gehört nicht hierher. Gundolf wie der ganze Kreis um George durchschaut nicht diesen typischen „Täter". Die überschwengliche Lobpreisung, welche nicht ohne Selbstkritik ist, geht nun dazu über, den Dichter aus dieser Luft um den Täter, nicht aber aus dem Zentrum seiner Dichtung zu erklären.

Klar wird mir aber auch, daß Georges Größe nicht in irgend welchem vagen Gewölk von Außermenschlichem zu greifen ist, sondern man seinem Weg von Organen, die er hat, zu den Dingen folgen muß, seine kleinsten Schritte machen mir seine größten Gedichte deutlicher, und wenn ich *ein* Wort wählen müßte, was beides am besten bezeichnet, wär es Konzentration – nicht aller Dinge auf einen Punkt, sondern der ganzen Seele auf jede gerade vorliegende Aufgabe. Diese kraß einfachen Formeln packen das Geheimnis seiner Intensität und der kosmischen Gegenwart in seinem Verse immer noch am meisten.

Nun sinkt er geradezu ab:

> Zum mindesten spür ich deutlich, warum wir alle neben ihm uns so halbschlächtig, gewissenlos und unumrissen ausnehmen, warum unsre richtigeren Voraussetzungen immer zu schiefem Ende führen, während bei ihm selbst der unglaubliche und paradoxe Anfang das Ziel trifft, warum er, bei seiner schneidenden Einseitigkeit und Gradheit, so viel gerechter, billiger, menschlicher und wissender ist als wir, die wir alles auskosten oder alles begreifen und erklären wollen. Ich habe ihm hundertmal widersprochen und ihn der offenkundigsten Irrtümer geziehen – ich habe früher oder später immer die Wahrheit, das Tatsächliche auf seiner Seite sehen müssen, gegen alle Wahrscheinlichkeit. Er steht auf eine unheimliche Weise im Schicksal, weil er niemals den Zusammenhang mit dem Realen verloren hat [. . .][1])

Das Wort „gewissenlos" fällt unmittelbar auf. George tadelt Gundolf manchmal in seinen Briefen wegen einer gewissen Leichtfertigkeit in der Kleinarbeit, er arbeitet aktiv an der Übersetzung mit, aber Gundolf ist der Übersetzer, er kann „halbschlächtig" sein, „gewissenlos" ist er nicht. Er ist jung, er demütigt sich vor dem Größeren, mit Recht, mit Unrecht vor dem Großen:

> Und das macht mich oft traurig, daß das wundervolle Wesen dieses Menschen niemand ganz würdigt, auch die überschwänglichen Verehrer seiner Verse nicht. Er ist so, daß wir ihm alle noch viel abzulernen und abzubitten haben – aber gegen Lebende, die GROSS sind, kann niemand gerecht sein – das ist eins der tragischen Geheimnisse, aus denen das Weltgefüge seine dunklen Zauber zieht. Preisen wir uns glücklich, daß wir miterleben.

Die persönliche Nähe, nicht die Nähe des Gedichts wird zum Kriterium des Wertes. Was dieses „abbitten" bedeutet, sagt Gundolf so wenig wie er etwas zur Aufklärung jenes „tragischen Geheimnisses" beiträgt, das Lebenden gegenüber, „die groß sind", keine Gerechtigkeit erlaube. Es könnte gelöst werden, indem der, dem die Größe mit Recht zugeschrieben wird, auf sie verzichtete, nicht im Schein, son-

---

[1]) Die drei Punkte zeigen, daß hier im Text etwas fehlt. Warum es fehlt, wird nicht gesagt.

dern in der Wahrheit. Das ginge über George und Gundolf hinaus. Der Schluß des Briefes geht auf Shakespeare:

> Noch einen zweiten kenne ich jetzt anders wie früher, wenn auch hier meine neuen Blicke nur in die Tiefe gingen ohne Höhe und Umfang jetzt zu umspannen: Shakespeare... Der erste Band ist jetzt ausgedruckt und – ich darfs ohne EIGENLOB sagen, denn das Beste ist nicht von mir – wird ein Wunderwerk. Was George vollends aus dem Antonius herausgeholt hat, der wirklich erst für unser Geschlecht entdeckbar, um drei Jahrhunderte Pathos, Heroik und Erotik vorwegzunehmen scheint, ist eine neue Welt von Glorie, Kraft, Zauber und Weisheit... Wenn Sie einen englischen Shakespeare haben, so suchen Sie einmal folgende Stelle zu verdeutschen (Akt V Sc. II) ohne Verserweiterung
> But, if there be, or ever were, one such
> It's past the size of dreaming: nature wants stuff
> To vie strange forms with fancy; yet t'imagine
> An Antony, were nature's piece 'gainst fancy,
> Condemning shadows quite.
> Und lesen Sie dann, was G[eorge] daraus gemacht hat.

Georges Übersetzung bei Gundolf lautet:

> Gibts aber, oder gab es solchen: sprengt er
> Das Traum-maass. Der Natur fehlt Stoff, mit toller
> Einbildungs-form zu ringen: doch der Fund
> ‚Anton' wär ein Naturwerk trotz Einbildung
> Das ganz die Schatten schlägt.

Das heißt bei Schlegel-Tieck:

> Doch gab es je, gibts jemals einen solchen,
> So überragt er alle Phantasie: –
> Stoff mangelt der Natur,
> Die Wunderform des Traums zu überbieten;
> Doch daß sie einen Mark Anton ersann,
> Dies Kunststück schlug die Traumwelt völlig nieder,
> All ihre Schatten tilgend.

So spricht Kleopatra vor dem selbstgewählten Tode durch den Biß der Schlange, um den siegreichen Cäsar zu besiegen. Es ist nicht wörtlich, aber es ist von Shakespeare. George strebt der Wörtlichkeit zu und muß scheitern. Andere Stellen von ihm bei Gundolf mögen gut sein wie grundsätzlich Gundolfs Übersetzung als ganze, obwohl sie sich nicht durchgesetzt hat, obwohl starke Stimmen wie die eines Gustav Landauer, die eines Karl Kraus sich gegen sie ausgesprochen haben. Die *Arbeit* aber an sich ist ehrwürdig. Und so auch der von Gundolf für George und für ihn selbst bezeugte Ernst dieser Arbeit!

Ein Brief Norbert von Hellingraths

Ludwig von Pigenot teilt im Höderlin-Jahrbuch 1963/64 Briefe aus dem Nachlaß Norbert von Hellingraths mit. Aus diesen Briefen läßt sich sein Verhältnis zu George genau bestimmen. Er feiert 1907 in einer Seminararbeit George als Übersetzer Verlaines. Von dem Dichter, von welchem er nur den „Teppich des Lebens" kennt, hat er noch undeutlich symbolistische und neuromantische Vorstellungen, ohne zu dem eigentlich Dichterischen vorzudringen. Ein vierstrophiges Gedicht auf ihn, im Sommer 1907 entstanden, ist blaß und schlecht. Im Dezember 1908 liest er Teile des „Siebenten Rings": die „Zeitgedichte" und die „Gezeiten". Er liest die Silvesternacht durch, er will seine Jugendgedichte verbrennen, „von der Gewalt und Nüchternheit des Georgeschen Wortes getroffen", und dichtet:

> Mich Stückwerk will ich nun in Stücke schlagen
> ich Flamme mich zu grauer Asche kehren
> ich Sturm die Asche in die Winde streun.

Hier ertönt ein eigener Ton. Bald darauf macht er das zweite George-Gedicht, das das erste widerruft:

> Nun brach die Sonne göttlich-brausend durch
> und überstürzend fällt ihr glanz herab
> und ihre fluten überfluten mich
> und branden schäumend und sie sind die welt.
> Nun darf ich knieen in dem vollen licht
> nun darf ich knieen: wie die fluten strömen.

In den nächsten Monaten liest er die „Fibel", die Vorrede zu Maximin laut, auch „Goethes letzte Nacht in Italien". Es kommt zu einem dritten Gedicht, als dem Schlußgedicht der „George Trilogie":

> Aber so sagte mein harter Dämon: ich solle
> nirgend liegen bleiben auf dem wege
> denn zum wandern sei der helle weg da
> und zum wandern morgenfrische füsse
> und zu träumen sei es zeit am abend
> und der abend komme früh genug.

Dies ist ein starkes Gedicht; „mein harter Dämon“ deutet Ludwig von Pigenot als die Beschäftigung, wechselweise, mit George und Hölderlin. Schon 1908 hatte ihn Friedrich von der Leyen, sein germanistischer Lehrer in München, auf Hölderlins Sophokles-Übersetzungen hingewiesen. Er hielt ein Referat über den „Ödipus tyrannos“. Im Herbst 1909 ist er auf dem Schloß Lichtenstein an der Donau und schreibt an seine Tante Elsa Bruckmann in München, sich beziehend auf einen gemeinsamen Spaziergang mit ihr, Hofmannsthal und R. A. Schröder, einen Brief von großer Tiefe. Zuvor sei aber gesagt, daß es so aussieht,als wenn seine erste Begegnung mit George erst nach der Abfassung diese Briefes stattfand. Wolfskehl war der Vermittler zwischen ihm und George, wegen der von Hellingrath wiederentdeckten Pindar-Übersetzungen Hölderlins. Wir lesen: „Im Hause Wolfskehls traf Hellingrath wiederholt mit George zusammen (Tgb. 26.11.09, bei Wolfskehl Stefan George. Hölderlins Pindar‘; 30.11.09, bei Wolfskehl George‘)“. Der Brief, also ohne Kenntnis des Menschen George geschrieben, lautet:

> Sehr interessiert mich, was Du über Hofmannsthal – Schröder – George schreibst. Du weißt nämlich noch nicht von der ‚großen wendung meiner politik‘, die in den letzten Julitagen zum ausdruck kam in ein paar versen, die meine George-gedichte zur trilogie ergänzen. . Du siehst also: ich bin nicht eigentlich mehr partei. Dennoch freue ich mich über ‚Goethes letzte nacht in Italien‘. George darf nicht zurück, so wenig wie's die katholische Kirche darf: er muß den bogen spannen, mag er brechen: So gibt's, poetisch gesprochen, doch einen großen krach. George darf jetzt alles, darf seine tat zu wahnsinniger größe steigern: es gilt für ihn nur noch, *da* er einmal gescheitert ist, den getanen schritt nicht zurücknehmen wollen und die folgen tragen, nicht in irgend einer jämmerlichkeit enden. Denn: Hofmannsthal ist ein viel besserer dichter als er, auf seinem gebiet ihm gleich und meister auf einem

dutzend anderer. (So waren Schiller Brentano Eichendorff oder so wer bessere Dichter als Hölderlin; Hartmann oder Simmel oder Gott weiß wer bessere philosophen als Nietzsche): aber aus George spricht der Gott, als pythische orakel der menschheit. Dessen werkzeug wird gern zerbrochen, aber es sollte, schon dem Gott zu ehren [entweder: zu Ehren oder: den Gott zu ehren], nicht klein und jämmerlich enden.

Auf den ersten Blick scheint es so wie bei Edith Landmann zu sein, die sich um Georges willen von Borchardt abwandte: „Reichtum des Geistes, Genialität, Eigentümlichkeit als solche" wird bewußt ausgeschaltet, um dessentwillen, was bei Hellingrath „der Gott" ist, „das pythische Orakel der Menschheit". Die Poesie wäre auch bei Hellingrath bewußt oder unbewußt preisgegeben. Ob er sich aber hierbei begnügt, wie Edith Landmann, die keine eigene dichterische Gabe zu schützen hatte, ist mindestens zweifelhaft. Der Satz, daß er nicht eigentlich mehr „Partei" sei, ist verräterisch, nicht minder seine Freude über „Goethes letzte Nacht in Italien", wenn er den Satz einleitet mit einem „Dennoch freue ich mich". Weil er nicht mehr Partei ist, für George, hätte er sich kaum zu freuen. Vielleicht spricht auch ein gewisser Trotz gegen Schröder mit, welcher seiner nicht ganz unberechtigten Abneigung gegen „Goethes letzte Nacht in Italien" mündlichen Ausdruck gegeben haben mag, wie dann im Oktober 1909 in den Süddeutschen Monatsheften, in dem frechen Aufsatz gegegen Georges Gedicht. Durch dieses Gedicht scheint es „poetisch gesprochen" [er meint wohl: vom Standpunkt der Poesie aus gesprochen] „doch einen großen krach" gegeben zu haben. Vorher kam der Vergleich mit der katholischen Kirche, der George in idealem Wettbewerb einen „knaben den ihr zum Gott erhobt" entgegensetzt. Also darf George nicht zurück, er muß vorwärts. Der nächste Satz mit der Steigerung der Tat zu „wahnsinniger größe" ist wahrhaft aufregend durch die fünf Worte: *„da* er einmal gescheitert ist". Meint Hellingrath das wirklich? Es hat den Anschein. Es wird aber ganz unklar ausgesprochen. Das kommt aber nicht daher, daß er nicht mit der Sprache heraus will, sondern daß sich ihm über seiner Erkenntnis die Sprache im Munde umdreht, daß dies keine gesicherte Erkenntnis ist, sondern eine ganz und gar im Wesen erschütterte. Das über Hofmannsthal Gesagte scheint ernst gemeint zu sein. Das über die weiteren Dichter Gemeinte, wenn es ernst gemeint ist, würde ergeben, daß Hellingrath noch keine feste Stellung zu Hölderlin eingenommen hat. Das wegwerfende „oder so wer" könnte aber dafür sprechen, daß eben doch Hölderlin als der *bessere* Dichter gemeint ist und so Nietzsche als der *bessere* Philosoph, wenn nicht das eindeutige „aber" alle Position auf George häufte und alle Negation auf die vorher Genannten. Der letzte Satz enthält eine kaum glaubliche Steigerung des Scheiterns gleichsam von dem höchsten erreichbaren Standpunkt aus, als „pythisches Orakel der Menschheit". Warum aber sollte dieses „Werkzeug", wenn es schon „gern zerbrochen" wird, auch noch „klein und jämmerlich" enden? Dieser Brief enthält einen Zweifel, der Georges unzweifelhafter Auffassung von sich selbst die Waage hält. Daß ein solcher Zweifel einmal von einem Menschen erlebt wurde, bedeutet mehr als daß er ihn eines Tages aufgab, als Hölderlin ganz in ihm durchbrach.[1]) Aber selbst da gab es Zweifel. Bei der Vorbereitung der Pindarischen Hymnen für den Abdruck in den Blättern für die Kunst hatte ihn Gundolf nach seinem „eigenen Urteil" über die Fragmente gefragt, und er antwortete am 16.12.1909:

> dabei schien mir auch innerhalb der einzelnen oden Hölderlins kraft zu schwanken, das so ganz von Hölderlin verschiedene des griechischen textes verwirrt mich und die nicht einmal immer leichte erwägung in wie fern er dessen sinn verstanden hatte. Ich muß mich also unfähig erklären ein irgend vernünftiges urteil auszusprechen.

Das bestätigt beinahe Borchardts negatives Urteil über die Übertragungen, und 1914 ist der ganze Prozeß entschieden. Das wird deut-

---

[1]) W. Michel am 13.5.14 an Hellingrath: „Mir persönlich steht es fest, daß es de facto in Hölderlins Privatleben heftige Deformationen gegeben haben muß. Denn der Mensch wird nicht wahnsinnig ohne Zwischenzustände des Kampfes. Er spricht ja selbst viel von seiner Heftigkeit und Reizbarkeit, er hatte Krisen des Tobens. Aber in seine Dichtung ist das alles verwandelt übergegangen . . Ich nehme nur die Entlastung für mich in Anspruch . . des Heraustreibens einer bisher wenig beachteten Seite an Hölderlin: daß sein Ringen um dichterische und religiöse ‚Form' genau wie bei den Griechen eine Bedrohtheit von formfeindlicher Seite zum Untergrund hat". Nicht anders, mutatis mutandis, George, mit dem selbstverständlichen Unterschied, daß er *nicht* wahnsinnig wurde aber *bedroht* war.

lich aus einer „Nachbemerkung" Hellingraths unter einem bedeutenden Brief von Wilhelm Michel vom 1.4.1914:

> M[ichel]: er bemerkt nicht daß er [Hölderlin] in einer wilden nachtwelt der gespenster wohnt er geht ganz von seinem erlebnis des *subjektiv* chaotischen und gestalteten aus, sieht H[ölderlin] nicht genug als staatlich empfindend.

Da ist Georges „Staat" der Maßstab des Urteils. Zwei Jahre später ist Hellingrath tot, getötet, mit Georges Billigung im dämonisch verklärenden Gedicht auf den jungen Toten.

Was ist Wahrheit?

Der wichtige Aufsatz „Stefan George und Max Kommerell" von Günter Schulz nimmt für Kommerell und gegen George Stellung. Der Seelenforscher schreibt: „George stellte die Gestaltung persönlicher Freundschaften nicht aufs Biegen sondern aufs Brechen. Die psychologische Geschichte solcher Brüche ist zusammenhängend noch nicht dargestellt worden". Sie soll auch hier nicht dargestellt werden. Der Aufsatz enthält dagegen eine in überpersönlichem Maßstab bedeutsame Äußerung Kommerells. Da heißt es nämlich von diesem: „Wenn er über seinen Abfall nachsann, zitierte er zuweilen lächelnd die Stelle aus dem Stern des Bundes: ‚Krankes blut schafft den verrat' ". Will sagen aus dem Gedicht „Zweifel der Jünger" im „Neuen Reich". Und nun: „Fragte man ihn über das Verhältnis Georges zu dem Nationalsozialismus, dann gab er immer wieder die gleiche sphinxhafte Antwort: ‚George war außerdem noch gescheit' ". Will er damit sagen, daß George *für* den Nationalsozialismus war und für diese Haltung Gründe vorbrachte, die nicht widerlegten, daß er „gescheit" war? Ebenso ist Kommerells Haltung selbst sphinxhaft: der Freund will dem Freunde nicht sagen, *was* George gesagt hat; auch *nach* dem Bruch ist er *geschlagen* von George, „von dem er den Ausspruch zitierte", welcher besonders schrecklich ist: „Ich kann mir zehn Jahre lang überlegen, wie ich mich an einem Menschen räche". Als George im Dezember 1933 starb, überkam Kommerell „das Gefühl einer Erleichterung". Jener hatte sich, „faktisch oder gewaltsam", *nicht* an ihm gerächt. Er hatte sogar sein Buch über Jean Paul, das sich von ihm distanzierte, „beifällig" aufgenommen. Helmut von den Steinen, der 1956 auf Rhodos gestorbene Altphilologe und Ethnologe, dem ich den Aufsatz von Günter Schulz abgeschrieben hatte, schrieb mir am 30.5.1951: .. „den letzteren möchte ich zum Anlaß nehmen, meine eigene Stellung zu St[efan] G[eorge], die ich jetzt erst völlig geklärt glaube, zusammenzufassen: 1) Seit 1908, von Jahr zu Jahr sicherer, sehe ich bis heute in diesem dichterischen Werk die höchste Manifestation des europäischen

Schöpfertumes um 1900, die vollendete Wortwerdung des ‚wiedergeborenen' einst in Hellas geborenen, die Weltzukunft bestimmenden Menschseins. 2) Diese Klanggestalt ist, ganz und gar transzendental über sich hinausweisend, die intensivste inmitten der vielen anderen europäischen Gestaltungen und Veränderungen, die auf ein neues Leben jenseits der Gewissen [?] europäischen Ruinen hindeuten und hindrängen. 3) G[eorge's] persönlicher Versuch, schon von Anfang an, schon 1891 mit H[ugo] v. H[ofmannsthal] in Wien, irgendwie diese Überleitung ins Leben zu exekutieren, erst literarisch, dann philosophisch-politisch, dann erotomagisch, behält als solcher eindrucksvolle Wichtigkeit, ist aber ein tragischer Vorgang, mit unendlichen eignen und fremden Schmerzen bezahlt, von Erschütterungen und Wirrnissen auf allen Stufen begleitet, keinerlei Erfüllung bringend oder nur anbahnend. Denn zu neuer Schöpfung bedarf es einfach neuer schöpferischer Kraft – Anwendung, Pädagogik, Stilregelung etc. bleibt im endlich persönlichen Gebiet der Person St[efan] G[eorge], die eben vom Genius zu trennen ist. Diese neue schöpferische Kraft, die niemand theoretisch vorbestimmen kann, ist dennoch für uns in großen Beispielen sichtbar – freilich jenseits der europäischen Grenzen... Der Nazisatz ist doch klar! Der böse K[ommerell] will sagen: G[eorge] ist ‚Nazi', aber zu klug, unter heutigen Macht- und Staatsverhältnissen direkt an der Macht teilnehmen zu wollen. Hier irrte K[ommerell]!"[1])

Diese brieflich flüchtig hingeworfenen Worte sind eine der stärksten mir bekannten Äußerungen über das Für und Wider in George, von einem Freund, der ihn nicht gekannt hat, wohl aber manche Mitglieder des Kreises.[2]) Die Trennung der *Person* vom *Genius* George – der

---

[1]) Die nach dem Bruch geschriebenen an sich sehr bedeutenden Aufzeichnungen „Zu George und Nietzsche" sind für *diesen* Zusammenhang unverwendbar, außer zwei erstaunlich positiven Äußerungen über George: „Wenn man den Standpunkt des Ungläubigen einnimmt, ist man doch betroffen über die alttestamentarische Echtheit". (S. 234) Und der Schluß der Aufzeichnungen: „Nichts wird so werden wie er es gewollt hat; nichts, was an ihm wesenhaft war, wird uns verloren sein". (S. 250) Kommerell, der als Kritiker zu den Höchstbegabten seiner Generation gehört, nimmt politisch nicht Stellung. Inge Jens schreibt in dem von ihr herausgegebenen Nachlaßband, er sei „kein politischer Mensch" gewesen und er habe sich gegen den Nationalsozialismus „vordergründig" und im einzelnen niemals zur Wehr gesetzt.

[2]) Helmut von den Steinens Nachlaß enthält, in sieben Kapiteln, eine Arbeit über George, die in den fünfziger Jahren in Kairo geschrieben wurde. Drei Kapitel sind „in

er vielleicht nicht einmal war, wohl aber ein Dichter großer Gedichte – deutet in verhüllter Form darauf hin, daß der „Staat", den George aufbauen wollte, mißlungen ist, daß Schöpferkraft sich nicht übertragen läßt, was Borchardt sehr früh in der „Rede über Hofmannsthal" und Ludwig Strauss spät in „Wintersaat" ausgesprochen hat. Die „neue schöpferische Kraft" sah Helmut von den Steinen „jenseits der europäischen Grenzen". Er denkt wahrscheinlich hier an den neugriechischen Dichter Kawafis in Alexandrien, den er übersetzt hat und welcher völlig anders war als George und gerade nicht „erotomagich" sondern fürchterlich unbefangen homoerotisch um der alten griechischen und der neuen alexandrinischen Schönheit willen, wie es der Übersetzer im Nachwort zu seiner Übersetzung gezeigt hat. Kawafis war auch darin völlig anders als George, daß er berühmt wurde, obwohl er in einem siebzigjährigen Leben nie ein Buch herausgab. Dagegen ließ er einzelne seiner Gedichte drucken und brachte sie unter seinen Freunden in Umlauf.

Was aber Georges Stellungnahme für den Nationalsozialismus angeht, so fehlt die Begründung: bei Kommerell, daß es so war; bei Helmut von den Steinen, daß es nicht so war. Dieser hat das letzte Gespräch, 1933, Georges mit Edith Landmann nicht gekannt. Ich würde glauben, daß, was er als Irrtum Kommerells sieht, die Wahrheit ist. Sie kann nicht eigentlich gegen George vorgebracht werden.

---

verkürzter Form" abgedruckt in Castrum Peregrini 134/135, 1978. Ich zitiere einzelne Stellen: „Blasen wir also die uns bekannten oder erschließbaren Tatsachen . . , die den Namen Stefan George umwirbeln, aus unserem Gesichtskreis fort . . öffnen wir also die Bücher . . Hier steht, in vierzig Jahren mitgeteilt, *Ein Einziges Gedicht.*" Die Folgerung hieraus: „So gesehen, ist das Gedicht Georges ein nie abreißender Gewittersturm – aus heiterem Himmel. Seine kleinste Einheit, seine dynamische Zelle, ist der Blitz, meist gerade der Länge einer Zeile entfahrend. Er entreißt den hörend Getroffenen aus seinem wachen Zusammenhang einer geordneten Dingwelt und gibt ihn einer unergründlichen Geistermacht preis." Das eben ist der „Mythos", „der einzige, den unser europäisches Jahrhundert in sich aufsteigen sah." Dieser so radikal bejahte Mythos schließt jede *Kritik* des Kunstwerks aus. Die Bedeutung der Biographie eines Dichters wird geleugnet und höchstens als „Legende" anerkannt. Wenn die Schöpferkraft sich „im Zauber des Wortes bewährt, kann sie nicht das Leben, das ganz anderen Gesetzen unterliegt, gleichsam mitgenialisieren. Dies zu glauben wäre allzu einfach." Aber auch es nicht zu glauben wäre allzu einfach, denn aus einem nicht mitgenialisierten Leben kommen gefährliche Wirkungen, gegen die es keinen Widerstand gibt. Im dritten Kapitel „Der Dämon" wird behauptet und durchgeführt, daß der Name „Eros" zwar bei George nicht vorkommt, daß wir aber seine sieben Gedichtbücher „als den liturgischen Kanon des Eros" verstehen müssen.

Es klingt ungeheuerlich, aber: nur er konnte für den Nationalsozialismus sein und ihn gleichzeitig verachten, nur er für den Krieg, den er verwarf. Schon 1910 schreibt Gundolf zur Verteidigung Georges einen langen Brief an Sabine Lepsius, dessen Schluß allem Anschein nach von George diktiert ist. Dieser Schluß lautet (Briefe, S. 71): „Was nun George selbst angeht, so sagt er, es sei ihm gleichgültig, was seine Feinde sagen, aber seine Freunde müsse er bitten, nur das zu bekämpfen, was er wirklich meine, und ihn nicht immer, wenn auch noch so milde, mit Dingen zu bewerfen, die nur den Infamien seiner Gegner neue Nahrung geben. Er habe zu dutzendmalen erklärt, was er *vorerst* für nötig halte, seien weder Frauen noch Knaben, sondern Männer für den Krieg". Das mußte schlecht enden. Michael Landmann berichtet über ein Gespräch mit George nach dem ersten großen Wahlsieg der Nazis im September 1930. Er schreibt, indem er Georges Aussagen wörtlich wiedergibt: „‚Es gibt über jeden wirtschaftlichen Vorteil hinaus etwas was man nennt die Ehre eines Volkes. Wenn die verloren ist, ist alles andere gleichgültig. Als die Nationalsozialisten 10 Abgeordnete hatten, hat man über sie gelächelt. Seit sie 107 haben, hat sich in all den Ämtern, wo bisher recht lumpig verfahren wurde, das Blättchen ein bisschen gewandt. Mich geht nicht der Inhalt sondern der Impuls der Bewegung an'. Mit Hinblick auf die Juden: man sollte sie, weil sie Juden sind, weder besser noch schlechter behandeln. ‚Ich habe sehr viele Juden zu Freunden gehabt und hab ihnen auch, wenn sie sich schlecht betrugen, das Gehörige gesagt, aber nicht, weil sie Juden waren.' Dagegen umgekehrt mit Hinblick auf das nationalsozialistische Judenprogramm: ‚Wenn mir einer die Kasse stiehlt und mit ihr nach Hamburg durchbrennt, dann muss ich ihn verfolgen. Ist aber der, der das tut, mein eigener Sohn, dann steht es doch anders.' Er gab mir mit diesem Gleichnis zu verstehen, daß er zwar das, was die Nazis mit den Juden planten, nicht billige, daß er sie aber nicht nur aus diesem Gesichtspunkt beurteilen könne' ". Das bedeutet, daß George für die Juden war aber nicht unbedingt gegen Hitler, so daß ihm im Laufe des Jahres 1933 bis zu seinem Tode die Phantasie abging, sich vorzustellen, *was* schon damals den Juden geschah. „Als Karl Wolfskehl ihn im Tessin aufsuchen und beschwören wollte, eine öffentliche Erklärung abzugeben oder sich in einem Gedicht vom Hitlerdeutschland zu distanzieren, da ließ George ihm durch seinen jungen Begleiter Frank Mehnert, der zeitweilig Mitläufer der Nazi-Bewegung und vielleicht an dieser Entscheidung nicht unbeteiligt war, schreiben, er könne ihn wegen Krankheit nicht empfangen".

Kindheit

Mir liegt in Abschrift die „Mitteilung von Herrn Simon aus Bingen" vor, vom März 1950, von der ich nicht mehr weiß, in welcher deutschen Zeitung oder Zeitschrift sie erschienen ist. Sie ist aber vorher in der New Yorker Staatszeitung erschienen. Der Verfasser war mit George befreundet, als beide Kinder waren. Er scheint von George nicht viel mehr zu wissen, als daß er später berühmt geworden ist. Um so beweiskräftiger ist seine Mitteilung als Zeugnis. Er schreibt also:

> Etienne – so wurden *er* wie auch sein Vater genannt – beide erst später Stefan – und ich waren innig befreundet, damals etwa acht Jahre alt. Jeden Nachmittag nach Schulschluß und Kaffee-Zuhause ging ich zu ihm. Er hatte im Elternhaus sein eigenes geräumiges Giebel-Zimmer, wo wir einträchtig hausten und phantasierten. Wir gründeten ein großes Reich, fabrizierten unsere eigenen Briefmarken. Es war vereinbart, daß wir abwechselnd Kaiser und erster Minister sein sollten, beide „honoris causa" mangels dummer Untertanen, die uns Steuern bezahlt hätten. Nach Ablauf des vereinbarten vierwöchentlichen regnums sollte ich den kaiserlichen Thron besteigen, aber Etienne weigerte sich, ihn mir abzutreten, um sich selber der Abrede gemäß mit dem Ministerposten zu begnügen. Ich war der Phantastereien ohnehin satt und kehrte gerne zu den nicht ganz so zahmen Spielen meiner Schulkameraden am Nahe-Ufer zurück.

Schon in dieser harmlosen Geschichte, die immerhin ein Bild gibt, wird der Dichter hörbar, der sich in einem Gedicht der „Fibel" den „Alleingeborenen" nennt. Auch was folgt, ergibt ein Bild:

> Etienne und ich saßen in der Schule nebeneinander, bis er die Real-Schule verließ, um das Gymnasium in Mainz zu besuchen. Er war sehr jähzornig und auch stark, wenn er angegriffen wurde und sich wehren mußte, aber von sehr frommem Gemüt. Seine Mutter – eine feine ruhige Frau – und seine Schwester Anna

waren gute Katholiken, der Vater Demokrat. Die drei Geschwister starben ledig. In Darmstadt bildete George einen intimen Kreis Gleichgesinnter; sein bester Freund war Friedrich Gundelfinger; George entzweite sich aber mit ihm, wahrscheinlich aus den gleichen Gründen, derentwegen er mit anderen auseinanderkam. Ich glaube, daß er ein sehr streitbarer Priester geworden wäre, wenn er diesen Beruf erwählt hätte. Das wäre nicht unmöglich gewesen, da er sehr gläubig und mystisch veranlagt war.

Daß George in Mainz statt in Darmstadt ins Gymnasium ging, beruht auf einem Irrtum, aber alle seine Eigenschaften, die guten und die schlechten, treten hier in märchenhafter Einfachheit hervor: Seine Frömmigkeit, seine Gläubigkeit, sein Mystizismus, seine streitbare Priesterschaft, sein Jähzorn und nicht zu vergessen: die Stille der Mutter, die demokratische Gesinnung des Vaters. Diese demokratische Gesinnung hat der Sohn in dieser Kindergeschichte schon abgestreift, er mag sich aber manchmal nach ihr gesehnt haben. In seiner Haltung zu den Juden war sie in einem unkompromittierbaren Rest voll da.
Robert Boehringer gibt die Geschichte in seinem Buch (S. 23) so wieder:

> Ein Spielkamerad der ersten Jugendzeit hat erzählt, in der großen Giebelstube des Geburtshauses in Büdesheim hätten sie zusammen König und Minister gespielt, ohne Volk. Natürlich hat der Knabe Stefan dieses Spiel erfunden und nicht der andere, und so ist es begreiflich, daß der Erfinder zuerst König war. Es war vorgesehen, daß nach vier Wochen sie die Rollen wechseln sollten; aber als die vier Wochen „Kindlichen Königtums“ um waren, wollte der König nicht abdanken, und das Spiel war zu Ende.

Es ist bezeichnend, daß der Schüler des großen Dichters wie selbstverständlich bei zwei achtjährigen Kindern, von denen er nur das eine kennt, wie es später geworden ist, diesem die Erfindung des Spiels zuschreibt, als wäre das andere Kind nicht dazu imstande. Es ist aber nicht ganz unbedenklich, daß er Georges Haltung leise zu billigen scheint. Der andere wird nicht einmal für würdig befunden, mit Namen genannt zu werden. Demokratisch ist das nicht.

Ideen

DIE MITTE

Über die Mitte schwankt Georges Denken zwischen Hybris und Maß. Für jene ist der Zauberspruch aus dem „Stern des Bundes" das trostlose Dokument:

Wer je die flamme umschritt
Bleibe der flamme trabant!
Wie er auch wandert und kreist:
Wo noch ihr schein ihn erreicht
Irrt er zu weit nie vom ziel.
Nur wenn sein blick sie verlor
Eigener schimmer ihn trügt:
Fehlt ihm der mitte gesetz
Treibt er zerstiebend ins all.

Trostlos an sich ist nicht die Flamme, sondern –: der Trabant, nicht „der mitte gesetz" sondern negativ abgehoben –: der „eigene schimmer". Im „Siebenten Ring", in der Tafel „Einem Pater", klingt es ähnlich aber auch anders:

Kehrt wieder kluge und gewandte väter!
Auch euer gift und dolch ist bessre sitte
Als die der gleichheit-lobenden verräter.
Kein schlimmrer feind der völker als die mitte!

Auf kleinstem Raum wird hier sichtbar, was George sprachlich gelingt und mißlingt. Die Gesamtwirkung ist groß. Zwei überzeugende Sätze rahmen eine starke Aussage von zwei Versen ein. Prüft man aber diesen Eindruck, so hält er nur dann Stich, wenn man die Ohren dem gemeinten Sinn verschließt. Dieser Sinn entspringt einer politisch-religiösen Stellungnahme des Dichters, und diese Stellungnahme – *für* die Jesuiten – tritt mit dem Anspruch auf, durch die sprachliche Gestaltung gerechtfertigt zu sein. Wirklich stehen die Beiworte „klug" und „gewandt" überaus schön weil selbstverständlich im Satz,

und besonders „gewandt“ ist in seiner nachprüfbaren Richtigkeit unübertrefflich. Auch die Konklusion im letzten Vers überzeugt von des Dichters Blickpunkt aus. Freilich decken sich die schrecklichen Erfahrungen der späteren Generationen nicht mehr mit den seinigen, und für sie, falls es mit rechten Dingen zuginge, müßte einstweilen noch Demokratie, die falsch wäre, richtiger sein als Aristokratie, die richtig zu sein behauptet.
Es steht und fällt dieses Ganze aber weniger mit den gleichheitlobenden Verrätern als mit der besseren Sitte von Gift und Dolch der Jesuiten. Dazu drückt „auch“ eine gemilderte Einschränkung aus und wird beinahe zu „sogar“. Nun müßte man geschichtlich nachprüfen, ob Gift und Dolch, wie beides den Jesuiten durch Jahrhunderte nachgesagt wurde, wirklich das Einzige ist, was ihnen nachzusagen wäre. Eine solche Nachprüfung mag das Faktum bestätigen und Georges Urteil dazu. Sie mag aber auch, da Geschichte überwertig ist und eine Unzahl von Deutungen des gleichen Faktums zuläßt, das Gegenteil ergeben. Es ist müßig, in eine solche Untersuchung einzutreten, wenn man vor einem Gedicht steht. Es ist aber nicht müßig, darauf hinzuweisen, daß Gift und Dolch, selbst wenn die Jesuiten wirklich mit beidem gearbeitet haben, heute nur noch den Eindruck einer durch die Jahrhunderte mitgeschleppten historischen Attrappe macht, die der düsteren Figur des Loyola in gar keiner Weise gerecht wird und erst recht nicht dann, wenn ihm Gift und Dolch rechtmäßig zugeschrieben würde. Erst dann erhebt sich die Frage, was mit einer solchen religiösen Politik bewirkt wurde.
Wie anders diese Dinge beurteilt werden können, zeigt eine merkwürdige Stelle bei einem Zeit- und Altersgenossen Georges. Paul Valéry, welchen George mißachtet hat – er führt bei Edith Landmann (S. 152) ein Buch von ihm zur Nase und sagt: „Schund sans phrase“ –, war Atheist gleichsam von Geburt, hat aber die hinreißendsten Briefe an katholische Priester geschrieben, die sich um seine Gedankenwelt bemühten, ohne um Haaresbreite von seinen antireligiösen Überzeugungen abzuweichen, ja er hatte sogar die innere Möglichkeit, ein junges Mädchen, das Nonne wurde, zu einem Schritt zu beglückwünschen, den er gewiß nicht billigte, nur wegen der Kraft der Entscheidung, die dieses junge Mädchen zeigte. Gleichzeitig war er der überzeugte Gegner Pascals. Er läßt es an vielen Stellen deutlich werden, aber nirgends so zusammenhängend

wie in dem Aufsatz „Variation sur une ‚Pensée' " aus „Variéte"I. Dieser Aufsatz sucht mit antireligiösem Tiefsinn auf religiösen Tiefsinn antwortend Pascals berühmten Satz „Le silence éternel de ces espaces infinis m'effraie" (auf deutsch und nicht entsprechend: Das ewige Schweigen dieser unendlichen Räume erschreckt mich) zu widerlegen. Daß für Valéry die Jesuiten so wenig bedeuten wie das gesamte Christentum und alle Religion überhaupt, bedarf keiner Erwähnung. Dennoch schließt sein Aufsatz, welcher übrigens an manchen Stellen ein ungebrauchtes Wissen von der religiösen Wahrheit verrät, mit den Worten über Pascal: „Il a exagéré affreusement, grossièrement, l'opposition de la connaissance et du salut, puisqu'on voyait, dans le même siècle, de savantes personnes qui ne faisaient pas moins bien leur salut, je pense, que lui le sien, mais qui n'en faisaient point souffrir les sciences. Il y avait Cavalieri, qui s'essayait aux indivisibles; il y avait ce Saccheri, qui soupçonnait, sans se l'avouer, ce qu'il y a de convenu dans Euclide et entr'ouvrait une porte à bien des audaces futures de la géométrie. Ce n'étaient, il est vrai, que des Jésuites". (Er hat schrecklich, grobschlächtig die Opposition der Erkenntnis und des Heils übertrieben, da man in dem gleichen Jahrhundert gelehrte Männer sah, die nicht weniger gut, denke ich, ihr Heil im Auge hatten als er das seine, die aber die Wissenschaften keineswegs darunter leiden ließen. Es gab Cavalieri, der sich an den Indivisibilitäten versuchte, es gab diesen Saccheri, der vermutete, ohne es sich selbst einzugestehen, was im Euclid konventionell war, und halb eine Tür zu sehr vielen künftigen Wagnissen der Geometrie öffnete. Das waren freilich nur Jesuiten).
Hier stehen plötzlich die Jesuiten, die Pascal in den „Provinciales" so furchtbar bekämpft hat, in einem positiven Zusammenhang, für den es gegenstandslos ist, ob sie mit Gift und Dolch gearbeitet haben und ob dies gut oder böse sei. Wir stehen in einer wahren Welt, an der George hier keinen Anteil hat. Er steht vielmehr in der Welt des Scheins, welcher von der offenbaren Ausdruckskraft seines Gedichts eher bestätigt wird als widerlegt. Schein ist in der Sprache alles, was mit Ausdruck sich begnügt, ohne bis zu dem Punkt vorzustoßen, wo der Ausdruck die Sprache in sich einbezieht, soweit sie Anteil an der Wahrheit hat und auch an der Vernunft. Ist dieser Punkt erreicht, dann fällt die Möglichkeit dahin, daß Sprache und Vernunft im Gedicht sich stoßen und Unordnung bewirken, entsteht Harmonie.

Hierfür ist der letzte Vers besonders bezeichnend. Er lautet in den ersten Auflagen des „Siebenten Ringes“ so, wie ich ihn zitiert habe; in einer späteren Auflage lautet er so:

Kein schlimmrer feind der völker als DIE mitte!

Die nachträgliche Korrektur eines Druckfehlers ist bei der Sorgfalt, mit der George den Druck seiner Bücher überwachte, schwer anzunehmen, aber sie ist grundsätzlich möglich, und es spricht einiges für sie. Was bedeutet dieser Sperrdruck? Er könnte zweierlei bedeuten: einmal, daß George nicht (oder nicht mehr) sagen wollte, der schlimmste Feind der Völker sei „die“ Mitte, also die Mitte überhaupt, sondern nur eine ganz bestimmte Mitte mit einem betont negativen Wertakzent, während die Mitte überhaupt auch eine positive Bedeutung haben könnte. Die Sperrung kommt der Lähmung des Rhythmus gleich und kann nicht wie so oft bei George durch die „harte“ Fügung erklärt werden, die Norbert von Hellingrath der „glatten“ Fügung des Verses gegenüberstellt. Man kann so weit gehen, zu behaupten, daß in dem gegebenen Wortmaterial der Vers sprachlich nicht zu bewältigen ist. Die Sperrung deutet auf den nicht bewältigten Widerstreit von Stoff und Form, von Ausdruck und Schein, von Sprache und Wahrheit hin.
Man lese dagegen, ebenfalls im „Siebenten Ring“, die Tafel mit der Überschrift „Nordischer Meister“:

Wo dein geheimnis lag und dein gebreste
War unsrer nächte quälender vertreib:
Du malst in deine himmel ein die reste
Von glanz um der gefallnen engel leib.

Diese Verse scheinen zunächst ganz unverständlich zu sein. Erst wenn man entdeckt, daß es der Nächte quälender *Zeit*vertreib ist, das Geheimnis und das Gebrest des nordischen Meisters zu erforschen, tastet man sich zu dem vielleicht gemeinten Sinn vor: daß es das Verstehen *Rembrandts* war, um das die quälenden Unterhaltungen gingen. Georges Dunkelheit der Sprache vorausgesetzt, wird man diese Verse für gedanklich lückenlos und für sprachlich einheitlich halten dürfen, selbst wenn man *nachher* zugeben würde, daß der Gedanke nicht einleuchtet. Der *Sprachgedanke* weiß es hier besser als in den Versen auf die Jesuiten der Gedanke!

DER MYTHOS

Die Idee des Mythos stand im Mittelpunkt des mythischen Denkens, das George von früh an eigen war. Der dritte Jahrhundertspruch im „Siebenten Ring“ lautet:

> Der mann! die tat! so lechzen volk und hoher rat,
> Hofft nicht auf einen der an euren tischen ass!
> Vielleicht wer jahrlang unter euren mördern sass,
> In euren zellen schlief: steht auf und tut die tat.

Das ist ein sprachlich sehr großer Spruch aber auch eine Vorhersage Hitlers. Es ist die einzige „Prophetie“, die George gelungen ist. Man weiß nicht, was man zu ihr sagen soll. Hat er diese „Tat“ gewünscht, hat er sie nicht gewünscht? War er erschreckt, als er dann sah, *wer* der „Täter“ geworden ist? Es sieht nicht so aus.[1])
Der Titel des fünften Jahrhundertspruchs ist „Östliche Wirren“:

> Strohfeuer bleibt dies schlagen und dies rasen
> Bis sich inmitten ziellosen geschreis
> Der Eine hebt..doch wahre gluten blasen –
> Wer kann es in ein volk aus kind und greis?

Das geht gegen die russische Revolution von 1905, die, wie Borchardt einfach schreibt, „vehemente Hiebe“ treffen. Damit ist nicht viel gewonnen. Man kann aber siebzig Jahre später über das „volk aus kind und greis“ lange nachdenken, noch mehr freilich über den „Einen“. Wer ist das? Zwölf Jahre später kam Kerenski, dann Lenin, mit Trotzki, dann Stalin. Wir wissen es also nicht..
Voran geht der vierte Jahrhundertspruch mit dem Titel „Schlacht“:

> Ich sah von fern getümmel einer schlacht
> So wie sie bald in unsren ebnen kracht.
> Ich sah die kleine schar ums banner stehn...
> Und alle andren haben nichts gesehn.

---

[1]) Ernst Morwitz, einer seiner nächsten Freunde, der sich einer besonderen Nähe zu dem Dichter rühmen durfte, meint, George habe bei diesem Spruch an den Hauptmann von Köpenick gedacht. So wäre also die „Tat“ satirisch schon getan. Dieser Hinweis ist schwerlich ernst zu nehmen.

Das ist eher vage, und jeder deutsche Schuldirektor vor 1914 hat bei öffentlichen Anlässen in der Aula Ähnliches zu seinen Schülern gesagt. Aber der Akzent liegt hier auf „*unsren* ebnen". Wenn nicht Hindenburg rettend eingegriffen hätte, wäre die Rettung gescheitert, würde es in Rußland nicht einmal zu einem falschen „Einen" gekommen sein.
Feststeht, daß George die moderne russische Literatur mißachtet hat, nicht anders als die begabte Zeitgenossin, die unter dem Pseudonym Sir Galahad nicht nur die „Kegelschnitte Gottes" geschrieben hat sondern auch den abscheulichen „Idiotenführer durch die russische Literatur". Russisch hat George nicht gekonnt, Polnisch war die Grenze, sonst wäre er von Puschkin her wahrscheinlich zu einem anderen Urteil gekommen. Es gibt ein unsinniges Urteil über Dostojewski, über dessen „Geschichten" er zu Edith Landmann sagt (S. 194), „daß sie demoralisierender sind als die wüsteste Bordellgeschichte". Das geht noch weiter: „Wer dafür nicht inkliniert ist, liest darüber weg. Schadt ihm gar nichts. Aber Dostojewski, der in keinem gebildeten Bürgerhaus fehlen darf! Da ist die Geschichte von den beiden Feinden, die sich alles erdenkliche Schlimme antun. Wie sie sich nun im Wirtshaus treffen, rücken sie aus lauter Langeweile schließlich zusammen, trinken und fallen sich endlich in die Arme in der Erkenntnis: wir sind doch alle die gleichen Schweine". Das ist trostlos und streicht sich von selbst. Aber einmal rührt der gleiche Mann an Tiefes. Er erzählt nämlich 1920 Edith Landmann (S. 105):

> Wie sein Bild in den sozialistischen Monatsheften war: Wie da ein Bürger am Schaufenster vorbeikam, wo es aushing, und zu seiner Frau sagte: ‚Da siehst Du wie die Kerle aussehen.' – Dass der Hauptvorwurf, den man ihm gemacht, der sei, dass er unpopulär sei. Aber Shakespeare ist auch unpopulär. Selbst die Fabeln seiner Stücke widersprechen der Logik seiner Zeit. Er ist nur auf Autorität hin populär. Tolstoi hat ganz recht, daran zu rühren. Populär sei viel eher Tolstoi. Ich sagte, diese Russen hätten das Darstellungstalent.

Edith Landmann steht also in ihrer Erkenntnis über George, welcher gar kein „Darstellungstalent" anerkennt. Auch der Einwand gegen Shakespeare, daß er (wie er selbst) nicht populär gewesen sei und daß Tolstoi daran rühre, geht fehl, denn Tolstoi rührt gar nicht „daran", sondern an etwas völlig anderes, er zweifelt an Shakespeares dichterischer Größe überhaupt. Dagegen sagt George über das „Darstellungstalent" Dostojewskis etwas höchst Überraschendes:

„Ja", sagte er, „von Innerlichkeiten. Aber ob's die überhaupt gibt, das ist noch die grosse Frage." –

Diese Äußerung wäre tief, ja ist es, weil sie in der notwendigen Flüchtigkeit des Gesprächs auf etwas Tieferes hindeutet: daß nämlich die von George mit einem gewissen Recht in Frage gestellten „Innerlichkeiten" die des psychologischen Romans seiner Zeit sind, welcher nach Dostojewski kam, von ihm beeinflußt wurde, aber nicht mit ihm identisch ist. Karl Kraus nannte die Psychologie des Romans mit Nestroy als Maßstab in einem kühnen philologischen Wortspiel': „Psychrologie"[1]). Ob diesen Einwand George angenommen hätte, ist fraglich, da er den antipsychologischen Nestroy wahrscheinlich nicht sah, und daß Gundolf kurz vor seinem Tode ein Kolleg über Nestroy anzeigte, war vielleicht erst *nach* dem Bruch mit George möglich. Dagegen sagt Rudolf Kassner in den Noten zu den „Elementen der menschlichen Größe" von 1911 etwas besonders Treffendes über die Psychologie, das George näher gestanden hätte, weil er Kassner relativ schätzte und weil es mit Dante zu tun hat. Er sagt nämlich:

Der Einsame, der Leidende, handelt Psychologie, und das ist die Psychologie von Dostojewski. Sie ist das Maß und der Rhythmus dessen, der kein Maß und keinen Rhythmus hat, des Verzweifelten, Iwan Karamasoffs. Dante ist an und für sich ein genau so großer Psychologe wie Dostojewski. Er sieht die Menschen so scharf wie der Russe. Nur leben die Menschen Dantes im Ganzen und haben darum das Maß und den Rhythmus der gemeinsamen Hölle und Erde und aller Gestirne und des Himmels. Iwan Karamasoff ist Psychologe, weil er gleich Hamlet ohne Gestirn ist, weil er aus der ewigen Nacht kam und in die ewige Nacht zurückkehren wird.

George hat aber auch den russischen Menschen verkannt. Da gibt es nun im Dezember 1915 in Heidelberg eine Äußerung, die geradezu

[1]) psychrós (griechisch) = kalt, herzlos, geistlos.

unglaublich ist. Ich muß vorausschicken, daß am Tage nach dieser Äußerung Edith Landmann über ein Gespräch Georges mit Gundolf über den Geist berichtet. George sagt: „Euch allen, Euch Geistmenschen, passieren Dummheiten alle Tage". Er hätte denken können an skandalöse Äußerungen beider über den Krieg. Edith Landmann aber fährt fort (S. 29): „Gundolf hatte etwas rührend Ehrwürdiges in seiner Haltung; er verteidigte den Geist. Mit Erbitterung sagte er, daß er nicht verachten könne, woraus er lebe. Er sei einmal so und müsse sich den Strick drehen, wenn sinnlos wäre, was er mache". George lenkt ein. „Er wunderte sich, daß Gundolf sich früher nie so deutlich über den Geist ausgesprochen habe. ‚Ja', sagte Gundolf, ‚ich habe manches heruntergeschluckt. Ich war oft genug erbittert über das, was Du über den Geist sagtest. Bei Dir ist Geist ein Schimpfwort". Dies alles ist überaus ergreifend. Das Gespräch geht noch weiter, und es kommt heraus, daß George gegen den Geist als gegen den französischen „esprit" ist, der so verschiedenen Geistern wie Jean Paul, Nietzsche und Wolfskehl wohl negativ eignet, aber auch positiv, denn er nennt in einem Atem Wolfskehl „einen der geistvollsten Menschen, die er je gesehen" und sagt, „Geist sei ihm Waffe". Wie immer es sei, Gundolfs Haltung ist klar, die Georges verwirrt. Nun ermesse man, was es bedeutet, daß Edith Landmann am Tag vorher (S. 28) folgendes berichtet:

> Er erzählte, daß er, nicht ganz gesund, nicht arbeite. Er sei noch nicht darauf eingerichtet, wie Nietzsche es war. Die politische Erregung war sehr gegenwärtig. Er erzählte, daß er in Rohrschach, als er in einem Restaurant wartete, Russen gesehen und lebhaft habe russisch sprechen hören. Da sei ihm so gewesen, daß er sie hätte schlagen mögen. „Das einzige Mal vielleicht, wo ich nicht tun konnte, was ich wollte."

Törichter kann man sich nicht äußern, und der Ernst dahinter verschärft die Torheit, er hätte *wirklich* schlagen mögen! Wie ernst dies gemeint war, bestätigt 1919 die Äußerung (S. 92):

> Das sind andere Gesinnungen als die des 19. Jahrhunderts. Der große Waclaw [Lieder] sagte: Früher habe kein Pole sich eine andere Aufgabe gewußt, als drei Russen totzuschlagen. Das sei seither anders geworden.

Von Waclaw Lieder gibt es, nach Georges Übersetzungen zu schließen, einige sehr schöne Gedichte, seine Gesichtszüge in Böhringers Bildband sind die des edlen jüdischen Intellektuellen, ein „ritterlicher Schatten", wie ihn George in der Tafel „Zum Abschluß des VII. Ringes" heraufbeschwört, aber die politische Gesinnung könnte auch die eines polnischen Emigranten in Paris sein, der *nicht* Gedichte schreibt und *nicht* der Freund Stefan Georges ist.
Ein viel wichtigeres Dokument trotz aller Unbestimmtheit ist aber die Stelle im „Brand des Tempels", wo der erste der Ältesten über den großen Barbarenkönig berichtet, der den Tempel des besiegten Volkes gefeit gegen jedes Mitleid zerstört:

> ... Es nennt
> ‚Gebieter' ihn sein heer, die mutter ‚sohn', sein freund
> Wenn unbewacht mit einem laut wie ‚ILI'!
> Er selbst sich Geissel Gottes.

Es gibt nun ein Gerücht, daß der Name „Ili" auf Lenin gehe, der mit dem zweiten seiner Vornamen Iljitsch heißt. Morwitz berichtet, daß George diese Möglichkeit im Gespräch erregt zurückgewiesen habe: „Der Dichter... versicherte, daß er beim Niederschreiben des Gedichtes nichts von dieser Lautähnlichkeit geahnt habe. Er sei nur seiner Phantasie gefolgt, habe einen gewissen Klangzauber hervorbringen wollen und weder an geographische Bezeichnungen in Ili noch an Virgils Iliy als Städtegründer oder Ilia als Mutter des Romulus gedacht." Wenn der Dichter in einer solchen Frage das letzte Wort hat, dann müßte man fragen, *warum* er einen Namen wählt, der ein solches Mißverständnis nahelegt, ganz zu schweigen davon, daß es durch die Schlacht „im *Roten* Feld" noch verstärkt wird. Im August 1918, also *vor* der Niederlage im November, sagt George zu Julius Landmann, also der Deutsche zu dem Juden:

> Sie glauben wohl, dass die Soldaten, die ihre Haut zu Markte getragenhaben, zurückkommen, um die Knechte derer zu sein, die inzwischen Zeit hatten, Geld zu machen. Und wenn sie es täten, wenn keine Revolution, kein Bolschewismus käme, das wäre das Schlimmste, dann wären sie versklavt, entseelt.

Und nun folgt der von mir gesperrte Satz: *„In Rußland ist wenigstens Chaos"*. Das ist unerhört! Lenins Taten waren sofort reif für den

Mythos, nicht anders als dreißig Jahre später die Taten Maos. Für Spengler war Lenin eine weltgeschichtliche Führerfigur und Trotzki ein Massenmörder, und das zeigt in seinem sachlichen Unfug sehr gut die auswählende und ausscheidende Kraft des Mythos, denn auch Trotzki hatte seinen Mythos, aber er wurde gelähmt durch sein Judentum. Selbst und gerade bei einem so vernunftgebundenen Denker wie Walter Benjamin gibt es für diesen Mythos ein gutes Beispiel. Er war in den 20er Jahren in Rußland und hat in Bubers Zeitschrift „Die Kreatur" 1927 den Aufsatz „Moskau" veröffentlicht, der heute als „Lesestück" in den „Gesammelten Schriften" II steht. Der letzte, der zwanzigste Abschnitt der schönen Stadtbeschreibung handelt von Lenins Tod. Von dem „Kultus seines Bildes" ist die Rede, von seinen „kanonischen Formen". Und dann der Schluß: „Das allbekannte Bild des Redners ist das häufigste. Doch noch ergreifender und näher spricht vielleicht ein anderes: Lenin am Tisch, gebeugt über ein Exemplar der ‚Prawda'. So hingegeben an ein ephemeres Blatt erscheint er in der dialektischen Verspannung seines Wesens: den Blick gewiß dem Fernen zugewandt, aber die unermüdete Sorge des Herzens dem Augenblick". Das ist der Mythos, von Benjamin erkannt und weitergegeben.
In den dreißiger Jahren teilte mir der früh gestorbene Latinist Hans Levy in einem Gespräch in Jerusalem mit, daß er in den zwanziger Jahren zu wissenschaftlichen Forschungen längere Zeit in Rußland war und später durch die Vermittlung Ernst Kantorowiczs George aufsuchte, auf dessen Wunsch er diesem über seine russischen Eindrücke berichten mußte. Es spricht einiges dafür, daß für George Lenin jener „Eine" hätte sein können, der „in ein volk aus kind und greis" blies —: „wahre gluten". Diesen Augenblick der Erkenntnis mag er in seinem Gedicht versiegelt haben. Es spricht manches dafür, daß er diese prophetische Voraussage in seiner gelebten Wirklichkeit nicht wahrhaben wollte.

DIE FEINDSCHAFT

Georges Stellung zu der Weltzeit des Untergangs wird nirgends so deutlich wie in der Bewertung der Feindschaft. Sein Weltbild läßt sie zu. Haß und Feindschaft, so wenig sie ethisch zu decken sind, sind doch lebendige Kräfte, und als solche haben sie wenn auch keinen ethischen so doch einen praktischen Sinn, wenn die Kräfte des Guten sich mit den Kräften des Bösen in Prozeß versetzen, sei es von Mensch zu Mensch, sei es innerhalb eines Menschen. Selbst der Dichter des Faust läßt im Vorspiel auf dem Theater den Dichter sagen: „Des Hasses Kraft, die Macht der Liebe,/Gib meine Jugend mir zurück!" Haß und Feindschaft bei George sind magische Konstruktionen, in denen die Unerreichbarkeit und die Unbeeinflußbarkeit der Welt jenseits des magischen Kreises indirekt zugegeben wird. Auf den ersten Blick hat es den Anschein, als wenn hier die Kräfte des Guten – die bei George zweifellos vorhanden sind, aber in der trüben Glut eines magisch Schweigenden leuchten – gegen die Kräfte des Bösen kämpfen. Aber von Kampf zu sprechen ist nur dort sinnvoll, wo einer sich zum Kampfe stellt, statt daß er stände, eindeutig sprechend und zweideutig schweigend. George bedarf der Feindschaft: existentiell; er bekämpft sie nicht. Der ausdruckstarke, wahrhaft ein Ganzes abschließende Schlußspruch des „Siebenten Ringes", zu welchem der vorangehende auf den polnischen Dichter und Freund Waclaw Rolicz-Lieder in seinem reinen Liebesgefühl so seltsam kontrastiert, lautet:

Da mich noch rührt der spruch der abschieds-trünke
Ihr all! und eure hand noch wärmt: wie dünke
Ich heut mich leicht wie nie, vor freund gefeit
Und feind, zu jeder neuen fahrt bereit.

Ist es nicht erstaunlich, daß diesem warmen Abschiedsruf an die Freunde nicht nur das rechtmäßige Gefühl der eigenen Freiheit gegenübersteht sondern auch, in einer durch die bei George seltenen Beistriche ausdrücklich bezeichneten Einschiebung, die Benennung derer auf dem Fuße folgt, *von* denen der Dichter sich frei fühlt: die Benennung der Feinde *und* die der Freunde? Und ist es nicht noch viel erstaunlicher, daß bei dieser Einschiebung, wenn man sie aus dem Zusammenhang des Reimes reißt, bei diesem

vor freund gefeit und feind

genau in der Mitte zwischen den Freunden und den Feinden das *feiende* Zauberwort steht, das beide in Abstand hält? Dies also ist Leben mit den Freunden und kein Kampf gegen die Feinde, sondern

der Versuch dessen, der geschützt durch den Zauber in der Mitte steht, um beide zu bannen. Borchardt sagt mit großem Recht in einer Analyse der beiden Gedichte „Der Fürst und der Minner“ und „König und Harfner“ aus dem „Siebenten Ring“: „So optimistisch im letzten seine Anschauung der Welt zu sein scheint, so finster kämpfend und gebunden ist sie eigentlich im tiefsten. Zur Komplexität des Lebens durchzudringen fehlt ihm, was seiner Epoche fehlt, die Heiterkeit und Freiheit des Verstehens und Durchschauens, das ruhig über groß und klein aufgeschlagene Auge, das gottgleich wird, indem es die Welt Gottes nachschafft. ‚Willekomm bös unde gut‘ war der fast Goethesche Anfang eines verlorenen Waltherschen Gedichts, vier Worte, die in sich die höchste Möglichkeit deutscher Poesie als wahrer Weltreife enthalten“.
Das Motiv verschärft sich in einem Gedicht aus dem „Stern des Bundes“, das ich in Abschnitten wiedergebe, um die Teile des zusammenhängend gedruckten Ganzen deutlich zu machen:

So will der fug: von aussen kommt kein feind..

Wird er bedurft müsst ihr aus euch ihn schaffen
Im gegenstoss versieht er seinen dienst.
Er ist ein blendling er verstellt verrenkt
Er schärft die waffen spornt die guten kräfte
Bringt nötige gifte mit verhasstem tun.

Den fremden schadern aber ruft getrost:
Hemmt uns! untilgbar ist das wort das blüht.
Hört uns! nehmt an! trotz eurer gunst: es blüht –
Übt an uns mord und reicher blüht was blüht!

Der erste Vers, dessen Sprachgewicht sowohl von der Sphäre des magischen Machtworts vom Fug kommt als auch von der Bindung dieses Fuges kraft Stabreims mit dem Feinde, sagt aus, daß kein Feind von außen zu erwarten sei. Dies ist eine bedeutsame Feststellung, die im Widerspruch mit dem an anderen Stellen prophezeitem Kriege stände, wenn der Dichter nicht aus pädagogischen Gründen den Frieden vorzöge, dessen Zweideutigkeit er kriegerisch durchblitzen will. Die Feindschaft des äußeren Feindes würde die Seele des Bedürfnisses überheben, sich ihn im Inneren zu erschaffen. Aber der so erschaffene Feind, dem die Aufgabe zuwächst, die guten Kräfte

anzuspornen, wird gerade diese Aufgabe nie erfüllen, er sei denn entschlossen, abzutreten. Der Kampf des Guten, wenn es stark ist, geht auf Vernichtung des Bösen, ohne Bedingung. Das Gute, das sich auf eine Konstruktion des Bösen einließe, gräbt sich sein eigenes Grab; es steht vielmehr im Dienste der Vernunft und versucht, die Verhärtungen des Bösen durch Entscheidung aufzulösen, durch Kampf auf Tod und Leben. Wer aber das Böse heraufbeschwört, um daran zu gesunden, muß scheitern. Man braucht weder das Christentum noch das Judentum zu bemühen, um zu sehen, daß diese Einsicht durch keine Ethik beglaubigt wird, man braucht nur traurig auf die Worte hinzuweisen, die den „fremden schadern" – welche es statt des „Feindes" gibt – sollen zugerufen werden. Der Dämon bestätigt im dreimaligen Pochen auf das „Blühen" des Wortes, von welchem doch angenommen wird, daß es die Welt verwandle, nichts als die Feindschaft. Darum kommt dieses Blühen, das sich „trotz eurer gunst" vollzieht, einer Zurücknahme der Verwandlung gleich: *die Welt bleibt die alte,* aber feindlich strahlt der erblühte Dämon.
„Übt an uns mord" – diese Worte, als Binnenreim auf „Wort", bedeuten, da ja Mörder und Ermordete erst nach Georges Tod jedes aufnehmbare Maß hinter sich lassen, an dieser Stelle in metaphorischer Verhüllung wohl nur eine Stellungnahme zu der ökonomischen Lage, als von welcher das Blühen des Wortes unabhängig gedacht wird, und dies ist insofern richtig, als innerhalb des Bürgertums, zu dem mit und trotz einigen Aristokraten George und sein Kreis gehören, sämtliche Beteiligten von den korruptionistischen Vorteilen, die das Bürgertum um den Preis geistiger Fügsamkeit für Schriftsteller bereitstellt, keinen Gebrauch gemacht haben und teilweise sogar arm waren und geblieben sind. Andererseits enthalten Georges mit berechtigtem Stolz in einem Gespräch mit Max Weber geäußerte Worte nur ein Mindestmaß dessen, was ein geistig außerordentlicher Mensch von der ökonomischen Lage seiner Mitwelt und der Welt überhaupt erkennt: man kann es in Marianne Webers Buch über Max Weber nachlesen, *was* er gesagt hat. Er hat gesagt, er und seine Freunde könnten ohne Fernsprecher und Eisenbahn leben, die Firma Silverberg aber nicht. Mag es Ruhmes genug sein, ohne die Behelfe der Firma Silverberg gelebt zu haben, so ist es doch auch wahr, daß in der wirklichen Wirklichkeit kein Mensch ohne die Firma Silverberg und andere Firmen gelebt hat und daß George in

großer Weltklugheit und bei äußerster Enthaltung von der Praxis des Bürgertums eben diese Enthaltung als ein Reizmittel benutzt hat, um zu dem einzigen Erfolg zu gelangen, der ihm lohnte, nicht dem großen sondern dem größeren, nicht dem halben sondern dem ganzen. Sehr bezeichnend für diesen Zusammenhang ist ein Bericht Verweys aus den ersten Jahren seiner Beziehung zu George. Verwey tut nichts, um das Publikum für sich einzunehmen. Da sagt George: „Der kleinste Dichter in Paris pflegt gerade dieses eine Talentchen, das ihn von andern unterscheidet, und dann tut er alles mögliche, um es bekannt zu machen und vor dem Publikum damit zu glänzen. Sie dagegen, der Sie doch das Ihrige getan haben, tun fast das Gegenteil". Ist es schon seltsam, daß George das Buhlen um Erfolg im Pariser Literaturbetrieb auch nur zum relativen Maßstab nimmt, so ist es noch seltsamer, daß er Verwey geradezu als „braven Bürger" verhöhnt. „Aber Albert" – lachte er – „glauben Sie nicht, dass Sie mich betrügen können. Manchmal blitzt etwas durch Ihre Züge, das Sie verrät. Schließlich merkt man doch, wer Sie sind. Und bedenken Sie – Presse und Publikum verlangen immer etwas Äußerliches, wodurch sie angelockt werden. Sie können sicher sein, dass Sie es nicht auf ihre Hand kriegen". Möglich ist es freilich, zu vermuten, daß George wünscht, Verwey möge so sein, wie er es ihm lockend vorstellt, um es ihm, dann, verbieten zu können. Georges Weltklugheit wird von Borchardt bestätigt, welcher in „Intermezzo" schreibt: „Jene Bewegung..war sicherlich dem Naturalismus gleichzeitig, und statt ihm entgegen zu wachsen, ist sie vielmehr auf dem gleichen Asphaltboden mit ihm, in den gleichen Kaffeehäusern entstanden, hat in den gleichen Cénacles mehr als einmal an ihn gestreift.., ehe Georges resoluter Wille, bedeutender Weltverstand und elastische Pariser Schulung sich über die Vorahner und Vorläufer erhob, die einen aus dem Sattel drückte, die andern an sich zog und in sich absorbierte". So dürfte es nicht nur historisch zugegangen sein, so dürfte jeder Erfolg eines Genies zustandekommen. Georges Bereitschaft, die Mittel zu wollen, um das Ziel zu erreichen, ist richtiger als Verweys Passivität, wenn dieser in ihr nur dasselbe will. Dennoch gibt jene Stelle, wo Verwey von dem großen Esoteriker die Handhabung von Presse und Publikum halb ironisch aber auch halb aufrichtig empfohlen wird, den Worten „Übt an uns mord" geradezu eine esoterische Bedeutung, als dem Willensausdruck eines Erfolgrei-

chen, den Erfolg durch die Verachtung jener, die ihn gewähren, ins schlechthin Ungemessene zu steigern.
Dies ist ein Beispiel für Georges öffentliche Moral der Feindschaft; die private Moral der Feindschaft spiegelt das Gedicht wieder, das vor jenem im „Stern des Bundes“ steht und lautet:

Was euch betraf ist euch das band aus erz..
Hat euch ein wahn umstrickt und ihr wacht auf
Und könnt dem licht nicht frank entgegensehn:
So lernt von helden euch ins schwert zu stürzen.
Habt ihr im kleinen gegen euresgleichen
Gefehlt – so geht und sühnet stumm mit tat
Dann kommt zurück: ihr habt kein recht in zwein
Würde zu schänden und hervorzulocken
Brennende scham auf eures bruders stirn..
Verzeihung heischen und verzeihn ist greuel.

Die „brennende scham“ wird dem zugeschrieben, von dem Verzeihung wegen einer Verfehlung „im kleinen“ erwartet wird; das schönste Vorrecht wohlgeborener Seelen, die Verzeihung zu gewähren, ohne den sie Erbittenden zu beschämen, wird als „greuel“ verworfen. Ebenso wird in der stummen Sühne durch Tat die Stummheit des magischen Dämons als Lehre weitergegeben. An der im Lichte der Vernunft Klarheit schaffenden Aussprache vorbei strömt das Licht der Offenbarung durch einen großen Künstler, ohne ihn zu erleuchten. Der Mittelpunkt des Buches, das solche Dokumente der Feindschaft enthält, ist –: die Liebe. Sie soll nicht verkleinert werden; sie ist ernst gemeint. Aber eines dieser Gedichte schließt mit den Versen:

Deinen feind lass mich erschlagen
Nimm zu deinem werk mein blut.

Als den Dichter dieser Verse hat sich Ernst Morwitz bekannt, wenn auch nicht als den Dichter des ganzen Gedichts, um das ihn George gebeten hatte, welcher dann nur diese Verse aber eben diese billigte und seinem Gedicht einverschmolz. Die „weltschaffende kraft der übergeschlechtlichen Liebe“ scheitert an der Feindschaft, die sie nicht aufhebt[1]), wie es denn in Sabine Lepsius' Erinnerungen heißt (S. 49):

> Zum Schluß dieses Gesprächs brach George mit der kühnen Behauptung hervor, dass die großen Wirkungen in der Welt nur vom Wahnsinn (Mania) Einzelner ausgehen. Als ich ihn fragend ansah, sagte er: „ ‚Liebet eure Feinde' – ist das *nicht* Wahnsinn?"

Natürlich ist es weder Wahnsinn noch Mania, sondern nur schwer.. Aber er sagt auch zu Edith Landmann (S. 46) gegen menschenverachtende Äußerungen Schopenhauers „mit hinreißender Innigkeit": „Und doch steht geschrieben: Selig wer sich vor der Welt ohne Haß verschließt".

DER HERRSCHER

George hat so oft gesagt, daß Dichten Herrschen sei, daß das willenlose Lautwerden von Sprache als vollkommene Sprache im Gedicht gar nicht denkbar wäre, würde sie nicht *gegen* seinen Willen sich immer wieder durchsetzen. Darüber läßt sich nicht viel sagen. Der ganze Schutt der harmlosen Dichterei Mörikes bedeutet nichts gegen die zehn oder zwanzig Hauchlaute des Genius, die ihm gewährt wurden. Über den „Herrscher" läßt sich viel sagen, und in dem umfangreichen Buch von Friedrich Wolters über „Stefan George und die Blätter für die Kunst" heißt das vierte Kapitel des siebten Buches eben so. George hat an diesem Buch aktiv mitgearbeiet, und Günter Schulz hat von Kommerell gehört, daß dieses Kapitel von ihm selbst geschrieben sei. Nicht geschrieben ist es von ihm, denn schwerlich ist sein Prosastil hier nachweisbar, aber suggeriert könnte es von ihm sein.

---

[1]) Wie das Licht einen Dichter von vorhandener aber geringer Produktivität *erleuchtet* hat, zeigt das Beispiel Johann Mniochs (1765 - 1804), bei dem sich die folgenden schönen Sprüche finden (Analekta Bd. 1, Görlitz 1804): „Wer einem Freunde zu verzeihen hat, Der ist, o Freund, der Glückliche von Beiden,/Wer um Verzeihung bittet, straft sich selbst,/Und stellt sich dir in seiner Strafe vor./Hier gibt's nur Eine Weise, die der Ehre,/Dem Freunde zu verzeihen, würdig ist:/Nimm ihm die Geissel aus der eignen Hand,/Und lege freundlich Balsam auf die Wunden". Und: „Wer sich selber die Beule nicht schneidet, dem magst du sie drücken/Mit der ernsteren Hand, bis er den Schaden erkennt./Tut er dann töricht vor Schmerz, und schilt die Hand, statt der Beule;/Du, dem er danket dereinst, bitt' um Verzeihung ihn jetzt".

Wir lesen also: „Die seltsame Verkennung, daß George sich nur um ästhetische und nicht um staatliche Dinge kümmere, rührt daher, daß seine Ansicht vom Staat gerade den deutschen Zeitgenossen eine völlig fremde ja feindliche war". Sie war den denkenden Zeitgenossen eher fremd als feindlich, denn es fehlten die deutlichen Zeugnisse gerade für sie trotz allen herrscherlichen Gedanken in den Gedichten. Dichtung und Lehre war ineinander verstrickt und verschlungen. „Jeder herrscherliche Mensch will sein Höchstes an gegenwärtiger Stunde leben und will zugleich sein Reich durch Räume und Zeiten dehnen: zwischen der Entfaltung seiner Natur und der seines Reiches geht für ihn die gefährliche Bahn." Gefährlich ist für ihn diese Bahn, weil auf ihr die Natur des Dichters verkümmern könnte, während die wahrscheinlich selbst für George größere Dichterin Sappho nur den einen Wunsch hatte, den Purpurapfel, den die Apfelpflücker vergessen haben, vollkommen auszudrücken im Gedicht des Wohllauts. „Was der Herrscher als Andrang im Gegenwärtigen fühlte, rief der Dichter ins Werk, was jener als Menschtum um sich sammelte und formte, trieb der Dichter zum Werk." Es mag so sein und sollte trotz aller Gefahren nicht verkannt werden, aber dieses und jenes „Werk" war qualitativ verschieden, Identität nur scheinbar in der „Gemeinde" erreichbar und vom „Staat" nur eine dunkle Rede. „Was den Dichter hätte vernichten können, ging in die künstlerischen Gebilde tathaft ein." Wie bei jedem großen Dichter, aber sprachlich, nicht „tathaft". George hatte, um nicht vernichtet zu werden, nichts anderes als die Sprache. Was Hölderlin anderes meinte, wenn er sang „Sprechen die Bücher schon?" war eine ganz kurze Zeit lang die deutsche Revolution, die der französischen entspräche, ehe er jene großen Hymnen sang, die mit Revolution nichts mehr zu tun hatten. „Diese unantastbare und unnahbare Sphäre wird durch keine noch so tiefe Freundschaft aufgehoben, durch keine noch so tiefe Feindschaft ausgelöst." Jenes „vor freund gefeit/Und feind" im Ausgang des „Siebenten Ringes" klingt an und könnte auf George als den Autor deuten. „Er sah was in der Zeit und was an der Zeit war und besaß die unerlernbaren Mittel des Handelns, mit denen allein die leibhafte Tat vollbracht wird." Er besaß die Sprache, zog aber das Handeln vor, das die Sprache in Frage stellte. Das berühmte Wort des Schillerschen Fiesco hat Karl Kraus in dem Vorwort zu den „Letzten Tagen der Menschheit" umgedreht: „Ich habe gemalt, was ihr nur tatet". Hier wird die „reaktionäre" Sprache revolutionär: sie greift an und ein. „Er mied das ‚absolute' Tun, das jedem Mächtigen nahe liegt und besonders den Deutschen, aber auch das flüchtige Tun, das mit Tag und Jahr verweht." Zwischen dem absoluten und dem flüchtigen Tun suchte er immer das, was er den „Halt" nannte, gleichsam eine ideale Unentschiedenheit, und das war nicht die geringste seiner Erkenntnisse. „Daß der Geist in Tat ende ist letzter Sinn und deutliche *Sage* unserer Erneuerer, Dichter und Staatsschöpfer gewesen." Der Geist fängt in der Tat an, um sie zu überflügeln, und indem die Dichter, zwischen Erneuerern und Staatsschöpfern eingepreßt, den Atem verlieren, wird die von mir gesperrte „Sage" undeutlich, und doch ist dies wie mir scheint die einzige Stelle, auf die sich Heidegger hätte berufen können, wenn er in „Unterwegs zur Sprache" das Wort „Sprache" durch das Wort „Sage" ersetzt wissen will. Freilich wird nicht einmal Heidegger die Sprache der „Staatsschöpfer" als Sage bezeichnen. „Er trieb die Kunst als Macht, wie einst Napoleon die Macht als Kunst und stellte zuerst das unangreifbare Werk des Dichters in die alles zerlösende Zeit." Das hätte Napoleon kaum verstanden, der den Werther auf seiner Expedition nach Ägypten las und Goethe ins Gesicht „Voilà un homme" sagte. Er meinte nicht einen Machtmenschen, sondern einen Menschen, welcher dazu ein großes Werk der Dichtung geschaffen hatte, wie Racine. „Die bei George blieben waren die stärkeren Naturen, eben weil sie blieben und sich neben dem Stärksten behaupten konnten. Hätte es keine gegeben, die ihm so unbedingt zu folgen vermochten, so hätte George einsam zugrunde gehen oder als letzter Mahner und Flucher enden müssen – hätte es aber nur solche gegeben, die kampf- und willenlos folgten, so könnte sein Reich nicht in seinem Geiste vollendet werden." Weiter heißt es bei Wolters: „Ungeschützt in diesem Kreis freiwillig Dienender war nur der Herrscher selbst: ihn konnte verlassen und verraten wer und wann er wollte." Der Satz nach dem Doppelpunkt ist auch sprachlich merkwürdig und muß besondere Arbeit gemacht haben, während Wolters im allgemeinen flüssig, um nicht zu sagen: journalistisch schreibt. Zweideutig ist auch das Gemeinte. Ist die Abhängigkeit der Diener von dem Herrscher so groß, daß dieser auch den Verrat einbezieht?

Aber George, was immer er als „Herrscher" gewollt habe, war dennoch, seinem Willen entzogen, anders. Das läßt sich zeigen an einem mit Recht berühmten Gedicht aus dem „Stern des Bundes“:

Ich bin der Eine und bin Beide
Ich bin der zeuger bin der schooss
Ich bin der degen und die scheide
Ich bin das opfer bin der stoss
Ich bin die sicht und bin der seher
Ich bin der bogen bin der bolz
Ich bin der altar und der fleher
Ich bin das feuer und das holz
Ich bin der reiche bin der bare
Ich bin das zeichen bin der sinn
Ich bin der schatten bin der wahre
Ich bin ein end und ein beginn.

Dies ist ein dichterisch sehr starkes und inhaltlich ganz schwaches Gedicht, das sich vielleicht abstößt von Baudelaires Gedicht „L'Héautontimorouménos“ aus den „Fleurs du Mal“ (= Der Selbstquäler, nach dem Titel einer Komödie von Terenz). Die letzte Strophe, im Zusammenhang mit seiner Selbsterniedrigung vor Jeanne Duval, lautet: „Je suis la plaie et le couteau!/Je suis le soufflet et la joue/Je suis les membres et la roue,/Et la victime et le bourreau!“ Das Schweben der einheitlichen Person über allen denkbaren Antithesen ist höchst dichterisch. Der letzte Vers, verglichen mit allen vorhergehenden Versen, ist eher dichterisch schwach. Alle vorhergehenden Verse haben den bestimmten Artikel, dessen Bestimmtheit die Bildkraft der antithetischen Aussagen steigert. In dem letzten Vers steht zweimal der unbestimmte Artikel. Er ist eine unbestimmte Aussage ohne Bildkraft. Hätte es geheißen *„das end“* und *„der beginn“*, so wäre George seiner Lehre treu geblieben. In „ein“, gleichgültig ob der Vers dichterisch schwach ist, zeigt er sich –: unkorrumpierbar durch seine eigene Lehre.

DER HALT

Michael Landmann hat Georges Wort überliefert: „Das Denken zieht seine Kraft daraus, daß es Halt macht“[1]). Aus diesem Wort läßt sich viel lernen, um so mehr als es einen Satz von Kafka gibt: „Der Geist wird erst frei, wenn er aufhört, Halt zu sein“. Hieraus läßt sich Kafkas Werk ableiten, bis tief hinein in seine Unaufnehmbarkeit, teilweise. Ob auch sein Leben, ist eine Frage ohne Antwort. Die Sätze „Von einem gewissen Punkt an gibt es keine Rückkehr mehr. Dieser Punkt ist zu erreichen“ führen nirgendwohin. Solches mag George geahnt haben, ohne wahrscheinlich Kafka zu kennen: sein eigenes Denken machte Halt. Dieser Halt wird von einem bestimmten Tage ab für ihn zum Maßstab. Buber hat mir einmal sehr vorsichtig angedeutet, er habe gehört, daß George sich wegen gewisser geistiger Störungen habe behandeln lassen. Das könnte mit dem Arzt und Psychologen Oskar Kohnstamm (1871–1917) zusammenhängen, der von George, Wolfskehl, Hofmannsthal, Buber in gleicher Weise geschätzt wurde. Was hieran wahr ist, weiß ich nicht, aber seine Lebensluft ist gleichsam mit Wahnideen geschwängert. Der Anarchismus, später als Vorliebe für die Indianer verkleidet, die Kosmiker in München, Maximin, der integrale Nationalismus mit seinen barbarischen Haßausbrüchen, das sind Welten, in denen George immer gelebt hat, ohne sie je zu überwinden. Er hat alles sprachlich genutzt, denn er war ein großer Dichter, er ist aber nicht der größere Dichter, zu dem die Anlagen vielleicht in ihm waren, wie

---

[1]) George selbst sagt bei Edith Landmann (S. 114): „Ich verstehe nichts von philosophischen Gründen. Ich sehe nur: das ist grün und das ist gelb und das ist blau. Warum das so ist, kann ich nicht sagen. Es ist ein wenig beachteter Satz der Blätter: ‚Das Denken gewinnt seine Fruchtbarkeit daraus, daß es Halt macht‘.“ In den „Einleitungen und Merksprüchen der Blätter für die Kunst“ habe ich diesen Satz nicht gefunden, wohl aber in der neunten Folge unter dem Haupttitel „Über das Feststehende und die Denkformen“ dies: „Es sind anzeichen vorhanden dass unser denken nicht in der weise weiter kommt dass es immer verwickeltere fragen stellt und zu lösen sucht, sondern im hinblick auf das Feststehende derart gesundet dass es gewisse dinge nicht mehr einzubeziehen wünscht noch vermag“. Hier ist der „Halt“ beinahe philosophisch begründet. Das Stück ist das erste der Reihe und im Gegensatz zu den anderen ohne Titel. Das *könnte* dem letzten Satz der Einleitung entsprechen: „Beigegeben sind die Einleitungen zu . . ‚Deutsche Dichtung‘, außerdem ein namenloses Stück aus der IX. Folge“. Vielleicht deutet die Hervorhebung auf George als den Autor. Dafür spricht viel.

Borchardt dieser größere Dichter gewesen sein könnte und doch der geringere war, denn ihm fehlte die Beschränkung, und daran scheiterte seine Größe. George hat nicht an den Grenzen der Menschheit gelebt sondern an den Grenzen des Wahnsinns. Jenes setzt das Herz voraus, dieses den Geist. Noch Josef Nadlers total fehlgehende Polemik weist hierauf hin, wenn er in seiner Literaturgeschichte (IV, 1928) Georges Entwicklung als einen „Denkvorgang von eisiger Schärfe" bezeichnet. Um diese dauernde Bedrohung auszuhalten, bedurfte er des Halts im Denken für die Ertragbarkeit des eigenen Radikalismus, der Verneinung aller Bejahungen, der Bejahung aller Verneinungen. Wenn aber Leo Schestow das „Hymnensingen" des Fürsten Myschkin im „Idioten" *negativ* der *positiven* Erkenntnis Iwan Karamasoffs von der Rückgabe des Eintrittbilletts an Gott gegenüberstellt, so meint es Dostojewski anders. Bei George steht es nebeneinander und läßt gar keine Frage nach der Wahrheit zu. Vergleicht man im „Stern des Bundes" das Gedicht „Wer schauen durfte bis hinab zum grund", dessen Ausdruck negativer nicht gedacht werden kann, mit dem „Schlußchor", der positiver nicht gedacht werden kann in seiner zwölfmaligen besitzergreifenden Anrufung Gottes, so versteht man, was hier gemeint ist. Genau dies ist –: der Halt.

Er kann auch in *einem* Gedicht in Erscheinung treten. So in dem Gedicht „Der Krieg", dessen große sprachliche Intention auf den Versuch gerichtet ist, über ein chaotisches Geschehen wie den ersten Weltkrieg, als der Ausgang noch unentschieden war, eine wahre Aussage zu machen. Das Gedicht ist in der Schweiz entstanden und 1917 als Sonderheft erschienen, vor der Aufnahme in „Das Neue Reich", zehn Jahre später. Der Dichter hat es einen seiner Schüler auswendig lernen lassen, um es vor dem Eingriff der Zensur zu schützen, welche an ihm, hätte sie es verstanden oder nicht, keinen Anstoß genommen hätte. Dennoch ist es unverwechselbar er selbst. Wie sieht das aus? In den zwölf jambisch reimlosen Strophen, die sich der Prosa nähern, ohne die Poesie preiszugeben, geht die Stellungnahme auf und ab, ein Ja, dem das Nein auf dem Fuße folgt, und umgekehrt. Der Dichter stützt sich in seinem Motto auf Dante, auf seines Ahns Cacciaguida große Rede an ihn aus dem 17. Gesang des Paradiso:

Dem ohngeachtet halt dich frei von schmucke
Und ganz eröffne das von dir geschaute.
Lass es geschehn dass wen es beisst sich jucke.
Wenn auch beschwerlich werden deine laute
Beim ersten kosten: wird lebendige zehrung
Man draus entnehmen wenn man sie verdaute.

Das ist überaus schön, bis an die Grenze des Erreichbaren. Es steht nicht da, daß Dante frei von Schmucke bleibe, also von ornamento, sondern frei von Lüge, das ist menzogna, auf welche la rogna reimt, das ist: die Krätze. Es gab keinen anderen Reim, aber so verwandelt sich eine moralische Mahnung in eine ästhetische, welche nicht ganz zur sprachmoralischen wird. In der ersten sprachlich sehr großen Strophe des Gedichts wird der Krieg absolut bejaht: einen Angriffskrieg schließt das Denken aus, vielleicht sogar ein, auch als solcher wäre er ein Verteidigungskrieg, welcher sogar nach dem, was *wir* erlebt haben, rückblickend und vorblickend nicht mehr unproblematisch wäre. In der zweiten Strophe hat der Dichter alles vorausgesehen: „Am streit wie ihr ihn fühlt nehm ich nicht teil". In der dritten Strophe wird das Schicksal des „Sehers" beschrieben, der den Krieg verwirft. Aber wie? „Was ist IHM mord von hunderttausenden/ Vorm mord am Leben selbst?" .. Er sieht nicht, der Seher, daß der Mord an Hunderttausenden, welche gelebt haben und im Morde schuldlos gestorben sind, doch noch mehr sein könnte als „das Leben", welches eine Fiktion ist. Die vierte Strophe enthält die Stelle:

Die jüngsten
Der teuren sandt er aus mit segenswunsch..
Sie wissen was sie treibt und was sie feit..
Sie ziehn um keinen namen – nein um sich.

Im Gegensatz hierzu steht er selbst:

IHN packt ein tiefres grausen. Die Gewalten
Nennt er nicht fabel. Wer begreift sein flehn:
‚Die ihr die fuchtel schwingt auf leichenschwaden,
Wollt uns bewahren vor zu leichtem schlusse
Und vor der ärgsten, vor der Blut-schmach!' Stämme
Die sie begehn sind wahllos auszurotten
Wenn nicht ihr bestes gut zum banne geht.

Was hier gemeint ist, ist schwer zu verstehen, und der Dichter könnte es kaum außerhalb seines Gedichts explizieren. Die Ohren nehmen es als fürchterlich auf und als unvereinbar mit dem, was die fünfte Strophe an Verwerfung des Krieges enthält, bis zu dem Vers: „Der alte Gott der schlachten ist nicht mehr". Aber dies ist nicht das Ende der Strophe, sondern:

> Erkrankte welten fiebern sich zu ende
> In dem getob. Heilig sind nur die säfte
> Noch makelfrei versprizt – ein ganzer strom.

Das soll vereinbart werden, ist aber unvereinbar. In der sechsten Strophe rettet Hindenburg –: das Reich gegen

> Spotthafte könige mit bühnenkronen,
> Sachwalter, händler, schreiber – pfiff und zahl.

Das ist, besonders in dem „pfiff und zahl" der Presse, sehr stark ausgedrückt, bleibt aber mit Hindenburg als Maßstab problematisch, denn die Strophe mündet in dem Vers: „Doch vor dem schlimmren feind kann er nicht retten". Da klingt schon der „Dolchstoß im Rükken" an. In der siebten Strophe heißt es: „Menge ist wert, doch ziellos, schafft kein sinnbild". Der „Wert" der „Menge" wird zugegeben, dagegen wird in den nächsten Versen ausschließlich Negatives von ihr gesagt. Die achte Strophe polemisiert gegen den „Geist". Von „Umkehr" ist die Rede, von Schau", von „innerem Sinn", bis es am Ende heißt:

> Keiner der heute ruft und meint zu führen
> Merkt wie er tastet im verhängnis, keiner
> Erspäht ein blasses glühn vom morgenrot.

Zwischen den Zeilen wird nach Georges Beispiel der ideale Führer hörbar, der dann *wirklich* gekommen ist. Georg Heym, der 1914 schon tot war, ist formal von George ausgegangen und hat in dem im April 1914 erschienenen Sonettenzyklus „Marathon" die „Erhabene Größe der Demokratieen" besungen, die bei George fehlt. Es fehlt bei ihm der Kampf für den Frieden. Der Anfang der neunten Strophe „Weit minder wundert es dass soviel sterben/Als dass soviel zu leben wagt" ist ein sprachstarker Gedanke, der bei Karl Kraus zur unendlichen Klage wird, hier zur Abwehr des Pazifismus führt:

Der hilft sich, kind und narr: ‚Du hasts gewollt'
Alle und keiner – heisst das bündige urteil.
Der lügt sich, schelm und narr: ‚Diesmal winkt sicher
Das Friedensreich.'

Die Schelmen und Narren, die keine sind, vielleicht aber unzulängliche Denker, drücken sich handfester aus. Sie sagen nicht „Friedensreich", sie sagen –: Frieden. Georges Antwort ist dennoch mächtig:

Verstrich die Frist: müsst wieder
Ihr waten bis zum knöchel bis zum knie
Im most des großen Keltrers..

Dann kommt wiederum ein Umschwung als Halt:

doch dann schoß
Ein nachwuchs auf, der hat kein heuchel-auge:
Er hat das schicksalsauge das der schreck
Des ehernen fugs gorgonisch nicht versteint.

Was dieses „dann" bedeutet, wird nicht gesagt, es ist immerhin schon sechzig Jahre her, und zwischen Schicksal, Gorgo und Fug ist kein Unterschied erkennbar: die Sphinx lächelt, daß sie lebt. Es folgt in der zehnten Strophe der Vergleich zwischen den Juden und den Deutschen, daß sie „zum weitren male die erlösung" bringen –: „vielleicht". Das Wort „vielleicht" enthält an sich eine echtere Hoffnung als die hier ausgesprochene, es enthält eine *religiöse* Hoffnung. So manche Hauptworte in Georges grundsätzlich klein gedruckten Büchern sind groß gedruckt, um die Bedeutung des Wortes zu erhöhen, das Wort „Erlösung" hier nicht, es klingt eher als „Befreiung", während in „Der Dichter in Zeiten der Wirren" die „Vesper", bei welcher man ganz bestimmt nicht an das Abendgebet denken soll (oder vielleicht doch, wer kann es wissen?) groß gedruckt ist, denn *gemeint* ist die *Sizilianische* Vesper, die Ermordung aller Franzosen in Sizilien am 30. September 1282. Die elfte Strophe ist gegen den eigenen „fluch" gerichtet, ein Hymnus auf das „Land", es sei „zu schön als dass dich fremder tritt verheere", ihm wohne „noch viel verheissung" inne, „das drum nicht untergeht!" Anders als im „Brand des Tempels"! Hier muß zitiert werden, was Edith Landmann 1927 berichtet (S.176):

> Über den KRIEG: wie auch Verwey es als nationalistisch missverstanden und sich über die Zeile empört habe: ,o Land/Zu schön als dass dich fremder tritt verheere' [es ist nicht eine, es sind zwei Zeilen!]: „Dass", fügte er in bittrer Traurigkeit hinzu, „ein Dichter den Ausdruck der natürlichen Empfindung, dass einer sein Land liebt, so missverstehen kann."

Die „bittre Traurigkeit", welche den späten Leser ergreift, hebt nicht die Tatsache auf, daß George auch zehn Jahre später nicht durchschaut, daß Verwey Recht hat, nicht er selbst. Es ist aber immerhin möglich, daß Verwey nicht eigentlich erkannt hat, worin das Recht seiner Empörung besteht über den „Ausdruck der natürlichen Empfindung, daß einer sein Land liebt". Diese Empfindung ist, *in dem Gedicht,* nicht natürlich, sie ist mythisch, sie schließt aus, daß das andere Land auch „zu schön" ist als daß es „fremder tritt verheere". Eine solche „natürliche" Empfindung schließt die beweisbare Behauptung aus, daß der Sprecher des Landes, das mit dem Verheeren begonnen hat, eben dies als unwichtig nicht zur Kenntnis nimmt und das relative Recht des eigenen Verheertwerdens mit der Schönheit des eigenen Landes widerlegen will, ganz zu schweigen davon, daß es gar nicht verheert wurde, wohl aber das andere auch schöne Land. Wohl verstanden, wäre George nicht mythisch gegen den Krieg sondern in der Wahrheit, dann dürfte er das eigene Land zu schön finden, um verheert zu werden. Er ist es vielleicht in allen gegensätzlichen Haltungen zusammengenommen –: im Halt! Edith Landmann gibt 1929 ein Wort von ihm wieder, das mit Friedrich Wolters' von ihm bejahter „Zweideutigkeit" zusammenhängt, aber auch ohne diese, da sie schwer einzusehen ist, aufgenommen werden kann:

> Alle Wahrheit muss zweideutig sein. Wenn sie nur auf eine Weise verstanden werden kann, ist's bald mit ihr fertig. Wenn sie verschiedene Deutungen zuläßt, wirkt sie länger.

Wenn aber der Versuch der Deutung weder zur Eindeutigkeit noch zur Zweideutigkeit vordringen kann, ist es schlimm. Die letzte Strophe, des Rätsels Lösung, bleibt rätselhaft. Ich zitiere den Schluß:

Apollo lehnt geheim
An Baldur: ‚Eine weile währt noch nacht,
Doch diesmal kommt von Osten nicht das licht.‘
Der kampf entschied sich schon auf sternen: Sieger
Bleibt wer das schutzbild birgt in seinen marken
Und Herr der zukunft wer sich wandeln kann.

Wenn „von Osten“ nicht das Licht kommt, ist oder bleibt es Nacht. [1]) Oder dies ist ein Wortspiel: es kommt eben die Nacht, weil ein anderer Osten gemeint wäre: Rußland. So heißt es ja auch in dem abscheulichen Ausfall gegen Dostojewski im Gespräch mit Edith Landmann (S. 194): „Das ist ja das Licht vom Osten, von dem sogar noch Weber sprach!“ Ob nicht auch Rußland das „schutzbild“ bergen könnte in seinen Marken? Sicher ist aber, daß „Herr der zukunft“ bleibe, „wer sich wandeln kann“. Das ist eine gute Voraussage, selbst wenn man wiederum nicht genau weiß, was es mit dieser Wandlung für eine Bewandtnis hat. Sie könnte einen echteren Halt bieten als den echten.

Im privaten Leben Georges war es das Gleiche. Die Gespräche mit Edith Landmann sind voll von solchen Gegensätzen der Oberfläche. Sie deuten auf eine Tiefe, aus der sie kommen und in der die Gefahr, ins Bodenlos-Metaphysische abzustürzen, dem eigenen Denken den Halt gebietet, der das Leben gewährleistet. Halb humoristisch kommt es heraus, nach dem Bericht von Georg Peter Landmann, als Gundolf George fragte, ob in dem Gedicht „Dass unfassbar geschehn in vorgeburten/beschlossen lieg“ aus dem „Stern des Bundes“ der Dichter sein Leben durch die Seelenwanderung erkläre, und dieser antwortete: „Mein Kind, ich weiß es nicht, und dich geht's nicht an“. Und George sagt gerade dies, *weil* er Anspruch auf Wissen macht! Aus den vielen Beispielen bei Edith Landmann greife ich nur eines heraus, denn es ist besonders charakteristisch. Zwei junge Freunde Georges waren gefallen, und der Dichter hat sie im „Neuen Reich“ in den „Sprüchen an die Toten“ unter „Victor+Adalbert“ gefeiert.

---

[1]) Bei Edith Landmann steht (S. 93): „Im Dunkeln ganz unten auf dem schmalen Weg am Rhein pessimistische Deutung des „Doch diesmal kommt von Osten nicht das licht‘, das einer (Morwitz) gedeutet habe, daß nicht etwa das Licht von wo anders her, sondern das Dunkel komme“. Es sieht so aus, als wenn George *diese* Deutung billige, es bleibt aber unklar.

Edith Landmann schreibt sich 1918, als die Todesnachricht gekommen war, auf (Seite 66):

> Von dem, was er mir in jener Unterredung sagte, weiß ich kein Wort mehr. Er ging erregt hin und her; es war wie ein Abschied, und ich war bis zur Sinnlosigkeit konsterniert. Viel später, in Kiel, sagte er mir einmal: damals wären ihm beide Beine abgeschossen worden.

Den letzten Satz hat also Edith Landmann vorwegnehmend hinzugefügt. Aber sie hat etwas vergessen, denn 1928, in Kiel, drückt sie sich so aus (S. 187):

> Abends das Gespräch über die beiden: „Der Krieg – das liegt mir nun schon so zurück wie die Münchener Zeit." Gleichviel, sagte ich, stünde mir jener Augenblick in Nauheim, als er jene Hiobsnachricht grad erhalten hätte, noch in schrecklicher Erinnerung. „Ja", sagte er, da waren mir beide Beine abgeschossen ... Je nun, nachher wachsen sie wieder.

Was geht hier vor? Es ist ein biologisch-metaphysisches Faktum: der Mensch überlebt alles. Bei Tolstoi in „Krieg und Frieden" steht hierüber manches, auch bei Canetti. Aber er weiß es nicht, der Mensch. Man kann manches so deuten, mit Gründen, die nicht einmal alle falsch sind. George weiß es. Er gebraucht für die Klage über die beiden Menschen das furchtbare aber kolossale Bild von den beiden abgeschossenen Beinen, und er setzt es fort in dem Nachwachsen dieser abgeschossenen Beine, er macht seinen Frieden mit dem Überleben, er bedenkt nicht, daß denen, deren Beine *wirklich* abgeschossen sind, sie *nicht* nachwachsen, er braucht den Halt. Dennoch fährt er fort:

> Wie der erst neunzehn Jahre gewesen sei und seit dem fünfzehnten Jahr gedichtet habe. Er ging direkt von der Schule in den Krieg. Wie das eine Erhöhung des ganzen Typus gegeben habe. Da hatten sie für was einzustehn. Das machte etwas andres aus ihnen.

Die Wirklichkeit war anders. Georg Peter Landmann schreibt in seinem Buch (S. 210): „Bei einem verfing der menschliche Trost nicht. Adalbert Cohrs .. litt so sehr unter dem sinnlosen Getobe .., daß er

‚die große Weigerung wagen und ins neutrale Ausland fliehen wollte. George widerriet; er schrieb, er besuchte die beiden von Berlin aus in ihrem Lazarett im Harz, umsonst, und das Erschütternde war, daß Cohrs seinen Freund Bernhard mit ins Unglück riß. Anfang August kam die Nachricht, beide seien an der holländischen Grenze gestellt worden; man gewährte ihnen die Gunst, sich dem Gericht durch freiwilligen Tod zu entziehen". Diese Flucht war gegen den Tod und für das Leben gedacht. Es war nicht im Sinne Georges. Es war die Preisgabe des Halts, den *er* wollte und im Gedicht verewigte. So auch in dem Gedicht:

Norbert

Du eher mönch geneigt auf seinem buche
Empfandest abscheu vor dem kriegsgerät..
Doch einmal eingeschnürt im rauhen tuche
Hast angebotne schonung stolz verschmäht.

Du spätling schienst zu müd zum wilden tanze
Doch da dich hauch durchfuhr geheimer welt
Tratst du wie jeder stärkste vor die schanze
Und fielst in feuer erd und luft zerspellt.

Dieses Gedicht aus den „Sprüchen an die Toten" ist geschrieben im Gedenken an Norbert von Hellingrath. Es ist ein großes Gedicht. Aber der Halt, den es ausdrückt, ist unmenschlich.

DAS JUDENTUM

Es ist bekannt, daß viele der früheren und späteren Freunde Georges Juden waren, so Wolfskehl, Richard Perls, die Brüder Gundolf, Berthold Vallentin. Auch Richard M. Meyer, der den George-Kreis durch einen Aufsatz in den Preussischen Jahrbüchern bekanntmachte, Georg Simmel, den Georges Gedichte früh ergriffen, Georg Bondi, der es wagte, den Dichter zu drucken, waren Juden. Soweit es sich hier um die bekannte Funktion geistiger Vermittlung in einer durch Assimilation erreichten Zugehörigkeit zu einem fremden Volksganzen handelt, stellt dieser Vorgang im Zusammenhang mit George nichts grundsätzlich Neues dar. Er wird erst dadurch zu

etwas Besonderem, daß die gesellschaftlichen Wegbereiter eines deutschen Dichters im Wege der *persönlichen* Assimilation an einen überragenden Einzelnen zu dessen Freunden wurden und von ihrem Judentum keinen praktischen Gebrauch mehr machten. George akzeptiert diesen Zusammenhang, wenn er in Edith Landmanns Gesprächen (S. 146) gegen Vorwürfe in dieser Richtung sagt: „Solche Juden, wie ich habe, könnte ich noch zehn um mich haben, würde mir gar nichts schaden". Die Ausnahme ist Wolfskehl. Selbst er ist nur bedingt eine. Sein Judentum, welches erst seit 1933 sich nackt bekannte, ohne selbst dann die germanische Symbolik preiszugeben, trat damals in einer solchen mythischen Verhüllung auf, daß es für George als Judentum kaum erkennbar war und ihm weit eher als einprägsamstes Beispiel für mythisches Deutschtum mag eingeleuchtet haben. Dieses wird auf das Judentum übertragen, wie denn die zionistische „Blutleuchte", die Franziska zu Reventlow in den „Aufzeichnungen des Herrn Dame" Wolfskehl zuschreibt, hinter der Parodie auf Wahrheit deutet, und sie kommt von Alfred Schuler. Im ersten Weltkrieg hat George über die Zionisten zu Edith Landmann gesagt (S. 64): „Wenn die wüssten, wie ich für das Gesetz Jahwes glühe! Aber die können's nicht machen. Das sind alles moderne Menschen".
Weniger bekannt ist es aber, daß Georges deutsche Freunde in geringerem Maße Träger seiner Wirkung waren, ja sogar in Klages und Schuler aus nahen Freunden zu seinen erbittertsten Feinden wurden. An dieser Entwicklung war das Judentum nicht unbeteiligt. Im Banne ihrer Mythenforschung, welche Bachofen als Entdecker einer untergegangenen Weltzeit pries und den Anspruch erhob, die Epoche aus dieser Weltzeit zu erneuern, waren Schuler und Klages erklärte Feinde des Judentums, indem sie alles, was sie in der geschichtlichen Entwicklung störte, wie Vernunft, Geist, Aufklärung, Protestantismus, Demokratie als „jüdisch" bloßstellten. Theodor Lessing gibt in seinen Lebenserinnerungen „Einmal und nie wieder", in deren Mittelpunkt der gleichzeitig persönliche und überpersönliche Lebenskonflikt mit Klages steht, die frischeste Darstellung des Münchener Kreises um George, und ebenda schreibt er von dem rätselhaften Schuler:

Weil das Wiedererwecken und Wiedererinnern der herrlicheren, vom Geiste erschlagenen Vorwelt gebunden sein sollte an die

Erinnerungen des Blutes und weil das Blut der „Pelasger", der urtümlichen Arier, der „unverkümmerten Heiden" versickert, ja vampyrisch aufgetrunken sein sollte in der Wüste des verhaßten Eingottes und Geistgottes aus Juda, so war auch der Klages-Schulerschen Lebenslehre nur der „Nicht-Jude" fähig. Und da ihm als wiederverkörpertem Neronen ein Punierhaß im Blute leuchtete, die semitischen Phöniker aber dem Moloch huldigten..., so war die äußerste Ekelvokabel in Schulers reichem Geheimvokabular das Wort „Molochitisch", womit gemeint war: alles Lebensunfrohe, Lebensneidische und das Leben Aufzehrende. Vor allem aber Luther und Kant.

Georges Haltung ist weder vorbildlich noch tadelnswert, sie ist paradox. Er nimmt persönlich eindeutig gegen Schuler und Klages Stellung: für Wolfskehl. Dies befiehlt ihm die Erhaltung eines Dichtertums, das seine Feinde nicht zu verteidigen hatten und welchem Wolfskehl näher stand als die Verächter seiner Poesie; dazu hebt das Auftreten Maximilian Kronbergers und dessen früher Tod sein Leben auf die Ebene, die seinem Anspruch genügte und die Forderung seiner Gegner nach dem großen „Täter" in der Vergöttlichung des Toten gegenstandslos machte. Dennoch kehren die in seiner persönlichen Existenz bekämpften Motive in seiner Dichtung wieder: der Mythos als Kampf gegen die Wahrheit; das Judentum. Dieses erfährt nun eine merkwürdige Abwandlung. Ob bewußt oder unbewußt, baut der von einem bestimmten Augenblick seiner Entwicklung ab *nationale* Dichter sein Weltbild in Kategorien auf, die einmal im Judentum Wirklichkeit waren und unter Absehen von dem monotheistischen Zentrum des Judentums vielleicht die europäische Nationalidee mitbegründet haben. So schreibt Jizchak F. Baer 1933 in seinem Buch „Galut", welches die Entwicklung der jüdischen Ideologie der Diaspora zum Inhalt hat, bei einer Analyse des „Kusari" von Jehuda ha-Lewi (um 1135) das Folgende:

> Die den Zweifel besiegende Liebe zu seinem Volk steigert sich zu geschichtlichen Vorstellungen, deren sich in einer Epoche des nationalen Unglücks noch ein Fichte schwerlich ohne Kenntnis seines Vorgängers bedienen durfte.. Denn es läßt sich nicht bestreiten, daß das jüdische Volk in der Galut, der vollen Kraft des göttlichen Einflusses entzogen, das Bild eines zerstückten Kör-

pers bietet, dem freilich noch die Wärme des lebendigen Organismus geblieben ist. Wie früher der Tempel der sühnende Mittelpunkt und das Herz der Menschheit war, so ist in der Galut das jüdische Volk selber das Herz der Menschheit.

Hölderlin singt in dem „Gesang der Deutschen": „O heilig Herz der Völker, o Vaterland!" George sagt in „Der Dichter in Zeiten der Wirren" im „Neuen Reich": – „Daß die erkoren sind zum höchsten ziel/-Zuerst durch tiefste öden ziehn dass einst/Des erdteils herz die welt erretten soll.." Bei beiden Dichtern hat das Herz die gleiche Funktion. Der Zusammenhang ist schwebend und ungeprüft, und doch ist die Entwicklung des Herzens von der Realität des Allerheiligsten im Tempel zu Jerusalem zu dem Symbol des Volkes besonders aufschlußreich, wie auch die mythische Beschwörung des Judentums, *um das Schicksal Deutschlands darzustellen,* bei George wiederholt nachweisbar ist. Ludwig Strauß schreibt in dem „Jüdischen Lesebuch" (I, S. 357): „Wie Hölderlin sein deutsches Volk ‚Herz der Völker' nennt, so Jehuda Halewy sein jüdisches". Er hat nach einer mündlichen Äußerung vermutet, daß Hölderlin Jehuda Halewy im Wege einer Übersetzung gekannt hat.

In dem Gedicht „Der Krieg" lautet die zehnte Strophe:

In beiden lagern kein Gedanke – wittrung
Um was es geht... Hier: sorge nur zu krämern
Wo schon ein andrer krämert.. ganz zu werden
Was man am andren schmäht und sich zu leugnen
‚Ein volk ist tot wenn seine götter tot sind'
Drüben: ein pochen auf ehmaligen vorrang
Von pracht und sitte, während feile nutzsucht
Bequem veratmen will.. im schooss der hellsten
Einsicht kein schwacher blink, dass die Verpönten
Was fallreif war zerstören, dass vielleicht
Ein ‚Hass und Abscheu menschlichen geschlechtes'
Zum weitren male die erlösung bringt.

Ich zitiere nach dem Abdruck im „Neuen Reich", wo der fünfte Vers in Anführungsstriche gesetzt ist.[1]) Vielleicht zitiert George hier

[1]) Im ersten Druck (Der Krieg. Dichtung von Stefan George. Berlin: Bondi 1917) fehlen die Anführungsstriche!

einen eigenen ungedruckten Vers oder einen von Maximilian Kronberger: er ist, wie das Vorhergehende, gegen die deutsche Bourgeoisie gerichtet. Nach den beiden folgenden, gegen England und Frankreich zielenden Versen ist der ganze Schluß eine Frage an die katholische Kirche, ob denn nicht wenigstens sie begreife, daß die berühmte Stelle des Tacitus gegen die Juden, welche schon einmal der Welt die Erlösung gebracht haben, heute einen neuen Sinn erhalte, da die Deutschen als „ein Hass und Abscheu menschlichen geschlechtes" die Welt zum zweiten Male erlösen könnten, natürlich nicht jene Deutschen, die der Anfang der Strophe verwirft, sondern –? Es handelt sich um die Stelle aus den Annalen (XV, 44) von dem odium humani generis, die gegen die Christen gerichtet ist, welche Tacitus wie die Juden und als Juden gehaßt hat. Aber das odium humani generis bedeutet nicht, was es bei George bedeutet: den genitivus subjectivus des menschlichen Geschlechts, das die Juden haßt und verabscheut, sondern den genitivus objectivus der Juden, die das menschliche Geschlecht hassen, und gerade dies war der Vorwurf, den im Altertum die totale Abgeschlossenheit der jüdischen Religion hervorrief. So sagt Théodore Reinach in „Textes d'auteurs grecs et romains" (1895): „Dans ce reproche de haïr le genre humain on retrouve l'écho des accusations semblables portées contre les Juifs par les auteurs grecs".
Der hier von George nicht ausgesprochene Bereich privater Religionsstiftung, welche sich künstlerisch bekennt, ohne die Kunst bis zur Erfassung einer Lehre zu durchbrechen, die geglaubt werden könnte und dürfte, gehört nicht in diesen Zusammenhang, hier soll nur die Verschränkung jüdischer und deutscher Motive gezeigt werden. Diese tritt in „Der Dichter in Zeiten der Wirren" noch einmal auf. Das Gedicht, das nach dem Ersten Weltkrieg erschienen ist[1]) und das in drei großen Abschnitten von je dreißig Versen die Gründe der deutschen Niederlage, das Elend in ihrem Gefolge und die Hoffnung auf nationale Wiedergeburt ausdrückt, das Ganze begleitet von dem trauernden Schweigen und der hoffenden Sprache des Dichters, enthält im ersten Teil die folgenden Verse:

---

[1]) In: Drei Gesänge. Berlin: Bondi (1921).

Wenn alle blindheit schlug, er einzig seher
Enthüllt umsonst die nahe not.. dann mag
Kassandra-warnen heulen durch das haus
Die tollgewordne menge sieht nur eins:
Das pferd! das pferd! und rast in ihren tod.
Dann mag profeten-ruf des stammgotts groll
Vermelden und den trab von Assurs horden
Die das erwählte volk in knechtschaft schleppen:
Der weise Rat hat sichreren bericht
Verlacht den mahner, sperrt ihn ins verlies.
Wenn rings die Heilige Stadt umzingelt ist
Bürger und krieger durcheinander rennen
Fürsten und priester drin sich blutig raufen
Um einen besenstiel indes schon draussen
Das stärkste bollwerk fällt: er seufzt und schweigt.

Die mythisch große Beschreibung des Untergangs der Juden als Beispiel für den deutschen Untergang wirkt um so stärker, als ihr der Untergang Trojas als ein nichtjüdisches Beispiel vorhergeht. In dem „Brand des Tempels“ tut der Dichter den letzten Schritt, wenn er das deutsche Heiligtum, dessen Untergang im Bilde des jüdischen noch der Hoffnung Raum gab, willentlich durch den Barbarenkönig zerstören läßt. Dies ist der *wirkliche* Untergang Deutschlands. In dieser dreifachen Verflechtung – Untergang der Deutschen, Untergang der Juden als Gleichnis des deutschen Untergangs, Zerstörung des deutschen Heiligtums zu absolutem Neubeginn – ist hinter aller vorhandenen Hybris wirklich ein prophetischer Kern enthalten, wie problematisch der Anspruch auf prophetisches Wissen sein mag, bei einem Dichter, der einen immer größeren Raum des natürlichen Lebens der Prophetie einzuzwingen suchte.
Die genaue Verknüpfung von Deutschen und Juden bezeugt im „Stern des Bundes“ das folgende Gedicht:

Ihr Äusserste von windumsauster klippe
Und schneeiger brache! Ihr von glühender wüste!
Stammort des gott-gespenstes..gleich entfernte
Von heitrem meer und Binnen wo sich leben
Zu ende lebt in welt von gott und bild!..
Blond oder schwarz demselben schooss entsprungne
Verkannte brüder suchend euch und hassend
Ihr immer schweifend und drum nie erfüllt!

Es ist erschütternd, zu sehen, wie George dem Glauben Ausdruck gibt, daß Juden und Deutsche von entgegengesetzten Polen aus gleich weit vom Mittelpunkte entfernt sind. Diese Mitte scheint für ihn im Kulturraum des Mittelmeers wirksam zu sein. Dort ist der Gott, dort ist auch das Bild, das von ihm Zeugnis ablegt. Der eisige Nordmensch und der glühende Wüstenmensch gehören in der Verfehlung der Mitte zusammen. Zu jenem gehört überhaupt kein Gott, zu diesem: das Gottgespenst. Dieses Gottgespenst, das ist der „Geistgott", von dem Theodor Lessing spricht. Ihm eignet aber, wenn man ihn aus der polemischen Verzerrung zurücknimmt, die Unsichtbarkeit, die rechtmäßige, denn sichtbar von ihm ist die Welt. George sieht ein Gespenst statt des einen Gottes, der das Sein im Nichtsein vor dem Scheinen schützen könnte; das Gespenst ersetzt er vom „Siebenten Ring" ab durch einen „Gott", der den Schutz des Nichtseins preisgibt und zu erscheinen wagt. Unversöhnlich stehen sich gegenüber das Judentum und der Maximin-Kult mit dem Glauben an einen Gott, der nicht mehr der eine Gott ist und noch nicht ein anderer, nur die sprachgesteigerte Behauptung, daß wirklich jener Andere, ein junger und Hohes versprechender Mensch, ein Gott sei ... Nicht zwar in diesem Gedicht, das wegen der Grenze, vor der es einhält, ein reines Bekenntnis ist.
In den beiden Gedichten, die diesem Gedicht folgen, wird das identische Schicksal beider nach dem Maßstab der fehlenden Mitte ausgesprochen. Von den Juden heißt es:

Ihr fahrt in hitzigem tummel ohne ziel
Ihr fahrt im sturm ihr fahrt durch see und land
Fahrt durch die menschen..sehnt unfassbar ihr
Dass sie euch fassen . . sehnt unfüllbar ihr
Dass sie euch füllen . . und ihr scheut die rast
Bang vor euch selbst als eurem ärgsten feind
Und eure lösung ist durch euch der tod.

Und von den Deutschen:

Ihr habt, fürs recken-alter nur bestimmte
Und nacht der urwelt, später nicht bestand.
Dann müsst ihr euch in fremde gaue wälzen
Eur kostbar tierhaft kindhaft blut verdirbt
Wenn ihrs nicht mischt im reich von korn und wein.
Ihr wirkt im andren fort, nicht mehr durch euch,
Hellhaarige schar! wisst dass eur eigner gott
Meist kurz vorm siege meuchlings euch durchbohrt.

Man sieht hier das erfüllte Schweifen in dem Tode beider. Dem Juden macht es das Gespenst des Gottes unmöglich, sich rechtmäßig zu füllen, und er stirbt durch seine eigene Hand, aber dieses Gespenst ist so vorhanden, daß es nicht einmal mehr genannt wird; der eigene Gott ist es, der den Deutschen kurz vor dem Ziele durchbohrt. Der Jude hat nur eine persönliche Aufgabe, und diese ist unlösbar; der Deutsche kann sich nur mischen in einem Bereich nicht ihm gehöriger Fruchtbarkeit und untergehend fortwirken. Wieder ist der geheime Grund für das Scheitern beider die beiden fehlende Mitte. Die Frage ist nur die: Wo ist der Unterschied des Ranges zwischen einem Gott, der als Gespenst unansprechbar ist und welcher den Gläubigen zum Selbstmord zwingt, und einem Gott, der den Gläubigen ermordet? *Er ist nicht vorhanden.* Auch ist dies nicht mehr die „göttliche Untreue“, die für den späten Hölderlin so wichtig war und welche mindestens die Treue voraussetzt.
George, mit Deutschtum und Judentum echt und innig verbunden, wollte beiden seine eigene Mitte leihen. Er erkannte nicht, daß diese Mitte *magisch* ist, und er hat es *vergessen*, durch seine Lebenszeit hin, was diese Mitte aufhebt –: der eine Gott, der zwar aus der Schöpfung weggedacht, aber nicht durch einen anderen ersetzt wer-

den kann. Dennoch läßt sich das Unzulängliche kaum zulänglicher sagen.

Als dann Hitler kam, fand George, welcher im Dezember 1933 starb, kein dichterisches Wort mehr, von dem man wüßte, nur noch ein privates, von welchem man erst 1963 aus dem Buch von Edith Landmann erfahren hat. Am 19.9.1933 sah sie ihn in Basel zum letzten Mal. Ihr Buch schließt mit den folgenden Worten:

> Über das Politisch-Aktuelle sagte er mir in Berlin, was er wohl allen Älteren sagte, denen gegenüber er die Jungen in Schutz nahm, es sei doch immerhin das erste Mal, daß Auffassungen, die er vertreten habe, ihm von außen wiederklängen. Und als ich auf die Brutalität der Formen hinwies: Im Politischen gingen halt die Dinge anders. Bei der letzten Unterredung [im März 1933] erklärte er, was die Juden betrifft: nach allem, was er gelebt, müsse er hierüber kein Wort ausdrücklich noch sagen. (Er hatte Ernst Morwitz, der damals seines Amtes bereits entsetzt war, zum Überbringer seines – ablehnenden – Antwortschreibens an die deutsche Dichterakademie gemacht). „Ich will Ihnen etwas sagen: wenn ich an das denke, was Deutschland in den nächsten fünfzig Jahren bevorsteht, so ist mir die Judensach im Besonderen nicht so wichtig.“ Und als er mich nach meinen Arbeiten fragte und ich ihm sagte, daß man nun völlig ins Leere hinein doch gar nicht mehr schreiben könne, erwiderte er: „Was einmal gut gemacht ist, das bleibt und findet seine Wirkung. Das glaube ich.“

Vorgänger

HÖLDERLIN

Im dritten Buch des „Stern des Bundes“ steht das Gedicht:

Hier schliesst das tor: schickt unbereite fort.
Tödlich kann lehre sein dem der nicht fasset.
Bild ton und reigen halten sie behütet
Mund nur an mund geht sie als weisung weiter
Von deren fülle keins heut reden darf..
Beim ersten schwur erfuhrt ihr wo man schweige
Ja deutlichsten verheisser wort für wort
Der welt die ihr geschaut und schauen werdet
Den hehren Ahnen soll noch scheu nicht nennen.

Hier werden „unbereite“ abgewiesen, die „lehre“ zu erfahren, aber den „hehren Ahnen“, den „noch scheu nicht nennen“ soll, hat nach Morwitz Edgar Salin im Gedicht als Akrostichon gefunden, wenn man nämlich vom ersten Buchstaben des ersten Verses Vers für Vers ungefähr je einen Buchstaben weiter liest. Man liest dann –: *Hölderlin.* George hat diese Enthüllung nicht abgeleugnet und seiner Verehrung für Hölderlin Ausdruck gegeben in seiner „Lobrede“ in der XI. und XII. Folge der Blätter für die Kunst und dann in der zweiten Auflage von „Tage und Taten“.
Diese Lobrede bezieht sich schon in den vorangesetzten Zitaten ausschließlich auf die Hymnen der Spätzeit, von denen Hellingrath die meisten ans Licht gebracht hat. Die Zitate sind die Antwort des Dichters auf eine große geistige Leistung. Die folgende Stelle bei Salin (S. 21) gibt immerhin zu denken:

> Dann setzte er sich mit Hellingrath an den leeren Schreibtisch, zog aus seiner Schublade Hölderlin-Abschriften und machte Norbert auf eine größere Zahl von Stellen aufmerksam, bei denen er die Richtigkeit des Lesens bezweifelte. „Lautes Lesen gibt Ihnen mehr Gewicht für die richtige Abschrift als das lange Entziffern.“

> Norbert erwiderte, daß es wirklich sehr schwer sei, die späten Hymnen-Handschriften zu lesen.. Aber Georges Rat sei im voraus befolgt: keine Abschrift gelte als endgültig, wenn wir drei nicht in mehrfachem lauten Lesen den Rhythmus in Ordnung und in eingehender Aussprache eine Sinndeutung möglich gefunden hätten.

Diese „Sinndeutung" ist eine *produktive* Leistung, als Übertragung eines alten Textes in einen neuen Stil der Sprache, in gleicher Weise positiv und fragwürdig, positiv in der Bedeutung des Klanges, der nur im lauten Lesen hörbar wird, fragwürdig als *philologische* Leistung, und zwar nicht eigentlich darum, weil sie Hölderlins Text unrichtig wiedergäbe, sondern weil sie zeigt, daß stellenweise diesem Text *sprachlich* überhaupt nicht anders beizukommen ist als durch eine „Sinndeutung", die auch falsch sein könnte. Salin schreibt aber auch (S. 135):

> Schon im Sommer 1914 war uns allen aufgefallen, daß Gundolf an unseren Hölderlin-Lesungen sich wohl beteiligt hatte, doch daß er in rätselhafter Weise davon minder ergriffen schien.. es war eine Grenze des Gundolfschen Wesens, an die hier gerührt wurde, eine Grenze nicht jeden, doch des tiefsten Verstehens.

Vielleicht war es nicht eine Grenze des tiefsten Verstehens, was Gundolf, welcher schließlich den schönen Aufsatz über Hölderlins „Archipelagus" geschrieben hat, schweigen machte, sondern eine tiefere Einsicht in das Problem.
Die Hölderlin-Zitate bezeugen kraft der Wirkung, die jedes von George ausgehende Wort auf die ihm zugewandte Gemeinschaft wie auf die weitere Leserschaft hatte, neben dem Fortschritt in der Rezeption von Hölderlins Poesie die Vergewaltigung von Hölderlins Gesamtleistung, aus welcher die Heftigkeit von Borchardts späterer Reaktion in „Hölderlin und keine Ende" und noch schärfer in dem Brief an Max Rychner vom 4.6.1927 (abgedruckt in der Festschrift für Rudolf Hirsch) verständlich wird. Dabei ist gerade er es gewesen, der sehr früh, in dem „Gespräch über Formen" (1905), auf den Sprachwert der Sophokles-Übersetzungen hingewiesen hat. Das wirkliche Verstehen Hölderlins ist heute darum so erschwert, weil es weder von dem durch George erreichten Stand des Urteils absehen

noch ihn anerkennen kann. Hier nämlich vollzieht sich nicht einfach eine Akzentverschiebung, wie sie ja auch an Goethe sich vollzogen hat und dauernd weiter vollzieht, sondern etwas wesentlich Problematischeres. Während niemand auf den Gedanken käme, den jungen oder mittleren Goethe um des späteren willen als nicht vorhanden zu betrachten, soll Hölderlins Bild nur aus den späten Hymnen verstanden werden:

> Mit seinen anfängen gehört Hölderlin in das jahrhundert Goethes, in seinen späteren zumeist jetzt erst zugänglichen oder verständlichen gebilden ist er der stifter einer weiteren ahnenreihe.

George meint mit der weiteren Ahnenreihe sich selbst und seine Gemeinschaft. Er hat sich getäuscht. Echte Wirkung Hölderlins ist bei ihm und in seiner Sprachsphäre kaum hörbar; die Magie fehlt bei Hölderlin völlig. Man mag die Hymnen so hoch einschätzen, wie man will – wäre Georges Auffassung wahr, so würden alle Gedichte Hölderlins in festen Formen, wie sie noch bis in die erste Zeit der Umnachtung sich erstrecken, aus der künstlerischen Betrachtung ausscheiden.

> Die Meister der Klassik die sein bestes nicht würdigen konnten hatten die schwere aufgabe sich selbst und ihre stammgenossen aus barbarischer wirrnis und triebhaftem gestürme zur hellenischen klarheit hinaufzuläutern.

Abgesehen davon, daß diese Aufgabe noch keinem Dichter gelungen ist und daß auch Racine nicht der Ursprung sondern nur der Ausdruck des hohen Niveaus seiner Epoche war und daß weder Goethe noch Schiller noch Hölderlin eine klassische Kultur in Deutschland begründet haben noch hätten begründen können, ist der Grund für Goethes und insbesondere Schillers Versagen vor Hölderlin vielmehr darin zu sehen, daß beide unfähig waren, das Hellenische, wo es in bescheidener Fülle erklang, den einfachen deutschen Lauten abzuhören, und noch George scheint es nur bedingt zu können. Wie könnte er sonst sagen:

> Viel war die rede vom liebenswürdigen schwärmer und klangreichen lautenschläger, nicht aber vom unerschrockenen künder der eine andre volkheit als die gemeindeutliche ins bewusstsein rief..

Bedenkt man nun, daß dieser Satz gesagt wäre auf den Dichter solcher Wunder wie „Mein Eigentum“ oder „Der blinde Sänger“, so erstaunt man, wie hier der Anspruch, um das Formgeheimnis der Kunst zu wissen, mit der gröbsten Verstofflichung sich zufrieden gibt. George fährt fort:

> ..noch vom unbeirrten finder der zum quell der sprache hinabtauchte, ihm nicht bildungs- sondern urstoff, und heraushob zwischen tatsächlicher beschreibung und dem zerlösenden ton das lebengebende Wort.

Das tat er, wie in schlichteren Worten schon Wackernagel in seiner Auswahl deutscher Gedichte erkannte, auch in den späten Hymnen, gewiß aber in allen Gedichten, in denen der äußere Umlauf einer Form den inneren Ablauf eines Gefühls in Worten ohne Phrase besiegelte oder dieser jenen.

> Die natur- und vernunfterben des Grossen Umsturzes die ihn den erdfremden hiessen vergassen dass ihre gepriesene erfahrung hinfällig und überflüssig ist für den der mit göttern und mächten im bunde steht.

Die richtige Abschätzung der mythischen Elemente gehört zu den schwierigsten Problemen, die Hölderlins Werk stellt. Daß er der Vernunft noch näher steht als den Göttern oder gar den „Mächten“, dürfte die künftige Forschung bestätigen.

> Durch aufbrechung und zusammenballung ist er der verjünger der sprache und damit der verjünger der seele...

Das eben ist die Frage, die zu bejahen der reinste Glaube zögert, wenn man den Schlußsatz liest:

> ..mit seinen eindeutig unzerlegbaren wahrsagungen der eckstein der nächsten deutschen zukunft und der rufer des Neuen Gottes.

Diese bescheidene Zielsetzung wird durch die keineswegs zu preisende Erfahrung von Millionen etwa dreißig Jahre nach der Entstehung dieses Hymnus hinfällig. Hölderlin ist ein großer Dichter, wie auch George, aber daß dieser allein jenen verstanden habe, vermag sein Wort zu behaupten, sein Gedanke nicht zu erhärten. Neues muß geschehen, und es wird geschehen, wenn die von George zu

Unrecht verworfenen „natur- und vernunfterben des Grossen Umsturzes“ einmal *produktiv* würden, um an Hölderlin in einem strengen und hohen Sinne anzuknüpfen.
Das Allererstaunlichste in diesem traurigen Zusammenhang ist nun, daß George selbst Hintergedanken hatte. Er drückte sie aber nicht schriftlich aus sondern mündlich, im Gespräch mit Edith Landmann (S. 169):

> Ich zeigte ihm eine Hölderlin-Hymne, die neu ausgegraben war: ‚In lieblicher Bläue blühet mit dem metallenen Dache der Kirchturm‘. Das sei noch in der mittleren Lage, noch nicht ganz verworren, aber doch nicht mehr die Kraft der Zusammenfassung, nicht das delphische Orakel wie in den früheren, nicht der einheitliche Gedanke mehr. Was spätere Fassung genannt werde, das sei oft ein Weiterarbeiten, ein oft nicht glückliches, an dem gleichen Gedanken.

Er war also von dem fragmentarischen Charakter der Hymnen überzeugt, auch wenn sie nicht fragmentarisch überliefert wären, was allerdings das summarisch positive Urteil über die Pindarübersetzungen um so merkwürdiger macht:

> die hätten ihm etwas Griechisches übermittelt, was er mit seinem Griechisch nicht hätte erfassen können.

Zu diesem Urteil in schroffstem Gegensatz steht, was Borchardt in dem Brief an Max Rychner schreibt (S. 329):

> Daß ein herrlicher Organismus, der vor unseren Augen birst, die schutzlosen Embryonen der in ihn gelegten, ungebärbaren, aus gebrochenen Augen blickenden Sprach- und Wortschöpfungen vorzeitig und grauenvoll an den Tag bringt, und die Wirkungen, die solche Anblicke auf uns tun – all dies gehört nicht in das Gebiet der Dichtung, sondern es besteht aus und in lauter Frevel und Unglück, und wenn George mit Hinblick auf ein solches *Nefas* von dem „Dämon“ zu sprechen gewagt hat, „der jenseits von gesund und vernünftig seine Wirkung tut“, so gehört dieser „Dämon“ in die Kategorie derjenigen, gegen die wir das Tintenfaß werfen, ohne Rücksicht auf die elegantesten Gefolgschaften, mit denen er aufzieht.

Gegen Borchardt gehalten, hat, wie es scheint, Walter Benjamin mehr Recht, wenn es in „Die Aufgabe des Übersetzers" heißt (S. 21):

> Hölderlins Übersetzungen sind Urbilder ihrer Form; sie verhalten sich auch zu den vollkommensten Übertragungen ihrer Texte als das Urbild zum Vorbild, wie es der Vergleich der Hölderlinschen und Borchardtschen Übersetzung der dritten pythischen Ode von Pindar zeigt. Eben darum wohnt in ihnen vor andern die ungeheure und ursprüngliche Gefahr aller Übersetzung, daß die Tore einer so erweiterten und durchwalteten Sprache zufallen und den Übersetzer ins Schweigen schließen.

Was hier sprachphilosophisch überzeugt, ist bei Borchardt vielleicht richtig aber sicherlich maßlos. Die vollkommene Einheit der Oden, Elegien, Hymnen – mit der vollständig überlieferten „Friedensfeier" als sprachlich *früher* Stufe im Gegensatz zu dem *späteren* „Weiterarbeiten" – und vor allem der späten Reime und Reimgedichte bleibt überall ungesehen. Ludwig Strauss hat diese Einsicht in sich getragen und wenigstens teilweise in seinem vorbildlichen Aufsatz über „Hälfte des Lebens", in „Dichtungen und Schriften" , ausgesprochen. Dort findet sich auch die schöne Stelle, die in dem berühmten „heilignüchtern" eine echte Nachwirkung Hölderlins auf George begründet:

> Das so lebendig gemachte, vom Gefühl durchfärbte Wort kann sich mit „heilig" nun zu einer unlöslichen Einheit verschmelzen, die Lebenskraft genug hat, aus dem Werk Hölderlins in das Stefan Georges hinüber zu wirken und dort in dem so anderen Tone des Nachfahren groß und schön wiederzuklingen:
>
> Ein herz voll liebe dringt in alle wesen
> Ein herz voll eifer strebt in jede höhe
> Und heilig nüchtern hebt der taglauf an.
>
> (Stern des Bundes)

Das Kompositum ist wieder getrennt, entsprechend der rationaleren Sphäre des Georgeschen Gedichts, aber die Zusammenfügung der beiden Adjektive hier ist doch nicht denkbar ohne die Verschmelzung, die sie in Hölderlins Gedicht eingegangen waren.
So mag im Wortlaut Hölderlins selbst *in* Georges Gedicht alles von ihm abfallen, was ihn Hölderlin groß aber falsch sehen läßt!

PLATEN

George hat in seiner Anthologie „Das Jahrhundert Goethes“ von Platen 44 Gedichte aufgenommen, mehr als von jedem der elf anderen Dichter. Dennoch hat er später, in einem Gespräch mit Edith Landmann (S. 124), Platen als „dünn“ bezeichnet. Haltbar ist von den aufgenommenen Gedichten „An eine Geißblattranke“ und vor allem „Tristan“, nicht haltbar sind alle antikisierenden Strophen, haltbar sind, vielleicht, die drei Ghaselen, besonders der Schluß der einen: „Doch getrost. Vielleicht nach Jahren, wenn den Körper Erde deckt,/Wird mein Schatten glänzend wandeln dieses deutsche Volk entlang“. Es gibt aber schönere Ghaselen. Ich denke vor allem an das erschütternd schöne:

Der Strom, der neben mir verrauschte, *wo* ist er nun?
Der Vogel, dessen Lied ich lauschte, wo ist er nun?
Wo ist die Rose, die die Freundin am Herzen trug,
Und jener Kuss, der mich berauschte, wo ist er nun?
Und jener Mensch, der ich gewesen, und den ich längst
Mit einem andern Ich vertauschte, wo ist er nun?

Ich denke auch an das tiefsinnige Ghasel „Es liegt an eines Menschen Schmerz, an eines Menschen Wunde nichts“, das in Schwermut verfällt und am Schluß so schön aufbegehrt. Nicht aufgenommen hat George auch ein Lied ohne Titel:

Wie rafft ich mich auf in der Nacht, in der Nacht,
Und fühlte mich fürder gezogen!
Die Gassen verließ ich, vom Wächter bewacht,
Durchwandelte sacht
In der Nacht, in der Nacht,
Das Tor mit dem gotischen Bogen.

Der Mühlbach rauschte durch felsigen Schacht,
Ich lehnte mich über die Brücke,
Tief unter mir nahm ich der Wogen in acht,
Die wallten so sacht
In der Nacht, in der Nacht,
Doch wallte nicht eine zurücke.

Es drehte sich oben, unzählig entfacht,
Melodischer Wandel der Sterne,
Mit ihnen der Mond in beruhigter Pracht,
Sie funkelten sacht
In der Nacht, in der Nacht,
Durch täuschend entlegene Ferne.

Ich blickte hinauf in der Nacht, in der Nacht,
Ich blickte hinunter aufs neue:
O wehe, wie hast du die Tage verbracht,
Nun stille du sacht
In der Nacht, in der Nacht,
Im pochenden Herzen die Reue!

Das Gedicht hat einen überaus schönen Umlauf und ist in der ersten Strophe durch „das Tor mit dem gotischen Bogen" einzigartig. Solche Stellen machen die Bezeichnung „dünn" gegenstandslos, sie stehen auch im Widerspruch zu dem, was George in der Vorrede zu der ersten Ausgabe schreibt: „Unsere wahl hat nur die verfasser getroffen, deren ton ihnen so eignet dass er keines andren sein könnte, nicht solche denen einmal ein gutes lied oder eine gute reihe gelang".

Ein Liebessonett steht für sich, das auf Pindars Tod. Es enthält und erzählt eine Geschichte:

Ich möchte, wenn ich sterbe, wie die lichten
Gestirne schnell und unbewusst erbleichen,
Erliegen möcht ich einst des Todes Streichen,
Wie Sagen uns vom Pindaros berichten.

Ich will ja nicht im Leben oder Dichten
Den großen Unerreichlichen erreichen,
Ich möcht, o Freund, ihm nur im Tode gleichen,
Der höchste Wunsch in meinen Traumgesichten:

Er sass im Schauspiel, vom Gesang beweget,
Und hatte, der ermüdet war, die Wangen
Auf seines Lieblings schönes Knie geleget:

Als nun der Chöre Melodien verklangen,
Will wecken ihn, der ihn so sanft geheget,
Doch zu den Göttern war er heimgegangen.

Das Gedicht ist vielleicht nach einer Vorlage gemacht, nämlich nach dem Gedicht „Pindars Tod", das in dem Buch „Gedichte der Brüder Christian und Friedrich Leopold zu Stolbeg (T.1, Wien 1821, S. 316) steht. Nach dem Inhaltsverzeichnis ist es 1782 entstanden, der Dichter ist Christian. Obwohl der Gehalt dem griechischen Distichon angemessener ist als das Sonett, ist dieses stärker. Es erzählt eine Geschichte, nicht einen Mythos, von dem „Besten", das ihm fromme. Es ist aber auch stark, dieses:

Pindar, den mit der Fülle der Gaben die Götter, der Muse
Hohen Gaben, und wen, reicher gesegnet als ihn?
Pindar hub die Hände, der Greis, gen Himmel und flehte:
„Was am besten mir frommt, gebet, o Götter, mir das!"
Fleht's und nicht lange so sank ihm das Haupt an den Busen des Freundes
Leise athmete der, dass nicht entschwebe der Schlaf.
Ach, es war des Schlummers Bruder ! – Seliger! hier nicht,
Dort im Elysium ward schöner gekrönet dein Wunsch!

Besonders ausdrucksvoll ist in Platens Sonett das zweite Quartett, in dem der so stolze Dichter vor Pindar verzichtet und an welches sich eine merkwürdige Geschichte knüpft, die der Verleger Georg Bondi in seinen bescheidenen und gehaltvollen „Erinnerungen an Stefan George" berichtet. Die achte Zeile heißt bei Platen anders, nämlich: „Doch höre nun die schönste der Geschichten". George druckt nun in der zweiten Ausgabe diesen Vers, aber so: „Doch höre nun die Schönste der Geschichten". Dazu macht er die Fußnote: „1. Ausgabe: Der höchste wunsch in meinen traumgesichten. Die zweite gewöhnliche fassung rechtfertigt sich durch die schreibart". Niemand verstand diese Fußnote, nicht einmal Gundolf, dem sie George diktiert hatte. Ihn zu fragen war unmöglich. Aber Georg Bondi fragte; und erhielt Auskunft. Der Vers in der ersten Ausgabe ist von George. Dieser habe den richtigen Vers von Platen „Doch höre nun die schönste der geschichten" für „banal" gehalten, später aber erfahren, daß der Ausdruck „Schönste der Geschichten" im Koran eine Formel sei. Nun war er der Meinung, daß Platen als ein Kenner des Orients und des Korans diese Zeile nicht anders gemeint haben könne als im Sinne eines Zitats aus dem Koran, und so war die Zeile zu halten. Um nun anzudeuten, daß die Worte „schönste der geschichten" ein Zitat sind, schrieb „der sonst mit Versalien so Sparsame" „Schönste der Geschichten" in seinem kleingedruckten Text. Das war der Sinn dieser Fußnote. Dies ist eine spannende Geschichte, die als Endergebnis zeigt, daß Platens Vers nicht banal ist und daß Georges Version durch die Kennzeichnung des Zitats gelehrt wirkt. Ob das Platensche Sonett als ganzes bedeutend ist, steht dahin, es klingt schön.

VERLAINE

George hat zwei Lobreden auf französische Dichter geschrieben, die eine auf Mallarmé, die andere auf Verlaine. Beide enthalten Gedichte in Fragmenten sehr schöner Übertragungen. Beide halten einen sehr hohen Ton durch. Beide sprechen Georges Sache aus, und doch scheint es so, als ob Mallarmé nur bedingt in seine geistige Biographie gehöre, Verlaine unbedingt, obwohl beide Lobreden in „Tage und Taten" stehen. Es mag ein Zufall sein, aber die „glühende hingabe an ein denkbild" spricht George Verlaine zu, bei Mallarmé fehlt sie; erst später, in dem Gedicht „Franken", erklingt der Vers: „Und für sein denkbild blutend: Mallarmé". Von Verlaine heißt es ebenda:„Verlaine in fall und busse fromm und kindlich". Und in der Lobrede auf ihn:

> Was aber ein ganzes dichtergeschlecht am meisten ergriffen hat das sind die Lieder ohne Worte – strofen des wehen und frohen lebens . . . hier hörten wir zum erstenmal frei von allem redenden beiwerk unsre seele von heute pochen: wussten dass es keines kothurns und keiner maske mehr bedürfe und dass die einfache flöte genüge um den menschen das tiefste zu verraten. Eine farbe zaubert gestalten hervor indes drei spärliche striche die landschaft bilden und ein schüchterner klang das erlebnis gibt. Wir erinnern uns dass wir keines wortes mächtig von diesen weisen erklingend

durch die strassen und felder gingen in einem beengenden schmerzens- und sprengenden glücksgefühl.

Das ist in eigenster Sache geschrieben, zu diesem „ganzen dichtergeschlecht“ gehörte George. Es gibt geringschätzige Äußerungen des Dichters über den malerischen Impressionismus, die nichts als hochmütig sind, der Satz aber von der „farbe“ und den „drei spärlichen strichen“, die eine Landschaft bilden, wendet das impressionistische Prinzip auf die Lyrik an, nicht anders als das Fehlen eines Kothurns und einer Maske, denn die „einfache Flöte“ genüge, um den Menschen das Tiefste zu „verraten“. Aber Kothurn und Maske des *tragischen* Schauspielers sind nicht verächtlich, und George bedient sich ihrer oft rechtmäßig. Die Flöte läßt seine *lyrischen* Töne erklingen. Der „schüchterne“ Klang deutet auf das ganz Unberührte in Verlaine, das nichts will. Man denke an solche Wunder wie „La lune blanche“, oder an „Chanson d'automne“, an ein Gedicht, das George so schön nachgedichtet hat:

Seufzer gleiten
Die saiten
Des herbsts entlang
Treffen mein herz
Mit einem schmerz
Dumpf und bang.

Beim glockenschlag
Denk ich zag
Und voll peinen
An die zeit
Die nun schon weit
Und muß weinen.

Im bösen winde
Geh ich und finde
Keine statt . . .
Treibe fort
Bald da bald dort –
Ein welkes blatt.

Ob es aber bei George selbst so „schüchtern“, so von dem eigenen Willen unberührte Gedichte gibt? Unberührt sind manche Gedichte im „Jahr der Seele“, ob aber schüchtern, das bleibt eine Frage. Das Ich der Person Georges, auch wenn nach der Vorrede „ich und du die selbe seele“ sind, ist zu ausgeprägt: sie kann nicht verzichten. Noch in den Liedern des „Siebenten Ringes“ klingt sie mit. Am ehesten kommt in den „Traurigen Tänzen“ aus dem „Jahr der Seele“ dem Ideal, das ihm an Verlaine aufgegangen ist, ein Gedicht wie dieses nahe:

Ich weiss du trittst zu mir ins haus
Wie jemand der an leid gewöhnt
Nicht froh ist wo zu spiel und schmaus
Die saite zwischen säulen dröhnt.

Hier schreitet man nicht laut nicht oft,
Durchs fenster dringt der herbstgeruch
Hier wird ein trost dem der nicht hofft
Und bangem frager milder spruch.

Beim eintritt leis ein händedruck,
Beim weiterzug vom stillen heim
Ein kuss – und ein bescheidner schmuck
Als gastgeschenk: ein zarter reim.

Alles Persönliche ist da und wie nicht gesagt, eher tonlos als betont, eher schüchtern als selbstbewußt. Oder dies:

Es lacht in dem steigenden jahr dir
Der duft aus dem garten noch leis.
Flicht in dem flatternden haar dir
Eppich und ehrenpreis.

Die wehende saat ist wie gold noch,
Vielleicht nicht so hoch mehr und reich,
Rosen begrüssen dich hold noch,
Ward auch ihr glanz etwas bleich.

Verschweigen wir was uns verwehrt ist,
Geloben wir glücklich zu sein,
Wenn auch nicht mehr uns beschert ist
Als noch ein rundgang zu zwein.

Da wird auf alles verzichtet, „was uns verwehrt ist“, außer auf den „Rundgang zu zwein“, in der letzten Strophe ist keine Willensäußerung hörbar, nur schüchterne Dankbarkeit für das Bescherte.

Wer Verlaine war, ist schwer eindeutig zu sagen. Auf dem berühmten Bild von Fantin-Latour im Louvre sieht er wie ein kleiner französischer Lehrer in der Provinz aus, neben Arthur Rimbaud, dem jungen Halbgott. Borchardt, in „Dante und deutscher Dante“(S. 357), sieht ihn sich abhebend vom Parnass, welcher mittelbar und unmittelbar mit Dante zusammenhängt, so: „Das anarchische Element, das die tiefste Anlage des Franzosentums bildet, bildet sich Verlaine zu seinem Mundstücke um, verkündet das car nous voulons la nuance et la nuance encore, tut den Parnass mit dem bekannten Et le reste est littérature ab und hinterläßt nach der zauberischen Explosion dieser einzigen Poesie eines genialen Unholds nur die Öde der heutigen französischen Dichtung, die weder für uns existiert noch für die Zeit existieren wird“.[1]) Das ist in all seiner Übertreibung auch richtig. Der Symbolismus konnte das Ende nur verdecken. Mallarmé und Valéry sind große Figuren des Scheiterns. Rimbaud war das *bedachte* Ende –: er hörte auf zu dichten. Da gibt es denn auch keine Schüchternheit mehr, sondern eine gewaltige geistige Anstrengung, auf die sich so radikal entgegengesetzte Kräfte wie Claudel und der französische Surrealismus berufen, ein Nein, das vielleicht sogar ein Ja bedeutet. George von Verlaine – und Mallarmé – ausgehend konnte nur in einer *anderen* Sprache, eben in der deutschen, den heroischen Versuch machen, einen neuen Anfang zu setzen.

---

[1]) Borchardt zitiert die Strophe aus dem Gedicht „Art poétique“ von Verlaine aus der Erinnerung und falsch. Sie lautet: „Car nous voulons la Nuance encor,/Pas la Couleur, rien que la nuance!/Oh! la nuance, seule fiance/Le rêve au rêve et la flûte au cor!“ Und der Schlußvers des Gedichts: „Et tout le reste est littérature“.

Weggenossen, Freunde, Schüler

ALBERT VERWEY

1

Die holländische Dichtung zwischen 1880 und 1890 nahm den französischen Symbolismus und George früher auf als Deutschland beide. George eignete sich also den französischen Symbolismus in doppelter Weise zu, in der des Originals und in der der germanischen Adaptation dieses Originals. Hier ist vielleicht der Ansatzpunkt für seine endgültige Entscheidung, ein *deutscher* Dichter zu werden, da eine Zeitlang die völlige Hinwendung nach Frankreich immerhin als möglich erschien: er hat mit seiner Schwester noch Französisch gesprochen, und im „Jahr der Seele" gibt es deutsche Umdichtungen ursprünglich französisch gedichteter Verse. Borchardt schreibt in dem Aufsatz „Die Gestalt Stefan Georges": „Nur im Französischen, in der Sprache, in der sie concipiert waren, klangen die Verse („Auf der Terrasse", erste Strophe, aus den „Hymnen") für den, der sie in Gedanken rückübersetzte, wenn nicht natürlich, so doch künstlerisch, weil nur in ihr sich Form und Inhalt deckte, während das Deutsche mit scheinbar deutschen Worten ein äußerlich festgepacktes und scharfgefaßtes, aber ganz mechanisches Mosaik aus Vokabeln geschaffen hatte, in der Art von Klopstocks späteren Oden oder gewissen Übersetzungen aus orientalischen Sprachen". Georges Übersetzungen aus Verwey sind Umsetzungen der Originale unter Preisgabe einer dichterischen Umformung, im Gegensatz zu den Übertragungen aus Verlaine. In einem Wiederabdruck aus der VI. Folge der Blätter für die Kunst in den „Zeitgenössischen Dichtern" T. 1 heißt es:

> An die verse niederländischer dichter . . schliessen wir diese auszüge aus dem gesamten werk von Albert Verwey der aus der ruhmvollen für uns vorbildlichen kunsterhebung der 80er jahre als der wesentliche dichter übrig geblieben. Diese umschreibungen ins hochdeutsche unterscheiden sich von jeder übersetzung aus frem-

den sprachen, da die annäherung an die urworte sogar in unklingender und unbeholfener form einem vollständigen umguss vorgezogen werden muss. Doch sprechen wir die hoffnung aus es werde die nächste und glorreichste schwester der deutschen dichtung bald so einheimisch dass sie unmittelbar zu verstehen uns allen als pflicht erscheint.

Diese Worte deuten auf Georges klare Einsicht, daß es unmöglich ist, aus der Schwestersprache ins Deutsche zu übersetzen; anderseits sind die holländischen „Urworte" – mit denen George als der vorläufig letzte deutsche Purist die Worte des Originals meint, während ja die „Urworte" selbst in ihrer Bedeutung durch Goethes „orphische" Dichtung festgelegt sind – in den Umschreibungen aus Verwey kaum hörbar, ausgenommen vielleicht das Gedicht „Michael", das Ludwig Derleth, den militanten Katholiken und Freund Georges, wie auch seine Schwester im Bilde festhält. George, der mit schärfstem Verstande der deutschen Sprache nur das unmittelbar und sofort Wirkende entnimmt, hat das deutsche Mittelalter in Formen wiedergegeben, die teils konventionell blieben, teils von seiner eigenen Sprache durchblutet wurden. Für Borchardts Bemühungen, die deutsche Sprache aus dem Mittelalter, dem deutschen und dem romanischen, zu erneuern, wie für die parallelen Forschungen Konrad Burdachs hatte er, soweit wir wissen, kein Verständnis. Die holländische Sprache mochte ihm als die lebendig gebliebende Urform der deutschen erscheinen, welche ihm das Zurückgehen auf tote Sprachzustände überflüssig machte, wie auch hier sein konsequenter Purismus anknüpfen mag, denn schon Jean Paul nennt in der „Vorschule der Ästhetik" die Holländer die „größten Puristen (Reinsprecher) Europens, welche nach Holberg gegen alle fremde Religion so duldsam als gegen fremde Wörter unduldsam sind". Das ältere Deutsch schimmert bei George nur in dem abgewogenen Gebrauch archaischer Worte durch, und bei diesen müßte von Fall zu Fall untersucht werden, ob sie nicht im Holländischen noch lebendig sind.

Bei zwei Worten von zentraler Bedeutung steht es bereits fest, daß sie unmittelbar dem Holländischen entnommen sind. Das erste ist die Verdeutschung von „Idee" durch „Denkbild". Es scheint, als wenn dieses Wort sich für die höhere Sphäre der Betrachtung durchsetzen wolle. Thomas Mann gebraucht es in der Einleitung seines Josef-Romans so zwanglos wie Oskar Loerke im Nachwort zu seinem Gedichtbuch „Der Silberdistelwald“. Borchardt hat das Wort in seiner Kritik des „Siebenten Ringes“ als „holländischen Pedantenbarock“ – es kommt von „denkbeeld“ – denunziert, aber schon Jean Paul fordert in der „Vorschule der Ästhetik“, aus dem Holländischen „manche schon fertig stehende Verdeutschungen unseres Undeutsch abzuholen“[1]), und selbst Jean Paul weiß nicht, daß das Wort bereits bei Winckelmann und Herder vorkommt. Anderseits behauptet Borchardt mit Recht, daß die Idee bei Plato wie bei Mallarmé „mit dem Denken nichts und mit dem Bilde alles“ zu tun habe. Das hinderte ihn allerdings nicht, eine Sammlung von Gedenkreden auf große Deutsche unter dem Titel „Deutsche Denkreden“ herauszugeben. Wirklich ist „denken“ hier gleich „gedenken“ und Georges Verwandlung der Idee in das Denkbild so schön wie platonisch. Es ist aber noch nicht bemerkt worden, daß schon vor oder mindestens gleichzeitig mit George dieses Wort bewußt in die deutsche Sprache eingeführt wurde, und zwar von Julius Langbehn, dem ebenso problematischen wie begeisterten Vorkämpfer holländischer Kultur. Dieser schreibt in „Rembrandt als Erzieher“ (1890): „Alle Bildung geht darauf aus, der Natur gewachsen zu sein; keine Berechnung sondern nur Anschauung ist der Natur gewachsen; darum ist eine auf äußere wie auf innere Anschauung gegründete die beste Volkserziehung. Idee heißt auf holländisch ‚Denkbild‘; die niederdeutsche Sondersprache ist hierin, ihrer äußeren Fassung nach, sehr sinnvoll; die hochdeutsche Allgemeinsprache sollte ihr, der inneren Gesinnung nach, folgen. Dann wird sie wieder zu Denkbildern gelangen“. Es ist nicht unmöglich, daß George das in den „Legenden“ der „Fibel“ zum ersten Mal erscheinende Wort von Langbehn genommen hat. Wie dem auch sei, es ist keine geringere Ehrung Hollands als die holländischen Verse, mit denen er in seinen Dante-Übertragungen die provenzalischen aus dem Purgatorio (XXVI) wiedergibt, die Dante bei seiner Begegnung mit dem provenzalischen Dichter Arnaut Daniel, um das große Vorbild zu ehren, diesen sprechen läßt.

Auch das zweite Wort ist in seiner starken Ausdruckskraft eine solche Ehrung, wenn hier auch Georges geistige Problematik durchscheint, es ist das Wort: Ewe. Der erste „Jahrhundertspruch“ aus dem „Siebenten Ring“ lautet:

[1]) Jean Paul: Sämtl. Werke, 1. Abt. Bd 11, Weimar 1935, S. 296

Zehntausend sterben ohne klang: der Gründer
Nur gibt den namen . . für zehntausend münder
Hält einer nur das maass. In jeder ewe
Ist nur ein gott und einer nur sein künder.

Im „Stern des Bundes“ stehen die Verse:

Ich komme nicht ein neues Einmal künden:
Aus einer ewe pfeilgeradem willen
Führ ich zum reigen reiss ich in den ring.

Borchardt schreibt: „‚Ewe‘, in der deutschen Prosa des vierzehnten Jahrhunderts nicht ganz selten, ist Etymon zu ‚ewig‘ und heißt deutsch nichts anderes als ‚Ewigkeit‘. An dieser Stelle ist es aber nicht deutsch sondern neu-holländisch ‚Eeuw‘, Jahrhundert. Damit ist ein neuer und ebenso häßlicher, ebenso glossenhafter und unnötiger Hollandismus in unser Deutsch geschwärzt wie das greuliche ‚Denkbild‘ für Idee“. Die scharfe Wendung gegen den Purismus, die sich auf Goethes große Gelassenheit dieser Frage gegenüber stützen kann, ist sachlich begründet, geht aber im Falle des Denkbilds fehl. Bei „Ewe“ unterstreicht Borchardts Kritik, daß George das alte Deutsch holländisch zur Kenntnis nimmt, er macht sich aber keine Gedanken über die metaphysischen Absichten, die George mit der Einführung dieses Wortes verknüpft, ganz abgesehen davon, daß Borchardt Grimms Meinung nicht zu kennen scheint, nach welcher die im Neuniederländischen erhaltene Bedeutung von saeculum „unserm schleppenden, erst spät gebildeten Jahrhundert“ vorzuziehen sei. In der Verknüpfung von Jahrhundert und Ewigkeit, welche beide geradezu eine Ehe eingehen – und diese hängt sprachlich mit „Ewe“ zusammen –, wird die Kraft des Jahrhunderts durch die Gleichsetzung mit der Ewigkeit gesteigert, so daß die kleinere Strecke der Zeit stärker wirkt als die ganze, und es ist nur logisch, daß in einem Spruch aus dem „Neuen Reich“ („Sprüche an die Lebenden“ L : II) der „Augenblick“ als „höchster Gott“ gefeiert wird, als die kürzeste Strecke nämlich der Zeit, wenn sie zur längsten wird. Sie kommt einmal im „Stern des Bundes“ vor, in einem Zwiegespräch, in dem der eine Sprecher einen Menschen ablehnt, weil er „für einen teil“ sich nicht „verschenken“ könne, er sei „beginn“ und wolle „alles für allzeit“, und der Angeredete und Abgewiesene antwortet so:

‚Du bist für mich solang das loos es fodert
Mein leben mehr als glück und rausch und lohe
Bist mir das ganze bist mein innres herz –
Und solch ein umlauf ist die ewigkeit.

Der Frevel steckt hier in einem Ich, das die Freiheit eines Du einschränkt und in einem Du, das diese Bedingung annimmt; dann in der Anerkennung eines „Loses", das die Einschränkung betont, denn das Eintreten des Loses, ja seine zeitliche Dauer, wird stillschweigend als abhängig von jenem Ich gedacht. In der „Ewigkeit" eines begrenzten Zeitablaufs bricht die Problematik eines Menschen auf, der sich außerhalb seiner Weltzeit stellt und für diesen rebellischen Vorgang in „Ewe" sich das allerdings sehr große sprachliche Symbol schafft, das er rechtmäßig aus dem Holländischen ableitet.
Verweys Erinnerungen an George, deren Vorwort er am 6.12.1933, am Tage von Georges Begräbnis, abschließt, sind die Bekenntnisse eines Menschen, der bei reinster Verehrung des Freundes in mächtiger Geschlossenheit des eigenen Selbst keinen Zoll breit nachgibt, wo er die prophetischen Ansprüche des bewunderten Dichters nicht mehr verantworten kann: dem prophetischen Rebellen steht ein Dichter gegenüber, der alle Prophetie abweist und mit der Bedeutung seines unprophetischen Gedichts für die Gemeinschaft seines Volkes sich begnügt, und dies ist ein Gegensatz, der in den beiden Versen bezeichnet wird, die Goethes „Weissagungen des Bakis" voranstehen: „Seltsam ist Propheten Lied,/Doppelt seltsam, was geschieht". Verweys Aufzeichnungen zeigen, wieviel George ihm für die praktische Durchsetzung seiner Poesie verdankt, wie aber der spätere Bruch schon im Keime vorbereitet war. Der natürliche Gegensatz der Charaktere wurde im ersten Weltkrieg zum Konflikt, als Verwey, der Holländer, die Partei der Westmächte nahm. Daß er ohnehin nicht als Schüler an George gebunden war, erhellt schon aus der Möglichkeit, gleichzeitig mit ihm Otto zur Linde, den am wenigsten rezipierten Dichter aus Georges Epoche und dessen absoluten Gegenpol, entschieden zu bejahen. Für George bedeutete Verweys Verhalten eine Abwendung, deren Darstellung er mit Nennung des Namens fünf seiner „Sprüche an die Lebenden" widmete. Der erste lautet:

Der dichter will er tag für tag sich sagen
Wo wahr und falsch von rechts nach links sich jagen
Muss dafür jahrlang schweigend busse tragen.

Diese drei Verse gehören zu den verständlichsten und wahrsten, die George geschrieben hat. Sie sind wahrer als die Stelle aus dem Gedicht „Der Krieg“, welche auf tiefere Wahrheit Anspruch macht:

und wer ein richtiges sagt
Und irrt im lezten steckt im stärksten wahn.

Denn hier wird die Ausschließung des Irrtums als Bürgschaft für die Wahrheit in einer Person verschlossen, die behauptet, dieser Wahrheit teilhaftig zu sein, ohne sie mitzuteilen. In jenen Versen aber leistet dieselbe Person für die Unentwirrbarkeit des Wahren und Falschen auf dem Wege von rechts nach links schweigend Buße. Das Menschliche dieser Haltung wird leider durch Verweys Bericht mindestens eingeschränkt, denn George meint mit den schweigend Büßenden zwar auch sich selbst, aber nur als ein Vorbild für Verwey, der den verbotenen Weg von „rechts nach links“ gegangen sei, während sein eigener Weg von links nach rechts schweigend als der richtige vorausgesetzt wird. Die drei Verse schickte George Verwey im Dezember 1917 auf einer Postkarte aus Schaffhausen, ohne Kommentar. Dieser verstand sie so, daß George krank sei und ein Jahr lang in der Schweiz bleiben müsse; er konnte wahrscheinlich nicht genug Deutsch, um das von Hölderlin kommende „jahrlang“ als nicht einfach identisch mit „ein Jahr lang“ zu verstehen. Auf Grund dieser falschen Voraussetzung antwortete er mit einem teilnehmenden Gedicht, daß Georges Verstimmung steigerte. Auf eine spätere Anfrage bei Wolfskehl, ob George noch in der Schweiz sei, erhielt er eine von diesem diktierte sehr gekränkte Antwort, welcher er die holländischen Verse hinzufügte: „Ik zweeg en wet nu dat ik verder zweyg/Daar Gij niet meer Een woord von mij verstaat“. Was deutsch etwa heißt: Ich schweige und weiß nun, daß ich fürder schweige/Da Ihr nicht mehr Ein Wort von mir versteht. Der ganze das Komische streifende Fall ist ein lehrreiches Beispiel dafür, wie unverständlich auch für den guten und aufgeschlossenen Leser das Verständliche, das „Gemeinte“ an einem Gedicht sein kann. Die folgenden Sprüche sagen offen und ohne jede Zweideutigkeit, daß unter den Völkern des Ersten Weltkrieges England und Frankreich „links“ sind und

Deutschland „rechts“, während das rechte Rußland, das den Weg nach links in einem wesentlich handfesteren Sinne macht, aus der Diskussion überhaupt ausscheidet. Verwey, der Holland verkörpert, ist also links, und George, der im Medium des „geheimen“ Deutschland eben dieses verkörpert, meint es nun so:

> Die besten genossen –
> Ihr spracht unumwunden:
> Ich hab sie gefunden . . .
> Die jahre verflossen,
> Nun nüzt ihr die stunden
> Mit vielen papieren
> Sie euch zu verlieren.

Alle diese Sprüche sind in der Offenheit der Aussprache hohe Poesie, an welcher nichts Magisches mehr zu haften scheint; gleichzeitig ist das Raisonnement, das ihnen zugrundeliegt, erstaunlich unzulänglich. Die geistige Sprengung Deutschlands war schon um 1900 eine Tatsache, sie wurde aber nur bedingt zur Kenntnis genommen, weil ein reicher Aufbauwille vorhanden und die kulturellen Reserven noch nicht erschöpft waren; daher konnte man den Wert von Völkern noch abschätzen nach der in einzelnen Menschen konzentrierten schöpferischen Kraft. Auch heute noch mögen solche Kräfte vorhanden sein, aber der Zusammenhang mit dem Volksganzen ist grundsätzlich abgerissen, vielleicht darum, weil es keine Völker mehr gibt, sondern nur eine feindliche Einheit der Massen der Welt, eine Einheit, die die Idee der Menschheit selbst bedroht. George sieht sehr viel von dem kommenden Untergang, aber er stellt ihm eine Prophetie des Aufgangs gegenüber, die mindestens einen Grund für den Untergang verewigt: daß der Aufgang selbst in der größten geistigen und moralischen Person verbürgt sei, auch wenn sie etwa gleichzeitig aktiv an dem Untergang beteiligt wäre. Borchardt deutet in einem an sich maßlos ungerechten Verdikt über die literarische Leistung seiner Zeitgenossen, in einer Fußnote zu dem unkritisch preisenden Aufsatz über Croce, wie bedeutend dieser auch sei (Prosa I), Georges echten Zusammenhang mit der Epoche an, wenn er schreibt:

> Jeder Kenner weltgeschichtlicher Epochen weiss, was es im Epochensinne in sich schliesst, wenn grosse rettende Aktionen wie die

Georgesche und die Crocesche, in Deutschland und Italien, schliesslich eben doch nicht durchdringen, und von der Umwandlung des Menschentypus verschlungen werden, die nur darum über ihren wahren Charakter täuschen kann, weil ihre neuen Träger für die Entartung, von deren Erregern sie brennen und eitern, einstweilen noch nach literarischen Ausdrucksmitteln, also denen der letzten soliden Generationen greifen, bis dann, meist schon nach wenig Menschenaltern, mit der sich ausbreitenden seelischen Minderwertigkeit und allgemeinen Schändlichkeit auch das Bedürfnis des Ausdrucks dafür erlischt, und alle losgebundenen Laster der Schwäche schweigend die Welt beherrschen.

Wenn die Umwandlung des Menschentypus geistige Revolutionen verschlingt, ist es im genauen Sinne sinnlos, daß George zu Verwey mit sprachlich mächtiger Deutlichkeit sagt:

‚Hier ist der schnitt – hier kann Ich nicht mehr glauben‘
Was? Was ihr berget? was ihr offen sagt?
Dass nochmals wachstum bricht aus toten-welten . .
Das andre – Dichter! sei dem dichter leicht.

Denn was will er sagen, soweit das Verständliche nicht einen unverständlichen Sinn verbergen mag? Wohl nur dies: Ihr steht im Krieg auf der falschen Seite, denn dort ist die Lage so, daß aus Toten-Welten kein Wachstum mehr entstehen kann; auf der richtigen Seite, bei mir, George, der ich Deutschlands Schöpferkraft in dieser „Ewe“ verkörpere, gibt es Bürgschaften für eben diese Schöpferkraft, und diese werden nur dem „Glauben“ vermittelt. Das „andre“ – der deutsche Sieg, die eigene Niederlage – hat kein Gewicht und darf dem mit großer Initiale angeredeten Dichter „leicht“ sein. Daß diese Verknüpfung eines Krieges mit der schöpferischen Kultur als die Willenskonsequenz des einzelnen Menschen antimoralisch ist, sieht George nicht, und Verweys Entscheidung wäre auch dann richtig, wenn er den Glauben an diesen Zusammenhang *selbst auf der anderen Seite* mit George geteilt hätte.
Aber Georges Kraft der Verführung ist gefährlich, denn in den folgenden Zeilen, einem besonders schönen Gedicht, sagt er dies:

Du allein van buiten
Musstest richtig deuten
Wie der Ewigen Reiche
Bild nur hier nicht bleiche.
Forsche weit und breit:
Lauschen andre ringe
Deiner hohen dinge?
Drum wird auch dein hassen
Fliehen und verpassen
Kurz sein wie bruderstreit.

Wieder fügt er holländische Worte in seinen deutschen Text ein, um den „von außen" zu ehren. Deutschland und Holland transcendieren zu einem „Hier", das kein Dort „anderer" Ringe braucht, um das Bild der „Ewigen Reiche" frisch zu erhalten. Aber der „Haß" Verweys, wenn er überhaupt in ihm vorhanden war, könnte auf eine Lebensform zielen, die das Bild von den „Ewigen Reichen" zu zerstören droht und den Ersten Weltkrieg überlebt hat, um den zweiten vorzubereiten. Darum könnte George den Verwey zugeschriebenen Haß auch aus sich selbst auf den Gegner transponiert haben, weil er gewußt hätte, daß er berechtigt war, aber der Unfähigkeit, die Grenzen der eigenen Sprachbejahung Deutschlands zu erkennen, nicht auf die Spur gekommen wäre. Das letzte Gedicht lautet so:
Ihr habt vergessen dass ihr einst vor jahren
Gelassen zu mir spracht: ich bin am end . .
Bis frischer blutstrom kam der frisch euch schwellte:

Der geister einbruch in ein enges heim –
Sie wol im wesen fremd euch – all die schar.
Ihr bliebt ihr selbst und wurdet durch sie neu
Nun hehlet ihr mit reichem prunk von rede
Das eine das euch weh tut dass wir nicht
Bekennen dürfen so wie ihr: ich bin
Allein – ich bin der lezte meines volkes . .

Und war denn George weniger allein? Nicht auf dem Wege über die Gesellschaft hat er in einem „Wir" gewurzelt, sondern auf dem unrechtmäßigen über die Gemeinde hat er ein „Wir" sich vorgetäuscht, das nach Lage der Dinge der hohen Dichtung nur in bescheidenstem Maße zur Verfügung stand, nicht ohne an manchen Stellen in der eindeutigsten Form von dieser Gemeinde sich abzugrenzen. Der Dichter der kommenden Weltzeit wird als in der Gesellschaft zuständig und der Gesellschaft entsprungen in neuen Formen der Einsamkeit anders auf Gesellschaft und Gemeinschaft bezogen sein als es George möglich war.

Darum ist die schönste Ehrung Hollands sein Albert und Kitty Verwey gewidmetes Gedicht „Dünenhaus" aus dem „Teppich des Lebens".

Ist ein dach noch das so tiefen friedens
Freien stolzes neben solcher fülle –
  Düster-mütigen starren gast
  Lud und hielt und fern oft winkte?

Wo ihr gern erforscht wann meine seele
Euch umarmt, wann ihr sie ewig fliehet
  Sinnend wenn die schatten weich
  Abends über Holland sinken . .

Milde reden schmeicheln in den binsen
Zu der wellen schlag, doch starke stimmen
  Lauern immer, wenn ihr ton
  Rauscht im frischen meereswinde

Schont Er keine trauer, schiffe pfeifen
Städte sind voll lust und kampf: ‚so irrte
  Sonnensohn an wolken hin
  Starb im rasen nach dem glücke'

Das Gedicht ist durch und durch dichterisch und ruft in der zweiten Strophe kraft einfacher Nennung des Namens die ganze holländische Landschaft herauf, die in der dritten zur Meerlandschaft wird. Künstlerisch stellt es den geglückten Versuch dar, der alkäischen Ode ein deutsches Gegenbild in Trochäen entgegenzustellen. Der deutsche Trochäus, in Nachbildungen des Calderon bei Gries und Hofmannsthal leicht und bestimmt, ist hier schwer und wuchtig wie der serbische Trochäus, den Goethe in „Was ist Weißes dort am grünen Walde" und Borchardt in der „Halbgeretteten Seele" erneuert hat: der dritte Vers schreitet jeweils stark aus wie der gleiche wenn auch jambische Vers, auf dem die alkäisch-horazische Ode aufruht. Nur in dem „düster-mütigen“ Gast ist ein Daktylus stehen geblieben, um dem Begriff des düsteren Mutes nicht durch Abknappung einer Silbe die Fülle der Anschauung zu nehmen. Nicht überzeugend ist freilich die Zerlegung des Kompositums in zwei Teile. Wenn der Dichter dem zweiten Teil eine begriffliche Selbständigkeit geben wollte, so wird gerade die Sprachkraft des Wortes eingeschränkt, das im Bereich der Trauer förmlich als Pendant zu dem wirkt, was im Bereich der Freude ein „übermütiger“ Gast wäre, und wenn auf diese Weise „mütig“ an „mutig“ anklingen soll, so tut es das nur begrifflich, wenn es selbständig ist, aber sprachlich, wenn die Einheit des Kompositums durch die mitklingende Analogie zu „übermütig“ gewahrt bleibt. Die Landschaft in Georges Gedichten ist Garten- und Parklandschaft, Fluß und Hügellandschaft, selten das Hochgebirge. Wo das Meer hereinklingt, ist die Landschaft die des Strandes, mit dem Blick auf das Meer. Nicht umsonst ist die Muschel das Symbol der letzten Meergedichte, in ihr erhält sich das Meer als letzter Ton. Die „Kinder des Meeres“ mit dem dreimaligen Ausklingen auf das Meer in dem jeweiligen Schlußvers der Abschnitte ist kein Meergedicht sondern ein Menschengedicht, mit Strand und Meer als symbolischen Requisiten. Das große, das leidenschaftliche, das wilde und böse Meer fehlt. In den „A.V.“ überschriebenen, an Verwey gerichteten Versen aus dem „Jahr der Seele“ wird in der Form des Dialogs der Kulturlandschaft des Mittelmeers die holländische Meerlandschaft in der ihr eigenen Schönheit entgegengestellt: „Der nebel tanz im moore grenzenlos,/Im Dünenried der stürme orgelton,/Und das geräusch der ungeheuren see“. In „Dünenhaus“ rauscht diese „ungeheure See“ voll auf, in dem „frischen Meereswinde“, vor allem aber in dem grossartigen Vorgang, wie „Er“ das Steuer des trochäischen Metrums herumwirft und ein plötzlich entstandener Jambus die Worte „keine trauer“ in die Tiefe der Wogen reisst, damit die „schiffe pfeifen“, trochäisch bewegt und prosaisch unterbaut. Rückgewendet nun sind die Städte „voll lust und kampf“, und dann hebt von der entfesselten Meer- und Stadtlandschaft, wo „Er“ keine Trauer schont, das grosse Gleichnis des der Sonne zustrebenden Ikarus sich ab, der „im rasen nach dem glücke“ starb. Der Dichter, der diesen Worten strahlenden Ausdruck gibt, ist weit entfernt von dem Wort der Hybris „Mein leben seh ich als ein Glück“, in das der „Stern des Bundes“ ausklingt.

Wenn die letzten Verse von „Dünenhaus" wegen der Anführungszeichen ein Zitat aus Verwey wären, so wird ihre Kraft, weil dieses Zitat nicht mechanisch übernommen sondern produktiv verwandelt ist, ins Sprachliche gesteigert.
Trotz allem kam es noch zu einer letzten Begegnung zwischen den beiden Freunden, in Heidelberg 1919, und diese Begegnung klärte nach Georges eigenen Worten alle Mißverständnisse auf. Dann kam der jähe Bruch infolge des Drucks der Verwey-Verse von George und des Gedichts „Ein Abschied" von Wolfskehl in der 11. und 12. Folge der Blätter für die Kunst: Verwey fühlte sich tief gekränkt, vor allem durch die Umdeutung, in der George nun sein Verhältnis zu Holland sah, als ob er nicht früher von Holland entscheidend beeinflußt gewesen wäre, sondern er als der Dichter des großen Deutschlands, welchem die Zukunft der Dichtung gehöre, dem Dichter des kleinen Hollands , dem Letzten seines Volkes, geistigen Zuspruch gebracht habe. Verweys Aufzeichnungen geben darüber keinen Aufschluß, aber es ließe sich denken, daß nicht das Dämonische in George diese Freundschaft gesprengt hat, eher daß er zu wenig Mensch war, als daß der Künstler das Opfer eines Gedichts hätte bringen mögen, um sich den Freund zu bewahren, den er im „Siebenten Ring" so angesprochen hatte:

In fieber lauschten wir, drang übers meer
Ein wort vom kampf als gält es eigne sache . .
Zwingt eine schar den unbesiegten drachen?

Die menschen jauchzten bei verwegnen streichen
Und übersahn die stille hand des helden.
Dann sprach ein kläglich ende – joch und kauf:
Kein hoffen! massen sind heut schutt – nie kommt
Durch weg und waffe dieser welt mehr heil!

Wäre George aus der Hoffnungslosigkeit des mythischen Heros in die Hoffnung der Wahrheit aufgestiegen, von der es den Anschein hatte, daß Verwey in ihr lebte, es hätte vielleicht noch alles gut werden können.

2

Das Buch von Verwey „Mijn verhouding tot Stefan George“ erschien 1934, die deutsche Übersetzung „Mein Verhältnis zu Stefan George. Erinnerungen aus den Jahren 1905-1928“ zwei Jahre später. Phase um Phase läßt sich Georges geistige Entwicklung aus diesen Erinnerungen nachzeichnen, bis zu dem Punkte, wo er war, als den er sich wollte, und keine Verwandlung mehr möglich. Dieser Weg war nicht der eines von Anfang an Sicheren, sondern der eines Schwankenden, und nur die Spiegelung in Verweys von George anerkanntem Anderssein macht dieses Schwanken sichtbar.
Verwey, der George 1895 kennenlernt, hatte ein Gedicht auf Limburg an der Lahn gemacht, das er dem Freunde widmete. Er bezeichnet „die wünschbare Übereinstimmung zwischen Seele, Landschaft und Kunstwerk“ als Idee dieses Gedichts. Dann fährt er fort: „Es war eine Idee, in der wir einander fanden. Ebenso wie mich beschäftigte sie ihn. Bei mir kam sie aus religiösem Einheitsbedürfnis, bei ihm aus dem Bedürfnis nach Symbolen zum Ausdrücken von Gefühlszuständen“. George läßt er sagen:

> Unsere Bildung besteht aus sehr vielen Elementen: das griechisch-römische ist eins davon, dann das Mittelalter. In einer idyllischen Natur fühlt man sich aufgeregt zu idyllischen Bildern, am Rhein bei den verwitterten Ritterburgen sucht man große ritterliche. Und so in den Städten der Üppigkeit und Verfeinerung mit den vielen Lichtern gehe ich den glänzenden orientalischen Vorstellungen oder den römischen Kaisergeschichten nach.

Verwey fügt hinzu: „So waren die Gedanken, die er von den Pariser Symbolisten mitgebracht hatte“. Dies ist die Stimmung der ersten Gedichtbücher; die Abhängigkeit von französischer Symbolik ist deutlich, das eigene Dichtertum tritt noch verhüllt auf. In der Vorrede zu den „Büchern der Hirten und Preisgedichte“ werden diese kulturellen Anregungen zu der deutschen Überlieferung, und dem entspricht die Äußerung Georges: „Ich verstärkte (nach den französischen Einflüssen) diese Richtung zum Nationalen“. Über das Zusammensein 1897 in Berlin mit Wolfskehl, Lechter und George schreibt Verwey: „Aber während wir von Anfang an eines gewesen waren im Ernst unseres Künstlertums – „ohne vollkommen klare Besinnung kann kein Kunstwerk gemacht werden“ war das erste Wort,

in dem wir einander begriffen –, waren wir nun zugleich eines in der Anerkennung der Meisterschaft, mit welcher jeder von uns seine Natur zum Ausdruck brachte. Wir fühlten auch kein Bedürfnis, einer des andern Natur zu ändern". Diese „Besinnung", ohne die kein Kunstwerk gemacht werde, stammt aus dem Geist, nicht aus der Seele. Nur in der von Ludwig Klages postulierten, auf Alfred Schuler zurückgehenden Antinomie von Geist und Seele ist der Geist ein Einwand. Goethes große Gedichte, deren Meisterschaft niemand bezweifelt, stammen aus der Seele, welche die antinomische Haltung zum Geist noch nicht erfahren hat. Der Gegensatz, daß Meisterschaft eher mit der Besinnung, mit dem Bewußtsein verknüpft wäre, löst sich so auf, daß die Hauchgewalt der großen Lyrik bei Goethe oder bei George in jener Vernunft wurzelt, die einzig die Echtheit eines Gefühls verbürgt. Anderseits ist das Bewußtsein bei George sowohl Werktreue als auch die Vorherrschaft des Willens über die Seele, und gerade dieser Vorherrschaft ordnet die Idee des Nationalen zwingend sich zu.
Aber noch ist dieses Nationale ein ästhetisches Symbol, und George kann an Verwey schreiben:

> Es ist sichtliches Zeichen unsres Zeitabschnittes, dass die Künste sich leise ineinander schieben und dass (bei aller Wahrung des Heimischen und Ureigenen) die Land- und Volksgegensätze weniger schroff werden.

Georges „Vorspiel" aus dem „Teppich des Lebens", von dem ein größerer Teil 1897 in Verweys Zeitschrift erscheint, enthält in der Form der Abwendung von dem „trümmergrossen Rom" und dem „Wunder der lagunen" die vaterländische Einkehr, deren sichtbarer Mittelpunkt der Rhein ist. Dazu sagt Verwey: „Stefans Rheingedanken waren dieselben, die ich im Gedicht „Der Strom" wiedergegeben habe. Sie gaben ein Bild von dem großen Gedicht, das er schreiben möchte: der Rhein in seinem Ursprung bis zu seinem Ende, und worin er all sein Fühlen und Trachten vereinigen möchte. Ein Vermächtnis für Jüngere sollte es sein und sowohl dichterisch wie staatsmännisch für sie ein Wegweiser". Da dieses Gedicht auf den Rhein in der deutschen Lyrik eigentlich schon vorhanden war, darf man vermuten, daß Hölderlin in diesem Zeitpunkt für George noch nicht von entscheidender Bedeutung gewesen ist. Wenn es auch nicht sicher

ist, ob der Begriff des Staatsmännischen auf eine Äußerung Georges zurückgeht oder nur eine Deutung Verweys ist, so scheint doch der Sachverhalt eindeutig zu sein: dieses nicht geschriebene – oder nicht veröffentlichte – Rheingedicht und auch die „Tafeln" auf den Rhein aus dem „Siebenten Ring" sind in einem ganz anderen Sinne politisch gemeint als die antike Flußvergötterung Hölderlins. Auf dieses Politische deutet, was bei Verwey folgt: „Es lebt in ihm jetzt . . . ein Versuch, sich und sein Streben als von historisch nachweisbarer Herkunft festzustellen. Er fühlt auf viele Weisen den Drang, sich zu festigen. Ich genieße den Blick in die Gedanken des Dichters eines großen Volkes". Hier bekundet sich also zum ersten Male, bewundert von dem Freunde, der konsequente Willensmensch, der in sich selbst und durch sich selbst die Nation in die Hand fassen und für seine Lebenszeit und für seine Epoche ausdrücken will.
Georges Rheinsprüche, die wie ein konzentrierter Entwurf seines jugendlichen Planes wirken, sind essentielle Poesie, die sich auf sich selbst beschränkt und der tieferen Weisheit entbehrt, und sie entspringen weit eher einer nur den Sprecher meinenden Sprache als dem höheren Maßstab des Schweigens. Hiermit muß Georges Äußerung über „Böcklin" und „Porta Nigra" verknüpft werden, wenn Verwey sagt: „Mit einer energischen Gebärde hatte er ausgesprochen, daß diese Gedichte Beherrschung und die strengste mögliche Linie beabsichtigten". Da in dieser Äußerung der Begriff der Beherrschung sich ausschließlich auf die Form bezieht, ist er besonders bezeichnend für die gefährliche Entwicklung der Poesie des Dichters im Dienste auch seines persönlichen Strebens nach Herrschaft. So sind denn auch nicht die Rheintafeln das entscheidende Dokument dieses Übergangs, sondern wenige Seiten danach die „Tafel" mit dem Titel „Bamberg":

Du Fremdester brichst doch als echter spross
Zur guten kehr aus deines volkes flanke.
Zeigt dieser dom dich nicht: herab vom ross
Streitbar und stolz als königlicher Franke!

Dann bist du leibhaft in der kemenat
Gemeisselt – nicht mehr Waibling oder Welfe –
Nur stiller künstler der sein bestes tat,
Versonnen wartend bis der himmel helfe.

Borchardt mißversteht diese mächtigen Verse, wenn er sie undialektisch geradezu auf den Bamberger Reiter bezieht, denn George redet nicht den Reiter an sondern sich selbst, wie der Reiter ihn zeigt, ihn, den „Fremdesten" in großer Initiale, „als echten spross". Und wiederum erkennt er sich in dem Relief von Tilman Riemenschneider, das den „in der kemenat" eingeschlafenen Arzt Kaiser Heinrichs II. zeigt, den im Traume Sinnenden, wie er den kranken Kaiser heilen könnte. Die Ähnlichkeit beider besteht wirklich in erstaunlichem Maße. Der Bamberger Reiter soll nach der Meinung der damaligen Kunsthistoriker, wie Morwitz mitteilt, den ungarischen König *Stephan* darstellen. George aber sieht in ihm den „königlichen Franken" und in diesem sich selbst. Weiter kann ein Dichter kaum gehen als in dem Stolz der ersten Strophe und in der Demut der letzten beiden Verse.

Dennoch hätte diese Entwicklung auch eine andere sein können. Eine der wichtigsten Bemerkungen Verweys ist die folgende: „Er geht mit Plänen um, ein Prosabuch zu schreiben, das mächtig auf die Zeit einwirken soll – ‚Ein Abschnitt meines Lebens'. Auch die Tage und Taten, die er liegen hat, sollen hinein". Von diesem Plan liegt also nichts gedruckt vor, und die „Tage und Taten", so wichtig sie sind, wären gewiß der unwichtigste Teil dieses geplanten Ganzen. Hier war also George noch offen für die Prosa als eine gültige Form künstlerischen Ausdrucks. Aber das „im wesentlichen dichterische werk" erlaubte ihm nicht einmal, die Einleitungen, Leitsätze und Merksprüche aus den Blättern für die Kunst in die „Tage und Taten" einzubeschließen, und so hat das Diktat der Poesie die Prosa bis auf schmale Reste verschlungen.

Schon sehr früh machen die Spannungen zwischen den beiden Freunden sich fühlbar. Verweys Abgrenzung von Georges Freunden ist das erste Zeichen, das ernstere ist seine Zurückhaltung vor Georges Maximin-Erlebnis wie vor dem „Siebenten Ring" im ganzen. Dazwischen gibt es Kuriosa. George übersetzt Verweys Verse auf Emil Schaumann, einen schwedisch-finnischen Beamten, der den russischen Gouverneur Bobikoff erschossen hatte. Das Gedicht ehrt Verwey noch mehr als den Übersetzer, unter dessen gedruckten Verwey-Übersetzungen es sich nicht findet. George erlegt, nach einer brieflichen Ankündigung der siebenten Folge der Blätter für die Kunst, die

„dreiköpfige Schlange", das ist vor allem Schuler und Klages, und sagt über Verweys Eintreten für den Eisenbahnerstreik:

Wo will das hinaus? . . . wo bleibt die Dichtung?

Der Gedanke, die Empörung über den Weltzustand mit einem linken Auge in die Dichtung einzubeziehen, kommt dem rechten nicht oder nicht mehr. Dies ist der Sieg des Mythos, welcher nur die Möglichkeit einer rechten Empörung kennt, in einer Gesamtempörung, die das Recht linker Motive aus der Betrachtung ausschließt, sie aber für die Begründung rechter verwendet. Bei der Begegnung in Kreuznach 1907 ist mit Vollendung des „Siebenten Ringes" der ganze Prozeß in George entschieden und damit die Axt an die Freundschaft gelegt. Verwey schreibt: „Der Siebente Ring war fertig. Die Zusammenstellung hatte ihn unendliche Mühe und Anspannung gekostet. Ich kann seine Worte noch beinahe buchstäblich wiedergeben:

> Voriges Mal, da ich bei Ihnen war, sagten Sie, es sei nicht gut, die Zeit unbeachtet zu lassen. So ist es. In Deutschland gibt es jetzt so und so viele Strömungen des Lebens und des Geistes. Man soll sie ordnen. Man soll den Weg zeigen, wodurch sie wirken können. Mein Weg ist aber nicht der beliebte, der moderne der jetzigen Civilisation. Ich will eine andere, eine innerliche Einheit. Damit bin ich an unsere Welt herangetreten. Früher glaubte ich, dass die Welt mich erdrücken würde. Jetzt aber fürchte ich mich nicht mehr. – Meine Verhältnisse zu Personen und Zuständen sind dadurch geändert. Die sind wohl noch alle da, aber weil ich mich um so viel mehr als früher bekümmere, stehe ich zu jedem einzelnen nicht mehr in derselben Vertraulichkeit. – Alles wird in meine neue Arbeit aufgenommen. Auf jede Frage findet sich da, wie auch versteckt, eine Antwort."

Verweys unprophetische Gelassenheit ist gewiß eine vorbildliche Haltung, aber sie reicht nicht aus, sie vermag dieses ganz ungewöhnliche Bekenntnis in seiner tiefen Intention nicht zu verstehen. Hier muß das Verhältnis, in dem Karl Kraus zu George stand, mindestens angedeutet werden. Es war jahrzehntelang das Verhältnis schweigender menschlicher Achtung gleichzeitig vor einer kompromißlosen geistigen Haltung und vor einer dichterischen Leistung, einer Achtung, die ihn sogar dazu führte, Gundolfs Kampf gegen Hofmannsthal in den „Jahrbüchern für die geistige Bewegung" Argumente seines eigenen Hasses gegen den großen Dichter zu entnehmen, dessen gesellschaftliche Haltung nicht unbedenklich war. Nach dem ersten Weltkrieg, als auf George die nationale Hoffnung vieler sich konzentrierte, nahm er schrittweise seine früheren Positionen zurück, ging gegen die Übertragung der Shakespeareschen Sonette zu einem Angriff über, in dem sich Recht und Unrecht verstrickten, und formulierte in dem Gedicht „Nach dreißig Jahren. Rückblick der Eitelkeit" sein Urteil endgültig negativ. Von den dreiunddreißig Versen gegen George, die das Gedicht enthält, sind die wichtigsten diese:

Nur noch ein zweites Beispiel kennt die Zeit,
wo sich die Niedertracht als Eintracht zeigt
vor einem, der den Rücken ihr gekehrt –

Nie hat er
den Stoff, durchdringend bis zum Geist,
erlebt, erlitten, und er hat das Leid
des Kampfes sich erlassen wie der Welt.

Profanum vulgus lobt sich den Entsager,
der nie ihm sagte, was zu hassen sei.
Und der das Ziel noch vor dem Weg gefunden,
er kam vom Ursprung nicht. Stefan George . . .

Logisch stimmt es nicht, daß George nicht sage, *was* zu hassen sei, aber sachlich, denn das Urteil über die feindliche Welt erreicht diese nicht. Selbst bei der größten Zurückhaltung angesichts der Frage, ob George für den Nationalsozialismus mitverantwortlich sei, mit welchem das Gute und Große in ihm schließlich doch keine Gemeinschaft haben konnte, liegt der eigentliche Vorwurf darin, daß er seinen Kampf mit den Mitteln der Poesie führen wollte, also im hohen Stile, ohne zu erkennen, daß die Idee der Poesie in diesem Kampf eine grundsätzliche Verwandlung hätte erfahren müssen. Bei einer vergleichenden Betrachtung dieser beiden Zeitgenossen könnte das ästhetische Werturteil niemals entscheidend sein, entscheidend ist allein die geistige Grundhaltung, und diese wird durch die Äußerung Walter Benjamins aus der Einleitung seines Buchs über das Trauerspiel umschrieben, die sich auf keinen von beiden bezieht, sondern auf das Verhältnis von Barock und Expressionismus: „So steht es

immer in den sogenannten Zeiten des Verfalls. Das höchste Wirkliche der Kunst ist isoliertes abgeschlossenes Werk. Zuzeiten aber bleibt das runde Werk allein den Epigonen erreichbar. Das sind die Zeiten des ‚Verfalls' der Künste, ihres ‚Wollens'. Darum entdeckt Riegl diesen Terminus gerade an der letzten Kunst des Römerreiches. Zugänglich ist dem Wollen nur die Form schlechtweg, doch nie ein wohlgeschaffenes Einzelwerk".[1]) George war das Werk noch erlaubt, und er war kein Epigone, Karl Kraus das vollkommene Gedicht nicht verboten, und er bezeichnete sich in dem Gedicht „Bekenntnis" als einen „Epigonen", der „in dem alten Haus der Sprache" wohnend zerstören wollte –: „Theben". Dennoch wollte jener den Zusammenhang, den er nicht durchschaute, mit seiner Person sprengen, dieser den durchschauten mit seinem Werk aussprechen.
Überaus folgerichtig ist es nun, bei Verwey zu sehen, wie Georges gewonnene Kraft die Isolierung auch innerhalb des Kreises seiner Freunde bewirkt. „Er sagte mir, daß er in Kreuznach gedacht habe: ‚Was ist dieser Verwey mir fremd geworden. Wie soll ich ums Himmels willen dieser Tage mit ihm sprechen. Womit den Anfang machen?' Aber er war sogleich und blieb doch lang hintereinander in einem eifrigen Auseinandersetzen, und was mir auffiel – immer über sich selbst und im Gefühl seiner eigenen Überlegenheit . . . Einmal sagte er: ‚Ich glaube, daß die grössten Schwankungen zwischen uns vorbei sind', ein anderes Mal: ‚Sie sind weniger ausschliesslich als ich.' Darauf: ‚Sie könnten mich vielleicht eher begreifen als ich Sie'." Noch deutlicher ist das Folgende, als die Frage aufgeworfen wurde, „wie wir uns zu dem verhielten, was uns nicht eigen war", denn da heißt es: „Ich hatte gesagt: ‚Was ich liebe, geht in mich über. Ich werde es selbst'." Ein wenig ärgerlich hatte er darauf erwidert: „Das wäre eine sonderbare Art der Kräfteübertragung". Dies ist völlig logisch, denn George kann Übertragung der Kräfte nur so verstehen, daß er *seine* Kräfte auf den anderen überträgt. Er weiß nicht, oder er will nicht wissen, daß es sich bei Verwey gar nicht um Übertragung von Kräften handelt, sondern um das reine Verhalten des Menschen in einer Welt der Freiheit, wo Geben wie Nehmen in natürlicher Gleichberechtigung sich vollzieht. Verwey kommentiert dieses Ver-

---

[1]) Gemeint ist Aloys Riegl in: Spätrömische Kunstindustrie (Wien 1906; Neudruck Wien 1927).

halten richtig, wenn er sagt: „Die Frage, die ihn beschäftigte, war: wie kann jemand so *mit* mir sein und doch *außer* mir sein? Das was außer ihm war hätte er leugnen wollen. Daß dies nicht möglich war, machte ihn unruhig. Er spürte nach der Idee, nach der Persönlichkeit, die vielleicht doch feindlich war. Er kritisierte mich, reihte mich unter seine Feinde ein. Tun Sie das nicht, sagte ich. Zwei Schönheiten können sich lieben, aber Ideen bekämpfen sich". Bei der Begegnung in Kreuznach bricht der Gegensatz in denkwürdiger Weise auf, obwohl die Krise noch lange aufgeschoben wird. Verweys Zurückhaltung dem „Siebenten Ring" gegenüber konnte George nicht verzeihen. Das „kleine" Holland taucht auf. „Georges Ansicht war eine neue Religion, ausgehend von Deutschland und der Welt auferlegt. Die meinige war eine Weltgemeinschaft ohne auferlegte Religionsformen und worin jedes Volk seine eigene Art behielt." Ein Vierteljahrhundert später war das Fernziel der deutschen Barbarei, die der große Dichter George zeit seines Lebens zu bekämpfen glaubte, die Abschaffung des Christentums und die Begründung einer neuen Religion mit Feuer und Schwert. „Etwas später am Abend hatte er eine Verabredung und kam nachher noch gerade auf mein Zimmer, blieb aber stehen. Er sprach einen Augenblick mit großer Heftigkeit, um zu sagen, daß er in ausgesuchtem Alleinsein der ganzen Welt gegenüberstehe." Dies ist der erste Donnerschlag des kommenden Gewitters.

Über das Zusammensein in Bingen am nächsten Morgen hören wir: „Ich hatte gesagt: Sie haben bis jetzt schön gesprochen, aber alles agitatorisch und nicht als Künstler. Er kam nun darauf zurück und fragte, ob ich nicht das Formen einer Bewegung die Hauptsache fände. Ich: nicht so sehr das Formen wie das Führen, ich fürchte, daß diese Bewegung nicht an eine Person gebunden ist". Darin liegt eine Ablehnung dieser Bewegung, soweit sie nicht an George gebunden ist. „Er: Sie haben doch selber gesagt, dass ich ein Priester bin." George übersieht, daß zwar Verwey das sagen und innerhalb der Poesie metaphorisch meinen, daß aber nie ein nüchterner Kopf so sprechen könnte. „Ich: ja, denn ein Priester ist ein Offiziant und Ihre Poesie ist wie ein Offiziieren. Aber wirken in anderer Weise als durch Poesie tut ein Prophet." Nun folgt Verweys Ablehnung der Prophetie für den Dichter. Sie ist unbedingt zutreffend für George, sie ist relativ zutreffend, da Prophetie als eine historische Kategorie geistiger Erfüllung nur unter den größten Schwierigkeiten des Gedankens zu erneuern wäre, sie ist unzutreffend, da eben doch prophetische Trümmer immer wieder in entscheidenden Menschen wirksam werden. Was aber hier Schein vom Wesen, Lüge von der Wahrheit trennt, das ist die Akzentverschiebung von der prophezeiten Sache auf die prophezeiende Person. Wenn Karl Kraus seinem satirischen Drama „Die Unüberwindlichen“ (1928) den Satz von Kierkegaard voranstellt „Ein einzelner Mensch kann seiner Zeit nicht helfen oder sie retten, er kann nur ausdrücken, daß sie untergeht“, so verstärkt diese Erkenntnis eines christlichen Dialektikers, der ein ebenso starkes wie gebrochenes Verhältnis zur Welt hat, in der Übernahme durch einen jüdischen Rebellen des Guten, welcher der bekämpften Welt treu bleibt, ihre prophetische Sprengkraft und wie erst die Satire selbst!

Verwey sagt: „George lebte zu diesem Zeitpunkt in einer magischen und prophetischen Propaganda, die er weit über das Werk stellte. Er sprach viel und leidenschaftlich über seine Wirksamkeit in dieser Beziehung, über seine Bedeutung, seine Macht, seine Erfahrungen“. Es ist nicht zu übersehen, daß hier im Zusammenhang mit der Prophetie ein Begriff auftritt, der antiprophetisch schlechthin ist: der der Magie; vom „Stern des Bundes“ ab wird er herrschend. „Man sieht je länger, je mehr in mir, was Wolfskehl das Außerpersönliche nennt.“ Ist dies wahr, so wird man Wolfskehl von der Verantwortung für Georges Entwicklung nicht freisprechen können, da er, als Jude, es hätte besser wissen müssen, mindestens wollen. „Ich wandte mich dagegen, daß ein Dichter das Außer- oder Überpersönliche, das in seinem Werk ist, als Gegenstand der Anbetung aufstelle in der Absicht, damit eine Bewegung hervorzurufen, die außerhalb seiner dichterischen Grenzen fiele. Seine Antwort darauf war stark und leidenschaftlich. Es fiel mir auf, daß er sich dialektisch sehr entwickelt hatte.“ Diese Bemerkung ist auch für den Leser auffallend. Sie zeigt, da Kraft der Dialektik nicht die stärkste Qualität von Georges Lyrik ist, wie ganz in außerlyrische Zweck- und Bewußtseinszusammenhänge diese Lyrik eingebettet ist. „Der Kernpunkt seiner Erörterungen war, was er ‚die Substanz‘ oder auch den ‚neuen Schauer‘ nannte.“ Aber dieser „neue Schauer“ ist die Übersetzung des „frisson nouveau“, den Victor Hugo in den ersten Gedichten Rimbauds erkannte, es ist also eine rein ästhetische Prägung, die in schroffem Gegensatz zu der Philosophie der Substanz steht und eigentlich die Solidität beider in Frage stellt. Nun folgt die Stelle:

> „Was die Substanz ist, macht nichts aus. Sie kann ein schwarzer Stein sein oder eine grüne Kugel." Als er dies sagte, war er ganz und gar Leidenschaft, sein ganzer Körper war eine einzige Bewegung. Was mich in all diesem Reden ergriff, war die Kraft seines Glaubens. *Daß* die Welt sich ändern würde, war für ihn eine Gewißheit. Ja, sagte ich, aber wir sollen nur Dichter sein.

Franziska zu Reventlow erklärt in „Herrn Dames Aufzeichnungen oder Begegnungen aus einem merkwürdigen Stadtteil", das ist nämlich Schwabing, die Substanz, welche als Zentralbegriff mystischer Weisheit von Schuler stammt, so: „Gelingt es einem, sich durch ein mystisches Verfahren – ich glaube durch absolute Selbstversenkung in das kosmische Urprinzip – dergestalt zu läutern, daß auch die geringsten Bestandteile von Molochitertum gebannt werden, gelingt es ihm, die kosmische Ursubstanz für sich selbst allmächtig zu machen, so daß sie sein Wesen vollkommen durchdringt, nun so wird er eben selbst allmächtig, und wer allmächtig ist, kann zaubern". Das „Molochitertum" ist die negativ, als Götzenbild erlebte Vernunft. Verweys Entgegnung an dieser Stelle ist schwach bis zur momentanen Lähmung seiner Urteilskraft. Nicht darauf wäre es hier angekommen, zu zeigen, daß dem Dichter der Wille nicht zusteht, die Welt zu verwandeln – ein Standpunkt, der nicht einmal haltbar ist –, sondern ausschließlich darauf, dem Sprecher das Furchtbare und Finstere, das Vernichtende und Zerstörende seines Bekenntnisses durch wahre Geistesgegenwart zu offenbaren: daß er die Welt nicht durch das Wort der Wahrheit, daß er sie durch das Monstrum der Macht, des wahreren Molochs, wolle verwandelt wissen und daß dieses Unterfangen niemals gelingen könne. Ein Glaube, der auf der Wahrheit gründet, kann Berge versetzen, ein Glaube, der auf der Macht gründet, kann diese Berge kreißen machen, um nicht einmal eine lächerliche Maus zu gebären. Die Macht verzichtet auf den echten Gegenstand des Glaubens, sie konstituiert sich als die größte mögliche Anhäufung von Kraft, welcher im Wege magischen Scheins der Sinn eines schwarzen Steins oder einer grünen Kugel zugeordnet wird. Klages spricht im „Kosmogonischen Eros" (1922) von „jenem konischen Stein aus Emessa, mit dem der Wahnsinn des Cäsaren Elagabal, Priester des gleichnamigen Gottes, die olympischen Götter verhöhnte". Sollte George diesen Stein meinen, so würde dies vollends erweisen, wie entscheidend das Algabal-Erlebnis für seine Gesamtentwicklung gewesen ist. Er, der es in seinen Gedichten ästhetisch verschleiert hat, hat es einmal und nicht wieder verraten, nämlich hier, und die Leidenschaft seines in Bewegung geratenen Körpers unterstreicht die Dämonie des Sachverhalts.

An der Zuverlässigkeit dieses Berichts ist um so weniger ein Zweifel möglich, als der Berichterstatter ganz unter dem positiven Eindruck des von ihm in einer tieferen Schicht negativ Erlebten steht, denn er fährt fort: „Es gab während dieses Sprechens Augenblicke, wo die Landschaft, der Berg mit den Türmen von Bingen drüben mir verändert vorkam – als ob ich auf dieser Höhe nicht mit einem Menschen, sondern mit einem Engel wandelte. Auch in seinem Zimmer war in den weiten Ausblicken seiner schmalen blaßblauen Hände etwas, das mich an solch einen Himmlischen denken ließ. Nicht ohne Grund hatte Lechter diesen Typus in ihm erkannt und ihn als solchen gezeichnet. Nun zeigte er sich groß und offen, sowie ich ihn auch einmal dunkel und verzerrt gesehen hatte." Wenn dies ein „Engel" war, der sich „groß und offen" zeigte, wie mußte er sein, wenn er „verzerrt" war! „Ich konnte mir lebhaft vorstellen, welchen Einfluß, besonders auf deutsche Jüngere, eine Person wie die seine haben mußte. Deutschland ist nun einmal ganz besonders das Land der Personenvergottung. Auch wie verlockend es für ihn selbst sein mußte, diesen Einfluß auszuüben." Nun kommt Georges Schlußwort: „Was ich am liebsten tue, ist drillen". Der Drill ist das logische Komplement des schwarzen Steines oder der grünen Kugel. Der Gegensatz zwischen einem Engel und einem Dichter, der drillt, erscheint als schlechthin unüberbrückbar.

Dieses Gespräch nun hat ein ergreifendes Nachspiel. Verwey liest George ein Gedicht vor, das die unbedingte Gleichheit des Dichters und des Menschen zum Inhalt hat.

> Als ich diese Vision mit ihrem glücklichen Ausgang gelesen hatte, blieb George lange sitzen, das Haupt von mir abgewandt und die Arme auf dem Tisch. Endlich sagte er: „Das ist mir völlig fremd. Nicht das Dichterische, sondern das Menschliche. Sie sind in jeder Gebärde anders. Wie Sie jedes Bild da so hinsetzen, das ist alles

anders, als ich es tue. Sie fassen alles anders auf. Wie man nie wissen kann, wie man so anders ist". Nachher sagte er noch: „Sie sind *sehr* versöhnlich". Und zum Schluß: „Da glaubte man, alles gesagt zu haben, und da könnte man wieder von vorne anfangen".

Rätselhaft undeutlich ist dieser Satz von dem Nichtwissen des Andersseins. Wen meint George hier? Meint er sich selbst, so drückt er das Leiden an diesem Selbst aus. Wie immer es gemeint sei, wir überraschen den Gewaltmenschen in einem Augenblick fruchtbarer Ungespanntheit der Seele; sie geht ungenützt vorüber. Verwey faßt zusammen: „Er hatte sich vorgenommen, seine Vortrefflichkeit deutlich und wahr zu machen, und ich hatte mich keinen Augenblick seiner Einwirkung entzogen, aber auch keinen Augenblick ihm beigestimmt! Ich war das versöhnende Element, aber ich mußte mir gefallen lassen, daß es unversöhnliche Elemente gibt. Es war das All-Eine, das niemand neben sich duldende, aber er mußte sich gefallen lassen, daß es einen anderen neben ihm gab".
Im ersten Weltkrieg kam es zum Bruch zwischen den beiden Freunden. Der Versöhnliche trat auf die Seite des relativen Rechts, der Unversöhnliche auf die Seite des absoluten Unrechts. George war allein. Die starken und innigen Gedichte *gegen* Verwey, die das Gegenteil sagen, können dies nicht aufheben. Borchardt sagt schon 1902 in der Rede über Hofmannsthal: „... stellt er mit einer unerhörten Gewalt der Gebärde, mächtig durch das karge Wort, aber völlig hinreißend durch die Wucht des eigenen Beispiels, die endliche Einheit des Lebens mit dem ideal gefaßten Werke auf und legt in ein Dasein, das, so sehr es sich aufs Ziel spannen mag, ein menschliches bleiben muß, jene ungeheure Absichtlichkeit hinein, die nur durch den stärksten Kontrast zur Epoche als reine Farbe wirkt, während sie von einer gleichmäßig gehobenen Zeit mit dem tiefsten Schauder müßte angesehen werden." In diesen Sätzen ist eingefaltet, was das Verhältnis zu Verwey lehrt: daß ein großer Dichter im Laufe seines Lebens die Werktreue durch die Substanz, durch den Willen zur Macht in Frage stellte.
Verwey hat bis zu seinem eigenen Tode nicht aufgehört, um den toten Freund zu trauern. Die Gedichte auf ihn hat Rudolf Pannwitz ins Deutsche übersetzt. Sie sind in dem Buch „Albert Verwey und

Stefan George" enthalten. Sie sind ein seltenes Bekenntnis gänzlich uneigennütziger Treue.

GEORG SIMMEL

Als George um die Jahrhundertwende in Berlin durchbrechen wollte, suchte er nicht nur die Künstler auf, sondern auch die Germanisten wie Gustav Roethe und Wilhelm Dilthey. Richard M. Meyer war es, der den neuen Dichterkreis in den Preussischen Jahrbüchern bekannt gemacht hatte. Roethe hatte 1907 ein Kolleg mit einem Lob auf George und die Blätter für die Kunst geschlossen. George hat einmal zu Ernst Robert Curtius gesagt, Dilthey und Simmel hätten ihn aushorchen wollen, er konnte ihnen aber nicht alles sagen. Dilthey war nämlich ängstlich, daß George das Gedicht „Goethe-Tag" drucken könnte.[1] Man sieht hieraus, wie planvoll George vorgegangen ist. Ob Roethe eine „Urkraft" war, wie Borchardt mündlich zu mir sagte, ist mindestens zweifelhaft. Vermutlich hat er an George den „nationalen" Ton geschätzt. Dilthey hat sicherlich an ihm erfaßt –: das Neue, wie er an Hölderlin das Neue erfaßt hat und seinen Aufsatz über ihn in „Das Erlebnis und die Dichtung" mit „Hälfte des Lebens" schließt, dieser „eigenen Mischung von krankhaften Zügen mit dem Gefühl des lyrischen Genies für einen neuen Stil", wie er an Hofmannsthal das Neue geahnt haben mag. In seinem nachgelassenen Buch „Von deutscher Dichtung und Musik" ist in der Einleitung von einem geplanten Buch „Dichter als Seher der Menschheit" die Rede. Darin wird der Satz aus einem Brief an Paul York von Wartenburg zitiert: „Unter Seher verstehe ich den Dichter sofern er auf eine ganz unfaßbare nicht am Gängelband der Logik fortgehende Weise den Menschen, die Individuation, den Zusammenhang, den wir Leben nennen, und der aus Umständen, Relationen der Menschen individueller Tiefe, Schicksal gewebt ist, darstellt." Dilthey hat George auch zeigen wollen, *wie* man Gedichte von Goethe liest, und „das war schlecht, sehr schlecht!", wie George zu Edith Landmann (S. 151) sagt. Vielleicht war es gar nicht so schlecht, vielleicht war es nur alt,

---

[1]) Er dürfte Anstoß genommen haben an den Schlußversen: „Doch ahnt ihr nicht dass er der staub geworden/Seit solcher frist noch viel für euch verschliesst/Und dass an ihm dem strahlenden schon viel/Verblichen ist was ihr noch ewig nennt."

und Georges Lesen war neu. Da gibt es keine absolute, da gibt es nur relative Wahrheit. Aber selbst über das neue Lesen gab es in dem Kreise trotz der begeisterten Schilderungen Einzelner und trotz des wichtigen Aufsatzes von Robert Boehringer in dem Jahrbuch für die geistige Bewegung (II, 1911) keine einheitliche Meinung. So steht in dem Brief von Ernst Glöckner vom 7. 4. 1913 über Georges Vorlesen: „ . . . die Gedichte bekamen eine große Melodie trotz des schlechten Organs, das er hat“. Auf dieses „Organ“ kommt es eben doch an: ein Verfehmter wie Borchardt hatte es! Was George verhinderte, das alte Lesen zu verstehen, war seine Verwerfung des Theaters, dessen letzte Heroen er in Berlin und Wien noch hätte hören können und wahrscheinlich gehört hat und wer weiß vielleicht sogar gern[1]), das sind Geheimnisse des reifen Lebens, über die man gewöhnlich schweigt, weil sie das unreife Leben zu grell beleuchten. Wichtiger als Roethe und als Dilthey ist Georg Simmel, der, zehn Jahre älter als George, sich 1885 in Berlin für Philosophie habilitierte. Ein Jahr vorher hatte der philosphisch sehr kluge York von Wartenburg an seinen Freund Dilthey geschrieben: „Ich gratuliere zu jedem einzelnen Falle, wo Sie die dünne jüdische Routine, der das Bewußtsein der Verantwortlichkeit für die Gedanken fehlt, wie dem ganzen Stamme das Gefühl psychischen und physischen Bodens, von dem Lehrstuhle fernhalten“. Ob er Simmel meint, wird nicht deutlich, es ist aber wahrscheinlich. Sogar ein Hermann Cohen hat mündlich von „versimmeln“ gesprochen. Ob Dilthey auf diesen antijüdischen Ausbruch geantwortet hat, ist unbekannt. Er hat aber den Mut gehabt, dem großagrarischen Denker, der Wildenbruch ästhetische Erkenntnisse abgewann, am 25. 12. 1896 zu schreiben:

> Der Kampf rast um Wildenbruch Hauptmann. Die Studenten sind ganz für Hauptmann: denn wie sie in den Tiefen aufgewühlt sind, verlangen sie solche letzte sociale und philosophische Positionen, wie Hauptmann sie nicht gestalten kann aber doch gestaltlos in sich bewegt. Die schroffe Parteinahme des Kaisers schadet, wie die Dinge einmal liegen, *viel* mehr als sie nützt. Sehen müssen Sie. Ein paar Tage in das uferlose und formlose Meer dieser Gegenwart eintauchen. Ein Ding dergleichen seit der Renaissance nicht

[1]) Siehe aber Gerhard Hay: Georges Auffassung vom Theater. In: Stefan George Kolloquium, Köln 1971, S. 231 ff.

da war, so formlos und chaotisch, so in den letzten Formen des Menschlichen bewegt, fin du siècle und Zukunft unfaßlich gemischt.

Dies war, mit großer Schlagkraft ausgedrückt, die Stimmung der deutschen Welt. George trat eher lautlos in sie ein. Er kam zu Simmel und zu Gertrud Simmel wahrscheinlich über Gertrud Kantorowicz, die 1899 unter dem Namen Gert Pauly in den Blättern für die Kunst (IV, 4) Gedichte veröffentlicht hatte und die George, menschlich und geistig, aufs höchste schätzte. Es war ein „Glücksfall", wie Günther Freymuth in seinem gehaltvollen Aufsatz „Georg Simmel und Stefan George" schreibt. Der Eindruck des Menschen George, der 1901 dreiunddreißig Jahre alt war, muß für Simmel entscheidend gewesen sein. George wollte zu einer abendlichen Einladung den jungen Gundolf mitbringen, und Simmel schreibt: „Ich gestehe offen: den unvergleichlichen, ganz persönlichen, ganz verinnerlichten Ton unserer Abende zu dreien halte ich in Gegenwart eines Vierten für unerreichbar, selbst wenn dieser Vierte so sympathisch ist wie Herr Gundolf. Allein ich würde es auch begreifen, wenn das Alleinkommen Ihnen ein Maß physischer Unbehaglichkeit bereitet, das diesen Wert aufwöge. Ich bitte Sie also dies ganz nach Ihren eigenen Schätzungen zu entscheiden". Achtungsvoller kann man nicht sein. George wirkte mit, eine neue Gesellschaft zu begründen. Die Empfänge bei Reinhold und Sabine Lepsius sind hierfür bezeichnend; mit beiden ist er befreundet, mit ihr noch mehr als mit ihm. Bei ihnen liest er vor. Die Stimmung ist halb bewußt, halb unbewußt gegen den Naturalismus gerichtet. Ob Max Liebermann je hier anwesend war, ist ungewiß, denn er war ganz für Hauptmann, aber bei Edith Landmann steht (S. 157) wenn auch zeitlich später: „Er erzählte vergnügt von Max Liebermann, vor dem man den Georgekreis moralisch verdächtigt und der darauf geantwortet hatte: ‚Da steckt doch noch Kultur dahinter' ". Simmel war mit Sabine Lepsius von Jugend an befreundet. Er war auf jenen Abenden. Sie kam zu ihm mit George. Simmel hatte tiefe Achtung vor ihm, dieser vor jenem einen Respekt, der den Zweifel nicht ausschloß, welcher vor Frau Simmel schwieg. Vor Simmels philosophischer Klugheit, wenn sie dozierte, gaben sich Sabine Lepsius und George gelegentlich heimlich die Hand, um ihre Überlegenheit zu zeigen und dennoch nicht auszubrechen.

Daß ein Philosoph über das Schöne nachdenkt, ist selbstverständlich, denn die Ästhetik gehört in das System der Philosophie. Nicht selbstverständlich, eher neu ist es, daß ein Philosoph wie Simmel abgesehen von seinen Büchern über Goethe und Rembrandt über Einzelfragen der Ästhetik nachdenkt wie etwa „Brücke und Tor" (so der Titel einer Sammlung von Aufsätzen, die Michael Landmann 1957 herausgegeben hat), wie „Philosophie der Landschaft", „Die ästhetische Bedeutung des Gesichts" und „Erinnerung an Rodin", eine bedeutende Würdigung Rodins bei seinem Tode 1917, seiner Größe und seines Scheiterns. Hier steht der merkwürdige Satz: „Denn ersichtlich fehlte ihm jede Erlösung durch einen religiösen Gedanken". Aber es ist nicht einzusehen, warum der Künstler, der die gewaltige Hand Gottes geschaffen hat, noch einer besonderen „Erlösung durch einen religiösen Gedanken" bedarf. Es wird dagegen klar, daß George *diesen* religiösen Gedanken *nachträglich* in sein Werk hineingebracht hat, durch das Buch „Maximin" im „Siebenten Ring", und daß er damit sein großes dichterisches Werk schwächt, wie sehr es auch den Anschein des Gegenteils haben mag. Simmel beschäftigt sich auch mit „Soziologischer Ästhetik", und so heißt ein Aufsatz, der am 31. 10. 1896 in Hardens „Zukunft" erschienen ist, in einer Zeitschrift, die George bestimmt gelesen hat, weil es von ihm eine merkwürdige Äußerung über Maximilian Harden gibt, im Gespräch mit Edith Landmann (S. 58), daß er „bös und unglücklich" gewesen sei. Der Aufsatz enthält höchst interessante Gedanken, freilich ohne jede persönliche Entscheidung, über Symmetrie als Grundlage despotischer, Asymmetrie als Grundlage liberaler Gesellschaftsformen. Da heißt es von der heutigen Schönheit, sie knüpfe „sich im wesentlichen an einzelne, sei es in ihrem Gegensatz zu den Eigenschaften und Wesensbedingungen der Masse, sei es in direkter Opposition gegen sie". Und nun: „In diesem sich-Entgegensetzen und -Isolieren des Individuums gegen das Allgemeine, gegen das, was für alle gilt, ruht großenteils die eigentlich romantische Schönheit – selbst dann, wenn wir es zugleich ethisch verurteilen. Gerade daß der Einzelne nicht nur das Glied eines größeren Ganzen sondern selbst ein Ganzes sei" –: ist es nicht so, als wenn George hier als Person hervorträte, er, der wenige Jahre später, 1906, in der Vorrede zu dem Maximin-Gedenkbuch schreiben wird: „denn der ist der grösste woltäter für alle der seine eigne schönheit bis zum wunder vervollkommnet"? Es ist kein Zufall, daß Simmel *diese* Art der Vergöttlichung nicht vorausgesehen hat, wie es kein Zufall sein kann, daß alles, was mit Maximin zusammenhängt, in seinem Eintreten für George *nicht* vorkommt. Simmel denkt aber auch über die „Großstädte und das Geistesleben" nach, und dies ist ein Vortrag, der 1903 im neunten Jahrbuch der Gehestiftung erschienen ist und den er in einer Fußnote als eine Zusammenfassung der kulturgeschichtlichen Hauptgedanken seiner 1900 erschienenen „Philosophie des Geldes" bezeichnet. Der Vortrag enthält eine durchschlagende Analyse von Großstadt und Kleinstadt, bei der an vielen Stellen George als leidenschaftlicher Leser, der mehr ablehnt als zustimmt, zwischen den Zeilen sichtbar wird. Die unpolemische Haltung des Denkers konnte George nicht einnehmen. Er dichtete in dem Bismarck-Fragment, das er 1902 als ganzes Gedicht bei Sabine Lepsius unter dem Titel „Der Preusse" vorgelesen hat: „In des ehrwürdig römischen kaisertumes/Sandgrube dieses reich gebaut, als mitte/Die kalte stadt von heer- und handelsknechten", und Boehringer schreibt hierzu: „Im vorgelesenen Gedicht soll die dritte Zeile des Fragmentes gelautet haben: ‚Die stadt der huren-heer-und handelsknechte' ". Die Weglassung der Huren bedeutet vielleicht eine Einsicht des auch durch Simmel Gereiften. Nach *dieser* „kalten" Stadt zog es ihn von Bingen, wie Hauptmann von Schlesien, wie später Brecht von Augsburg. Der Ausgangspunkt Simmels ist das Individuum in seinem Kampf um „die Selbständigkeit und Eigenart seines Daseins gegen die Übermächte der Gesellschaft . . ., die letzterreichte Umgestaltung des Kampfes mit der Natur, den der primitive Mensch um seine *leibliche* Existenz zu führen hat". Könnte dieser „primitive" Mensch nicht schon George selbst sein, welcher freilich, um diesen Kampf siegreich führen zu können, heftige Denkbewegungen machen muß, die seine Dichtung bedrohen, während Nietzsche „der Widerstand des Subjekts, in einem gesellschaftlich-technischen Mechanismus nivelliert und verbraucht zu werden, zu dem Ausbau einer Philosophie führt, die von Apollo und Dionysos bis zum Übermenschen und zur Ewigen Wiederkehr reicht?" In jener „leiblichen" Existenz klingt schon Georges großes Motiv aus dem Gedicht „Templer" im „Siebenten Ring" an von der „grossen Nährerin im zorne", die er bekämpft, um sie „willfährig" zu machen zu ihrem Werk: „Den leib vergottet und den gott verleibt". Was Simmel im Zusammenhang mit der Großstadt von der „Steigerung des Nervenlebens" sagt, von der Reaktion des Verstandes statt des Gemütes (welches bald zur Gemütlichkeit entartet), von der entseelenden Wirkung des „Tauschwerts", welcher später für Adorno ein negativer Zentralbegriff wird, dies alles läßt die Worte verstehen: „Wenn auch die durch solche [Lebensform] charakterisierten, selbstherrlichen Existenzen keineswegs in der Stadt unmöglich sind, so sind sie doch ihrem Typus entgegengesetzt, und daraus erklärt sich der leidenschaftliche Haß von Naturen wie Ruskin und Nietzsche gegen die Großstadt – Naturen, die allein in dem schematisch Eigenartigen, nicht nur für alle gleichmäßig Präzisierbaren den Wert des Lebens finden und denen deshalb aus der gleichen Quelle wie jener Haß der gegen die Geldwirtschaft und gegen den Intellektualismus des Daseins quillt". Der neueste Vertreter dieser Anschauungen im größten Stile ist George, welcher dieser Welt zu entrinnen sich zur Aufgabe macht, statt „einfach" zu dichten. Dieses Einfache genügt ihm nicht mehr: er will eine „neue Welt" schaffen. Simmel stellt nun trotz aller Negativität der Großstadt fest, daß diese „dem Individuum eine Art und ein Maß persönlicher Freiheit" gewährt, zu denen es anderswo keine Analogie gebe, und gerade dies ist die Einsicht Georges, die ihm hier gekommen sein könnte, wenn er 1904 in der siebten Folge der Blätter für die Kunst unter dem Titel „Lob unserer Zeit" verkündet:

> . . . noch nie soweit wir geschichte kennen konnte der einzelne solche freiheiten, solche bewegungs-erleichterungen geniessen, noch nie so sicher der plumpen übermacht sich entziehen und bei verhältnismässig geringen anstrengungen sein leben führen in einer fast unumschränkten oberherrlichkeit.

Die Unfreiheit des Individuums entwickelt Simmel an der griechischen Polis, an der heutigen Kleinstadt: der Großstädter ist „frei" im Gegensatz zu den Kleinlichkeiten und Präjudizierungen, die den Kleinstädter einengen. Weimar ist kein Gegenbeweis, denn seine Bedeutung hing an einzelnen großen Persönlichkeiten und starb mit ihnen, die Großstadt ist von ihnen unabhängig. George dichtet im „Siebenten Ring", in der ersten Strophe von „Die Schwesterstädte" Weimar und Jena:

Lang schweigt in herzen neuster prunk der tuben
Wenn alle völker noch die spuren segnen
Von Göttern Helden die in der entlegnen
Landstadt für eine weil den thron erhuben . . .

Borchardt sagt dieser „entlegnen/Landstadt" polemisch ab in „Intermezzo", da sie nichts anderes als ein konventionelles Bild der „Natur" voraussetze, welches für den Großstädter die Sommerfrische ist. Er glaubt nicht mehr, daß die Poesie überhaupt einen Ort habe außer in gezählten Individuen wie George und Hofmannsthal, in denen sie auf rätselhafte Weise da sei. Den Kampf gegen die Großstadt hält er für sinnlos.

Ein Punkt bei Simmel ist besonders wichtig. Er spricht ausführlich von dem Übergewicht des objektiven Geistes in der modernen Kultur über den subjektiven: in der Sprache, im Recht, in der Produktionstechnik, in der Kunst, in der Wissenschaft. Der subjektive Geist kommt als Geistigkeit, als Zartheit, Idealismus nicht mehr mit. Die Arbeitsteilung läßt ihn verkümmern. Nun heißt es von dem Individuum: „Vielleicht weniger bewußt als in Praxis und in den dunklen Gesamtgefühlen, die ihr entstammen, ist es zu einer quantité negligeable herabgedrückt, zu einem *Staubkorn* gegenüber einer ungeheuren Organisation von Dingen und Mächten, die ihm alle Fortschritte, Geistigkeiten, Werte allmählich aus der Hand spielen und sie aus der Form des subjektiven in die eines rein objektiven Lebens überführen". Ich habe das „Staubkorn" gesperrt, denn ich halte es nicht für unmöglich, daß jener Vers aus dem „Stern des Bundes" (S. 23) „Aus einem staubkorn stelltest du den staat" hier seine Wurzel hat. George hat überaus überlegt und sehr wenig inspirativ gedichtet. Dafür gibt es viele Beispiele. Der „Staat", seine für ihn von einem bestimmten Zeitpunkt ab, als die Poesie hinter der Lehre zurücktrat, wichtigste und für die Zukunft problematischste Schöpfung, für welche es kaum beweiskräftige Zeugnisse gibt, entwickelt sich eben aus dem „Staubkorn". Hierher gehört auch Simmels Satz: „Die Atrophie der individuellen durch die Hypertrophie der objektiven Kultur ist ein Grund des grimmigen Hasses, den die Prediger des äußersten Individualismus, Nietzsche voran, gegen die Großstädte hegen, aber auch ein Grund, weshalb sie gerade in den Großstädten so leidenschaftlich geliebt sind, gerade dem Großstädter als die Verkünder und Erlöser seiner unbefriedigten Sehnsucht erscheinen". Ob Simmel hier an George gedacht hat, wissen wir nicht, daß aber George diesen Satz pro domo gelesen und Nietzsche durch sich selbst ersetzt hat, ist so gut wie sicher. Er dürfte aber auch die Großstadt geliebt haben, für München ist es vielfach bezeugt, und sein Verzicht auf einen festen Wohnsitz mit dauernden langen Aufenthalten in München und Berlin läßt hierüber keinen Zweifel, obwohl die negative Vision vom „Stadtufer" im „Siebenten Ring" nach Morwitz ihm an der Weidendammer Brücke in Berlin gekommen ist... Simmel lehnt am Schluß seines Vortrags die „Attitüde des Richters" ab: „Indem solche Mächte in die Wurzel wie in die Krone des ganzen geschichtlichen Lebens eingewachsen sind, dem wir in dem flüchtigen Dasein einer Zelle angehören – ist unsere Aufgabe nicht, anzuklagen oder zu verzeihen – sondern allein zu verstehen". Das variiert die philosophische Haltung Spinozas, die dem Soziologen nicht zusteht: das „geschichtliche Leben" ist von Kräften bewirkt, die als menschliche Kräfte jeweils bestätigt oder beseitigt werden können. So betrachtet ist Georges schwankende Haltung zur Großstadt richtiger als die richtige Simmels.

Hiermit mag es zusammenhängen, daß Simmel 1915, also mitten im Ersten Weltkrieg, als die Massen noch an den Sieg glaubten, andere wie George zu zweifeln begannen, den ungeheuer einsichtslosen Aufsatz „Werde, was du bist" geschrieben hat, in dem dem Eroberungskrieg der Feinde die reine Unschuld Deutschlands gegenübergestellt wird. Er steht in dem Buch „Zur Philosophie der Kunst", das Gertrud Simmel 1922 nach dem Tode des Denkers herausgegeben hat. Hier heben sich von den Aufsätzen über Böcklin, Lionardo, Rom, Florenz und Venedig die beiden Aufsätze „Stefan George" (1901) und „Der Siebente Ring" (1909) ab. Ein erster, nicht aufgenommener, der 1898 in Hardens „Zukunft" erschienen ist, kommt hinzu. Über diesen steht bei Günther Freymuth alles Wesentliche. Der Aufsatz, nach dem „Jahr der Seele" geschrieben, betont das „Über-Subjektive des Gefühls". Das Prinzip des l'art pour l'art ist entscheidend. Da steht der Satz: „Mit dieser Wendung ist die Herrschaft des Poeten über die Welt vollkommen". Simmel schreibt aber auch: „Für so groß ich auch das rein poetische Genie Stefan Georges halte, so könnte man trotzdem einräumen, daß seine Bedeutung als Künstler über seiner spezifischen Bedeutung als Dichter steht". Ob dieser

Dualismus Künstler-Dichter richtig von Simmel gesehen ist, steht dahin. Mallarmé hat dem Prinzip des l'art pour l'art bis zur Vernichtung aller vorhandenen Inhalte gedient, bis zu dem grandiosen Wahnsinnsakt seines „Coup de dés", nach seinem eigenen Bekenntnis zu dem jungen Paul Valéry, George nicht. Günther Freymuth weist auf eine Stelle bei Friedrich Wolters hin, nach der George Simmel gesagt habe, „es gebe keine Stelle seiner Gedichte, die nicht erlebt sei", und Borchardt hat den „Siebenten Ring" als eine Hinwendung zum „Gehalt", als ein „altdeutsches" Buch kritisch gepriesen. Und so auch Simmel selbst in dem Aufsatz „Stefan George" von 1901, welchen er eine „kunstphilosophische Studie" nennt und in einer Fußnote ausdrücklich von einer „Kritik" abhebt. Er wendet sich gegen die Erotik als das einzige Thema der Lyrik und findet sie zwar auch bei Goethe, aber gleichzeitig die Distanz. George will bis etwa 1895 nur im Medium der Kunst wirken. Mit dem „Jahr der Seele" tritt die Wendung ein. Goethes Jugendgedichte enthalten ausschließlich Gegenwart, in den späteren schwindet sie: das Erleben ist mit der Vergangenheit belastet, es entsteht ein „Jenseits der Gegenwart". So auch bei George. Es wird aber nicht durch die Vergangenheit bewirkt, sondern durch eine gewisse Zeitlosigkeit des Erlebens: „bei George . . . scheint der Aggregatzustand des Gefühls, die ganze Existenzempfindung um die einzelnen Elemente, Worte, Gedanken des Gedichtes herum aus diesen selbst hervorzubrechen, statt ihnen durch die Gunst und Erhebung des Augenblicks anzufliegen". Der Gipfel dieser Kunst ist für Simmel „Der Teppich des Lebens" und darin die 24 Gedichte des „Vorspiels"[1]). Das „vollkommene Artistentum" verbindet sich im „Teppich des Lebens" mit etwas, was Simmel als „Intimität" bezeichnet: „man fühlt eine Seele ihr geheimstes Leben offenbaren, wie dem vertrautesten Freunde". Damit ist das Prinzip des l'art pour l'art endgültig durchbrochen: „die Personalität wohnt hier selbst in der Sphäre des Ideellen, sie ist die Form, in der die einzelnen ästhetischen Gegebenheiten verständlich zusammenhängen". Daß eben diese Wirkung George gewollt haben könnte und

[1]) R.A. Schröder schreibt 1902 an Hofmannsthal *gegen* den „Teppich": „Das ‚Vorspiel' wird mir durch den ‚Engel' verdorben . . und ich finde auch, was hinter dem ganzen Kram steckt, nicht sehr bedeutend. Wohlverstanden: ein gutes George-Gedicht wiegt sehr schwer. Doch sind . . von dieser Sorte nur wenig da". (George-Kolloquium, S. 187).

daß hier eine Gefahr verborgen ist, brauchte Simmel um so weniger auszusprechen, wenn er es überhaupt je gesehen hat, als der letzte Satz des Aufsatzes von dieser Personalität sagt: „So sehr sie nur der ideale Brennpunkt des Kunstwerkes selbst und nicht die reale Individualität ist, gewährt sie doch der Dankbarkeit für das Empfangene, aus der Form der Bewunderung in die der Liebe überzugehen". Schöner läßt es sich nicht sagen. George konnte zufrieden sein. Nimmt man ihn ausschließlich als einen Dichter, den man bejaht, so gab es keinen Anlaß zur Kritik. Ob er mit dem Aufsatz „Der Siebente Ring", also acht Jahre später, obwohl er ungeheures Lob enthält, zufrieden war, ist immerhin fraglich.
Simmel ist von diesem Buch entscheidend angesprochen, und doch kommt sein Lob, ihm selbst nur halb bewußt, polar heraus. Er sagt von George, anderen Dichtern gleichen Ranges fehle „oft jener Sinn des *Ganzen*, mit dem ihn die wie aus einer höheren Einheit quellende Planmäßigkeit begabt". Simmel gibt sich keine Rechenschaft von den Grenzen zyklischen Dichtens, die im „Siebenten Ring", vor allem im „Stern des Bundes" systematisch aufgehoben werden. Er enthält sich der Kritik, aber in dieser Enthaltung kommt die Kritik beinahe noch schärfer heraus, wenn wir lesen: „Nicht darum handelt es sich, dass das Spätere etwa vollkommener, reicher, reifer ist als das Frühe und Jugendliche – was oft fälschlich schon als die eigentliche Entwicklung gilt. Sondern, dass seine geheimnisvolle ‚Planmässigkeit' des Ganzen, jenseits von Bewusstsein und Unbewusstsein stehend dem einzelnen Werk noch einen anderen Sinn gibt, als er aus seiner unmittelbar eigenen Bedeutung abzulesen ist". Dieser „andere Sinn", mag er vorhanden sein oder nicht, erlaubt nicht mehr die Kritik des Einzelnen. Borchardt hat gegen den Stachel gelökt: Seine Rezension des „Siebenten Ringes", welche auch 1909 erschienen ist, unterscheidet bei höchstem Lob im Ganzen zwischen gelungenen und mißlungenen Gedichten. Nun ist es überaus erstaunlich, daß Simmels ursprüngliches Lob so herauskommt, daß er auf seine verborgene Weise das Gleiche tut, wenn er schreibt: „Die dichterische Seele in *George* (im Gegensatz zu anderen) aber singt nur sich selbst, nicht die Welt, nicht die Überwelt. Wo die Dinge, die außerhalb des Erlebens seiner selbst liegen, in seinen Versen zu Worte kommen, irgend ein geschichtlich oder sonst Gegebenes – da wirkt es nur oft wie ein Fremdkörper, das inkohärente Hineinragen einer Welt, die

die seine nicht ist und nicht werden kann“. Mit einem souveränen Federstrich wird die Hälfte des Buches ausgeklammert, die „Zeitgedichte“, die „Gestalten“ und vor allem das Buch „Maximin“, welches sogar vor Borchardts Kritik besteht. Dennoch läßt er das „Ganze“ zu und kennt „keinen Lyriker, der in so ausschließlichem metaphysischem Sinne nur aus sich heraus lebte, und der es so zwingend fühlbar machte, daß alles objektive Sein, in sein Werk hineingenommen, nur die verteilten Rollen sind, in denen seine Seele sich selbst spielt“. Er spricht diesem „Solipsismus der Seele“ im Ausdruck eine „monumentale Gestalt“ zu, wie „Sonetten Shakespeares“, wie der „Trilogie der Leidenschaft“, wie „einigen Gedichten Hölderlins“. Es ist sehr sonderbar, daß nun das „Jahr der Seele“ erscheint als „ein Seitenweg, der, nach einer anderen Idee hin orientiert, die Hauptlinie um so mehr als unablenkbar offenbart“. Das ist nicht unbedingt schlüssig: diese „andere Idee“, wenn es sie denn gibt, könnte die Hauptlinie durchaus in Frage stellen. Hierüber schweigt Simmel. Und noch einmal zeigt sich seine polare Betrachtung, indem es heißt: „Das Ungeheure der Leistung liegt in der Spannung zwischen der Weiträumigkeit und der hochaufatmenden Größe dieses Stils ... und der unbedingten Geschlossenheit des rein seelischen Erlebens, der Kreisung der Innerlichkeit in sich selbst, die nun dennoch diesen Stil bis an seine Grenze erfüllt“. Nun aber heißt es, zwischen Gedankenstrichen beinahe schmerzhaft zugestanden, so: „Es ist bedeutsam, daß der Teil des Siebenten Ringes, in dem große geschichtliche Gestalten und Ereignisse den Stoff hergeben, dieses Spezifische des Stils – wie mir wenigstens scheinen will – nicht zeigt. Nicht wenn die Seele irgend eine Materie der Welt in sich hineinnimmt, auch wenn, und gerade wenn es die größte ist, sondern nur in ihrem Selbstsein und Mit-sich-reden findet der monumentale Stil an ihr seinen reinsten fügsamsten Inhalt“.
Am 13. 11. 1910 schreibt Gundolf an George von Frau Simmel, sie sei „die herrlichste Frau, die ich kenne, eine noble und große und anmutige Seele“. Und von Simmel selbst: „er wird reifer, voller, fast leiblicher. Ich glaube, daß wir noch unsere große Freude nicht nur an seiner Menschlichkeit, die mich immer wieder zur Verehrung zwingt, sondern selbst an seiner Lehre erleben werden ... “ Auch George wird über beide immer achtungsvoll gedacht haben und doch steht 1916 bei Edith Landmann (S. 31)

> Über Simmel: dass er gesehen habe, dass seine Dichtung mehr Kunst sei als die frühere Lyrik, dass er aber nicht die Konsequenz gezogen habe, zu schliessen, dass dann die frühere Lyrik nicht die wahre sei; denn eins von beiden ist nur möglich: entweder die alte Lyrik war Lyrik, dann ist diese keine, oder diese ist es, dann ist es die alte nicht. In der alten Lyrik nahm man einen Teil, ein Element der Dichtung, für Dichtung überhaupt.

Das ist antigeschichtlicher Wahnwitz, der sich selbst aufhebt. Goethe hat hart über Günther und Klopstock geschrieben, er hat sie nicht ausgemerzt, er hat sie in ihren Grenzen bejaht. So auch George, der als Mensch immer mehrere Eisen im Feuer hatte, wie seine schöne und ungerechte Anthologie „Das Jahrhundert Goethes" zeigt. Zu einem fulminanten Widerspruch bekennt er sich, wenn wir bei Edith Landmann (S. 32) lesen:

> Dichtung im Sinne eines Spielens mit Worten und Gefühlen: dass Simmel den „Stern des Bundes" als ein Zwischenbuch angesehen habe: ‚Man warte auf das nächste, wo wieder der Dichter spricht.'

Wir müssen annehmen, daß Simmel, wie den „Siebenten Ring" halb, so den „Stern des Bundes" ganz abgelehnt hat. Hätte George mit diesem Buch seine dichterische Laufbahn abgeschlossen – solch ein Willensakt wäre gerade bei ihm höchst denkbar –, dann hätte er ein Recht, Simmels Auffassung von Dichtung als ein „Spiel mit Worten und Gefühlen" ironisch abzuweisen. Sie war aber nicht abgeschlossen. Im Krieg erschien das Gedicht „Der Krieg", nach dem Krieg erschienen die Blätter für die Kunst mit Gedichten, ein Heft mit drei Gedichten erschien, 1928 „Das neue Reich". Die Lieder in dem Schlußteil „Das Lied" sind die großen Gedichte, die Simmel im „Stern des Bundes" vermißt. Sie haben aber beide Unrecht. Im „Stern des Bundes" werden Gedichte und Teile von Gedichten die Lehre überleben.

KURT BREYSIG

Der Historiker Kurt Breysig (1866–1940) hat ein Buch „Aus meinen Tagen und Träumen" hinterlassen. Das sind Memoiren, Aufzeichnungen, Briefe, Gespräche. In dem Kapitel „Bildnisse" findet sich neben den Bildnissen Gustav von Schmollers, Herman Grimms und Nietzsches auch ein Bildnis Georges. Aus dieser Zusammenstellung ist vorweg zu entnehmen, daß das Weltbild des ungefähr gleichaltrigen Mannes nicht ausschließlich von George bestimmt wurde wie das der späteren Jünger, aber die Beziehung zu ihm war persönlich und tief. Sie reichte von 1899 bis 1916. Breysigs 1900 in der „Zukunft" erschienene Arbeit „Der Lyriker unserer Tage" war im Augenblick ihres Erscheinens als eine früheste Reaktion auf einen neuen Dichter gehaltvoll, ist aber in der Unterscheidung von „Stoffkunst" und „Formkunst" heute weit weniger ergiebig als seine persönlichen Aufzeichnungen. Sein Verhältnis zu George war frei. Man kann diese Freiheit gar nicht genug unterstreichen. Er drückt es selbst sehr schön aus: „Ich näherte mich ihm in freiem Gefallen, am meisten umstrickt von der unerhörten Neuheit und dem überstarken Sprachvermögen dieser Formenkunst. Ich war sehr wählerisch und nie von Zufall und Laune beherrscht bei der Auswahl derjenigen Gedichte, die ich oft las und liebte. In jedem Bande waren es immer nur wenige Werke, die ich kannte. Selbst in Der Teppich des Lebens, den ich bei weitem am meisten las, war es nur ein Viertel oder ein Drittel, das ich heraushob. Ganz und gar nicht kümmerte ich mich um die geistige Struktur, den Gedankenaufbau: ich badete mich im Reiz der Wortfügungen, der Klanggebilde und fragte wenig nach den Inhalten . ." Bei „einem befreundeten Maler" in Berlin lernten sie sich kennen. Das war wohl Reinhold Lepsius. Jedes Jahr, wenn George in Berlin war, kam es zu häufigen Besuchen, langen Gesprächen, Vorlesung von neuen Gedichten. Beziehungen zu anderen wurden nicht erwähnt. Georges Kreis stand außerhalb. Breysig interessierte sich kaum für ihn. Auch die sachlichen Beziehungen hatten Grenzen. Über „Dinge gesellschaftlich-staatlicher Natur" wurde nicht gesprochen. Hier findet sich der merkwürdige Satz: „Daß George an meinem Schaffen nicht den mindesten Anteil nahm, wird niemanden wundernehmen, der die Weise der Künstler kennt". Es verdrießt ihn nicht, daß George der Wissenschaft „das denkbar geringste Maß von Anteilnahme" entgegenbringt. Und wieder kommt ein denkwürdiger Satz: „Mir schien da immer wichtiger, zu nehmen als zu geben, und wo die Wichtigkeit des von dem Anderen Mitzuteilenden so außerordentlich groß war wie bei George, erschien mir die Befolgung meiner Regel um so selbstverständlicher". Er gesteht George keine Wissenschaft und keine Metaphysik zu. Das braucht nicht unbedingt richtig zu sein. George war gefährlich klug. Das zeigt sich gleich an Breysigs Beweis für seine Behauptung, indem George von einem Aufsatz Simmels über ihn selbst, in der „Zukunft“ (XXII, 1898), gesagt habe: „Ich verstehe nicht eine Zeile davon“. Daß der Aufsatz von ihm handelte, hat George so verstanden wie daß er für ihn war, vielleicht auch daß die Bejahung eingeschränkt war, was die spätere Entfremdung erklären könnte. George war seltsamerweise *gegen* die Unterscheidung von Stoffkunst und Formkunst und ließ dagegen in den Blättern für die Kunst polemisieren. Nun heißt es: „Es war eine der ihm eigentümlichen Rauheiten: sein Wesen war viel zu kantig und felsig, als daß er dies nicht auch gegen Nahe hätte spürbar werden lassen. Ich sagte ihm das auch sehr unumwunden. Es kam indessen darüber zu keinem Mißverständnis. Meine Verehrung für George war zu stark, seine freundschaftliche Liebenswürdigkeit zu groß, als daß ein so formaler Dissens hätte zum Zwist anwachsen können“. Das ergreift in seiner völligen Freiheit nach beiden Seiten. In dem späteren, dem eigentlichen „Kreis“ war solches Verhalten unmöglich. Was für ein „anderer“ Dichter erscheint hier noch als denkbar, der nicht von Jüngeren *verehrt,* sondern von Gleichberechtigten durch Kritik *gefördert* wäre! Breysig weist Gundolfs Goethebild ab, in welchem das Menschentum als nur im Werk erkennbar postuliert wird, er spricht von der „Schlichtheit seines Wesens“ bei George. Er ist überzeugt von dem, was er sagte: es gebe da keinen „Pomp“ und kein „Zeremoniell“. Er ist beinahe kindlich naiv, denn gleich darauf schreibt er: „Wohl habe ich einmal erlebt, wie George beim Speisen zwei junge Götterknaben, wie er sie nannte, aufforderte, ihn zu bedienen. Aber ich habe daran keinen Anstoß genommen: die schlichte Würde war nur in die feierliche Würde übergegangen. Und wer hätte mehr Anspruch auf sie machen können als er!“ Der nächste Satz jedoch verrät völlige Klarheit: „Nur *ein* Grundzug in Georges Weise hat mich immer fremd angemutet: es war das, was ich das Politische in seinem Verhalten nennen möchte“. Und dann: „Er war darauf bedacht, jeden, aber auch jeden kleinsten Schritt seines Verhaltens dem Endzweck seiner doch auch auf Lebensmacht gestellten Sendung anzupassen. Doch möchte ich mir darüber kein Urteil beimessen: es mag zu den großen Schwierigkeiten seines Amtes gehört haben, die Grenzen und die Hoheit seines Reiches gegenüber den Anfechtungen, an denen es

ihm wahrlich nicht fehlte, aufrecht zu erhalten". Er ahnt nicht, wie folgenreich es war, daß er sich hierüber kein Urteil beimißt.
George spricht mit ihm über den Tod Maximins. Er zeigt ihm die grauen Haare auf seinem Kopf. „Als er das Werk, das er ihm als Denkmal errichtete, vollendet hatte, brachte er es mir und verflocht nun in die Gedichte des Entrückten und die eigenen, die er zu Ehren von ihm geschaffen hatte, die Legende von seinem kurzen Leben und die Sendung, die ihm vom Schicksal zugedacht gewesen sei. Er war des Glaubens, daß Maximin erst der wahrhaft Erfüllende hätte werden sollen, ihm selbst dann aber Amt und Aufgabe eines Johannes zugefallen sein würde". Es geht also um den *Dichter* Maximilian Kronberger! Das ist sehr wichtig. George liest ihm aus den neu entstandenen Werken vor: „eines darunter auch, von dem ich nicht weiß, ob es je gedruckt worden ist, Mein Sohn, um deswillen ergreifend, weil es an Möglichkeiten des Lebens führte, die ihm sehr nahe gingen". Von diesem „Werk" habe ich an keiner mir zugänglichen Stelle erfahren, und ich weiß nicht, ob es George später vernichtet hat oder ob Reste von ihm vorhanden sind. George liest Breysig das Gedicht „Der verwunschene Garten" aus dem „Siebenten Ring" vor, von welchem er „in seiner liebenswürdig-schlichten Weise" sagt: „Das ist so schön, das ist gar nicht von mir". Also von einem anderen? Es gibt Beispiele für fremde Mitarbeit im „Stern des Bundes" und im „Neuen Reich". Dieses Gedicht aber *ist* von George, sein Brief an Gundolf vom 28.3.1902 spricht dafür. Breysig spricht von einem Gespräch, in dem George von dem „Gedankenaufbau" in seinen Gedichten sprach und daß er für die Bildhauerei „sich allenfalls auch hätte entscheiden können". Dann lesen wir: „Es mag sein, daß es die Zutraulichkeit war, mit der er von dem Geheimnis seines dichterischen Schaffens sprach, oder was immer im Laufe des Gesprächs an geistiger Berührung stattfand: ich war in einer Stimmung des Durchglüht- und Erhobenseins, daß ich dem Geber so großer Gaben sagen mußte, wie ich eben jetzt ein Gefühl einzigartigen Erlebens und tiefer Entflammung vom Geist der Stunde verspüre. George sagte nur nach seiner stillen Weise: ‚Dann ist der Gott nahe'. Ich hatte an jenem Abend die Empfindung von einer hingegebenen Verehrung, und ich spürte die halbgöttliche Wesenheit eines Menschen von so unermeßlicher Gewalt des Seins". Diese fast ekstatischen Worte sind sehr sonderbar von einem Manne, der in noch ganz anderen, und nüchterneren, Ver-

flechtungen stand und das Eigentliche von Georges Wesen eher *nicht* kannte. Überaus seltsam ist eine der letzten Äußerungen Georges. Er sprach selbst 1916 davon, daß ihm die Nachfolge Bethmann-Hollwegs zufallen könne, „dass Männer in sehr hoher Lebensstellung schon dafür einträten". Er dachte natürlich an den Großherzog von Hessen. Darauf schreibt Breysig: „Ich sagte ihm sehr freimütig, aber aus sehr guter Meinung: wenn es dazu nicht komme, so könnten dies seine Freunde nur begrüßen; denn falls er zu solchem Amt gelange, so würden, davon sei ich überzeugt, ganze Kolonnen von Gegnern gegen ihn aufstehen und unter dem Feldgeschrei: herunter mit diesem Menschen! ihn zu stürzen trachten". Ich glaube nicht einmal an Georges Wunsch, geschweige an eine reale Möglichkeit, ihn durchzusetzen, sondern diese Andeutung sollte auf Breysig Eindruck machen. Sie tat es nicht, und das kann mit ein Grund für die allmähliche Zerbröckelung der Beziehung gewesen sein. Die stille Abwendung geht von George aus: „Ich ging in dieser Stunde, von George freundlich zur Haustür geleitet, mit dem Bewußtsein fort, daß ich ihn nie wiedersehen würde". Wieder zeigt Breysig sein großes Menschentum, denn der nächste Satz lautet: „Mir verblieb ganz ungeschwächt die Verehrung für den Dichter und sein Werk". Breysig hat an Georges Werk nie die geringste Kritik geübt, es sei denn immanent, indem er es *neben* dem Werk anderer sah.
In Castrum Peregrini (42, 1960) sind Breysigs Tagebücher abgedruckt. In ihnen finden sich einige sehr charakteristische Äußerungen Georges. So sagt er 1899 von Wilde, „dem berüchtigten", „es müsse Leute geben, die bedeutende neue Dinge der Menge dadurch klar machten, daß sie sie dreimal unterstrichen aussprächen". 1905 lobt er, „wie ich, Wedekind: er wage Dramatisches", und dies ist eine bei Georges Verwerfung des zeitgenössischen Dramas erstaunliche Äußerung, noch dazu in dem Jahr, als Karl Kraus in Wien in einer privaten Aufführung die „Büchse der Pandora" durchsetzt, sie dürfte sich aber nach dem Brief Gundolfs an George vom 14.5.1904 auf „Frühlings Erwachen" beziehen. Kurioserweise schreibt Breysig gerade an dieser Stelle: „Dann, als ich aus dem Zimmer gehe, winkt er mit einer Helle in seinem Auge, wie sie die Engel haben mögen oder griechische Statuen, wenn ihre leeren Marmoraugen anfangen wollten, von Leben zu funkeln". Das paßt schlecht zu einem Bekenntnis für den Anarchismus von 1910, oder noch nicht, welches übrigens

vorsichtig genug formuliert ist, und auch nicht zu der Eignung des Dichters für Politik – gerade weil er vom Montblanc komme". Dann kommt dies: Er gehe nicht so weit wie Plato, der sage, der Weise verstehe alles besser; aber er behaupte, der Dichter werde, wenn er morgen Schuster werden wolle, auch das Schusterhandwerk beherrschen". Ja, aber nur darum, obwohl Georges praktischer Sinn stark entwickelt war, weil er die Verbindung der Poesie mit dem Handwerk in Frankreich gelernt hat, eine Verbindung, die er durch die Prophetie sprengte. So heißt es über den „Stern des Bundes": „‚Es dauerte dann einige Zeit, ehe man sich an den neuen George gewöhnen konnte. Denken Sie doch, wenn hinter der hohen Hecke aus dem schönen Garten auf einmal ein Prophet hervorgesprungen kommt, zottelhaarig . .' Darauf George einwerfend, ganz betrübt: ‚Nicht zottelhaarig, bitte nicht zottelhaarig!'" Dies ist einzigartig, als eine der ganz wenigen Stellen, in denen George die Freiheit hat, von der Prophetie humoristisch abzusehen. Hier sagt er noch, mitten im ersten Weltkrieg: „Es gebe drei mögliche Sichten: eine völkische, die müsse auch sein, eine höhere – meine; aber seine – Georges umfasse auch die Möglichkeit einer Niederlage, einer Besiegung Deutschlands". Die „völkische" muss nicht sein, sie ist schon im Namen schlimm, welcher später auch in „Der Dichter in Zeiten der Wirren" aus dem „Neuen Reich" vorkommt, und hieran knüpft später das Schlimmste an, das nichts mehr mit Poesie zu tun hat, sondern alles mit Hitler. Breysig hätte es merken können. Er tat es nicht.
In dem wunderlichen Buch „Vom deutschen Geist und seiner Wesenheit", das 1932 erschien, also ein Jahr vor Georges Tode, faßt er zusammen, was er über diesen zu sagen hat. Es ist ein letztes Wort, unpersönlich gedacht und zweideutig formuliert, aus der Sache heraus, nicht gegen die Person gerichtet. George hat es noch lesen können. Es ist ein unkritischer Hymnus. Er war darauf bedacht, „zwischen seinem Werk und den Scharen der kurzatmig Genießenden eine weite Ferne zu schaffen", aber die mit langem Atem Genießenden gehören eher nicht dem Kreis an, er hielt „alle läßlich Genüßlichen" fern, welche in seinem Kreis eher zu nahe waren. Er blieb allein übrig, der große Dichter, als eine ungemeine Kraft in der Begrenzung eines ungemeinen Werkes, dessen kritische Beleuchtung noch aussteht. Sie könnte anknüpfen an *einen* Satz Kurt Breysigs: „Diese nach außen hart bewehrte Veste war, wie bei dem alten Den-

ker, die eigene Sprache, die sich der Dichter schuf und die, wie jener eigenen Worten eigene Begriffe unterlegte, so jetzt eigene Bilder mit dem neuen Gewand umkleidete". Der Satz gibt keine Gewähr für das Gelingen der „eigenen" Sprache. Kurt Breysig verwendet viele hingebungsvolle Worte, um zu zeigen, daß George nicht zu den Mystikern gehört habe, „welche in Wahrheit nichts anderes sind als die Ausgeburten einer selig ins Nichts und ein entleibtes Allgefühl hinsinkenden Schwäche". Dies mag zutreffen oder nicht zutreffen, aber Breysig verstrickt sich: „Es gibt tiefe Mängel, klaffende Lücken, schwere, aus allzusehr geliebter Vergangenheit aufsteigende Gebundenheiten, die auch ein weltfrommer, dem Geist treuer, im Leben freudiger Sinn in dem Weltbild, dem Lebensgebot vermissen muß, das aus Georges Dichtung aufsteigt" – man beachte, das sagt ein enthusiastischer Bewunderer, um von solcher Prämisse bis zu dieser Konklusion zu kommen: „mit der Unkraft, die im Grunde aller Mystik eigen ist, wenn sie aus den Schranken des Glaubens, aus der künstlerischen Einbildungskraft in das Leben übergreift und sich zu seinem Herrn aufwirft, hat der Dichter, hat sein Wirken nie etwas zu tun gehabt". Eben doch, ob mystisch oder gläubig oder sogar ungläubig, denn die Mystik steht der Möglichkeit nahe, den Menschen zum Übermenschen zu entwickeln. Aber für Breysig ist George einer der „glücklichsten Ausgestalter der Seelenkraft . ., die hier das Dunkel-Tiefe genannt wurde". Weiter heißt es: „Wohl ist die Grundstimmung von Georges Kunst nicht mystisch, aber ihre Weite ist immerhin der Mystik stamm- und wesensverwandt, wohl ist Wie und Weise ihrer Form ursprünglich und ganz neu geschaffen, aber sie ist immerhin der Sprache Wolframs und Walthers und am meisten Dantes nahe und hat nicht selten Saft und Nahrung aus ihrem Vorbild gezogen". Diese maßlose Übertreibung, in der alle echte Wertbestimmung verschwindet, kann nicht mehr gesteigert werden, und nun folgt wirklich die Peripetie, die gesperrt gelesen werden müßte: „Völlig aber verschwindet solcher Nach- und Anklang, solcherlei Geschichtlichkeit in den Gemälden von Franz Marc und Nolde, in den Gedichten von August Stramm und Werfel. Sie alle haben mit alter Kunst nichts gemein, sie alle aber sind geboren aus dem Dunkel-Tiefen und haben seine Macht ihrem Werk einzuspeichern vermocht. So haben sie das Wort unserer Zeit in einem noch eigentlicheren Sinn ausgesprochen als alle, auch die stärksten Mitlebenden". Also auch

als George?! Dies ist eine totale Konfusion von großer Folgerichtigkeit; George hält gegen August Stramm und Franz Werfel als großer Dichter stand, ohne daß gegen Stramm und Werfel hier etwas ausgesagt werden soll, denn beide, Werfel allerdings weit weniger, haben mindestens das schwankende Recht *ihrer* Generation. Darin hat sogar Breysig nicht ganz Unrecht, aber die Konfusion bleibt. Er muß sie selbst fühlen, denn er meint, dieses Neue sei „kein Wertverlust gegen die Formenkunst von 1890 und nennt dafür als positives Beispiel Benn.
Breysig kommt bei Edith Landmann viermal vor. Eine Äußerung Georges über ihn (S. 110) ist von höchstem Interesse: „Wenn der die Wissenschaft nicht hätte, hätte er nichts. Wenn ich keine Gedichte machte, hätte ich immer noch was andres, und die Gedichte sind Mittel zu diesem andern. Wären sie nichts als Gedichte, wäre wenig daran gelegen". Es wäre alles daran gelegen, nämlich die Poesie selbst!

HUGO VON HOFMANNSTHAL

Als George zu Hofmannsthal in Beziehung trat, war dieser kaum dem Knabenalter entwachsen. Der Siebzehnjährige wurde von dem Dreiundzwanzigjährigen, der das dichterische Genie in ihm erkannte und aussprach, aber unausgesprochen konkrete Forderungen gestellt haben mag, gleichzeitig angezogen und abgestoßen: einem dankenden Gedicht, das er George schickte, entsprach ein völlig verwerfendes Sonett „Der Prophet", das er für sich behielt. Der Brief vom 10.1.1892 ist ein Dokument hoher seelischer Reife. Darin heißt es:

> Will mich Ihr Sinn, der selbst die Wege weiter weiß, mit den Zügen des Heilenden schmücken: er darf wenn er muß und er muß wenn er kann ich möchte Sie gerne halten können, Ihnen zu danken daß Sie mir Tiefen gezeigt haben aber Sie stehen gerne, wo Ihnen schwindelt, und lieben stolz den Abgrund den wenige sehen können ich kann *auch* das lieben, was mich ängstet.

Aber wenige Tage später konnte er es schon nicht mehr. Er schrieb George einen Brief, der sich in dessen Nachlaß *nicht* vorgefunden hat und welcher George veranlaßte, sowohl Hofmannsthal als auch des-

sen Vater gegenüber von Duell zu sprechen. Die Angelegenheit wurde beigelegt; Hofmannsthal entschuldigte sich. Begann die Beziehung zwischen zwei außerordentlichen Menschen mit einer vermiedenen Katastrophe, so wurde alles, was bis zum Jahre 1906 folgte, von ihr unterströmt, um dann in dem endgültigen Bruch zu enden. Hofmannsthals wahrscheinliches Recht am Anfang, sein offenbares Unrecht am Schluß, in einer autorrechtlichen Sache, die George zum Anlaß nahm, mit der Keule zuzuschlagen – alles dies ist nicht entscheidend. In einem ununterbrochenen Wechsel, der Werbung Georges um Hofmannsthal, den großen Künstler, und der Flucht Hofmannsthals vor George, dem dämonischen Menschen, dessen Dichtertum er in keinem Augenblick seines Lebens angezweifelt hat, ging Tieferes zu Scherben als der noch so wünschbare Einklang zweier Künstler: der Wille zum Aufbau einer geistigen Ordnung, den unerwartet auftretende schöpferische Kräfte als möglich erscheinen ließen, wurde verschlungen von den Kräften des Verfalls. Mit großem Recht sagt Kafka: „Menschliche Vereinigungen beruhen darauf, daß einer durch sein starkes Dasein andere an sich unwiderlegbare Einzelne widerlegt zu haben scheint. Das ist für den Einzelnen süß und trostreich, aber es fehlt an Wahrheit und daher immer an Dauer“. Diese Einsicht könnte sich auf George beziehen, es ist keineswegs sicher, und sie wäre noch tiefer, wenn sie es nicht täte.
So zeigt auch der Briefwechsel zwischen beiden gebrochene Wahrheit, welche die Dauer in Frage stellt. George ist ein rebellisches Genie, das an die Kunst glaubt und keine gesellschaftlichen Bindungen anerkennt, anderseits durch die Kunst in die Gesellschaft eingreifen und eine neue Welt des Geistes aus den Elementen bauen will. Die Freunde, die er sucht, sind Künstler und künstlerische Menschen, aber von Verwey, Hofmannsthal und später Gundolf abgesehen, unter seinem produktiven Niveau. Hofmannsthal ist in der höheren österreichischen Gesellschaft natürlich verwurzelt, und er läßt sie durch seine besondere Begabung hinter sich; er will nichts aufbauen als, durch die Mittel der Kunst, seine geistige und moralische Persönlichkeit. Seine Freunde sind Schriftsteller, welche George mit der Ausnahme Andrians verachtet, zu denen aber er selbst im Verhältnis freundschaftlicher Herzlichkeit und kritisch bedingter Teilnahme an ihren Bemühungen steht. Georges Maßstab für richtiges Verhalten ist die Kunst; Hofmannsthals das Leben, die Gesellschaft, das Soziale

im weitesten Sinne. Davon steht in den Briefen an George fast nichts, es seien denn dunkle Andeutungen, welche George mißversteht. Als Hofmannsthal ihm den Besuch eines Freundes ankündigt, des Grafen Schönborn, schreibt er zu dessen Einführung: „Er gehört völlig dem Leben an, keiner Kunst. Er wird Ihnen einen schönen Begriff vom österreichischen Wesen geben, bei reichlicher Übersicht über vielfältige äußere und innere Verhältnisse auch der anderen Länder". George ist beinahe gekränkt über diese Trennung, die er „fast als lästerung" empfindet (S. 87):

> Wer gar keiner kunst angehört, darf sich der überhaupt rühmen dem leben anzugehören? Wie? höchstens in halb-barbarischen zeitläuften.

Hofmannsthal bezieht den Vorwurf des Halb-Barbarischen auf die Verhältnisse „unserer uralten und doch kindlichen Kronländer" und sagt von dem Freunde (S. 89):

> Es könnte sich durch ihn, der vieles in einer fast kindlichen Seele vereinigt, für Sie ein besseres Bild unserer Länder aufbauen, die nicht so deutsch sind als man leicht meint . . Vielleicht fügt es der Zufall auch einmal, daß er Ihnen die Lieder der Neger und der englischen Soldaten oder die französischen Lieder der dreißiger Jahre singt, die ich gern von ihm gehört habe.

In Georges Briefen ist jedes Wort sachlich und sprachlich selbst im Ausdruck der alltäglichen Dinge durchdacht bis zum Preziösen, welches er vielleicht nicht nur nicht scheut sondern geradezu durchsetzen will. Hofmannsthals Briefe sind oft nachlässig im Stil und darum von großer Natürlichkeit und Frische, aber vergeßlich in der Sache. Sie sind diesseits der grundsätzlichen Gegensätze voll von solchen Unachtsamkeiten, die George reizen müssen: die objektiv gewiß verständliche Zumutung, sich Negerlieder anzuhören, erscheint als die geringste solcher Unachtsamkeiten; schlimmer ist es, wenn er eine wahrscheinlich berechtigte Kritik an einem Gedicht von Gundolf nach vorhergehendem Lobe durch den Gebrauch des Wortes „ordinär" nahezu gänzlich entwertet. George arbeitet mit bewunderungswürdiger Treue der Kleinarbeit nicht nur an dem Wort selbst sondern auch an allem, was es ins Licht setzt: Druck, Satzbild, Papier, Vertrieb, Honorar bezieht er in sein tätiges Interesse ein, die „Blätter für die Kunst" sind ihm so wichtig wie seine eigenen Werke. Trotz des weltweiten Unterschieds in der Sache ist er unter seinen Zeitgenossen in diesem Punkt nur mit Karl Kraus zu vergleichen, welcher übrigens, bevor er sich von Hofmannsthal abwendet, gerade dessen dramatische Bemühungen, die George verwirft, nebst seiner öffentlichen literarischen Haltung bejaht. Hofmannsthal ist im Hinblick auf seine künstlerischen Leistungen von unbedingter Verantwortung, in der Auswahl seiner literarischen Beziehungen gelegentlich wenig heikel. George ist kraftvoll genug, um die Krisen, durch die er geht, unmittelbar durch das Wort zu lösen oder durch enthusiastische Beziehungen zu Freunden, in deren Beherrschung er sich stärkt, deren Verlust er stärker übersteht. Hofmannsthal ist bei reichlicher Sicherheit seiner materiellen Lage und bei reinster Frömmigkeit vor dem Leben und dem Leiden krank, seine Krisen führen ihn zu immer neuen Pausen der Produktivität, ja der Existenz schlechthin; gerade aus dieser von seiner schwermütigen Mutter geerbten Disposition entspringt neben seiner dichterischen eine geistige Kraft, die ihn zu dem Höchsten befähigt, was einem Dichter gegeben wäre und im allgemeinen nicht gegeben ist: sein eigenes Dichten zu verstehen und seine Existenz nicht mit seiner Dichtung in einer trügerischen „Gestalt" zur Deckung zu bringen. Den Brief des Lord Chandos hat er George als eine „journalistische" Arbeit geschickt, die er hörbar herabsetzt, um ihre tiefe persönliche Bedeutung für ihn selbst nicht zu verraten. George hat sich schriftlich über den Brief nicht geäußert. Kommt Hofmannsthal zu ihm mit Klagen über die eigene Unsicherheit, so ist es fühlbar, daß er sie als ein Mittel verwendet, um ihre endlosen Mißverständnisse zu überbrücken und das Eigentliche zu verschweigen. Daß George dieses Eigentliche wichtig gewesen wäre, ist kaum anzunehmen. Er ist immer bereit zur Hilfe, er hat das Heilmittel in der Hand, es ist aber an die Bedingung geknüpft, daß der andere sich in dem einen und ausschließlichen Sinne helfen lasse. Eine „Haltung" hat Hofmannsthal, welcher seinen sonstigen Briefpartnern gegenüber auch im Ausdruck persönlichen Leidens frisch und frei ist, nur vor George, ja er ist vor Anfällen von Selbsterniedrigung nicht sicher. Dann bietet ihm George (S. 166), hervorschießend aus der Wortkargheit seines Wartens, als Hilfe das „Geheimnis" des „Ringes" an und quittiert eine gewisse „Wurzellosigkeit" dem, der gerade an Georges Ausreißen aller Wurzeln leidet, in denen eine wenn

auch verlangsamte Kraft des Wachstums wäre. Die Entwurzelung der déracinés ist von Maurice Barrès in die moralische Diskussion eingeführt worden. Sie hat viel später, zur Bestätigung der Paradoxie unserer Weltzeit, im europäischen Faschismus die schrecklichsten Früchte gezeitigt. Umgekehrt ist George bei der Diskussion über Dehmel mit seiner radikalen Ablehnung zwar nicht im Recht, aber nur konsequent, während Hofmannsthal in seiner bedingten Bejahung immer mehr nachgibt, ohne den Hohn in Georges eigenem Nachgeben – daß fünf Grad unter Null im Verhältnis zu zehn Grad unter Null ein Aufstieg sei – auch nur zu merken oder merken zu wollen.
George ist bei weitem klüger als die meisten seiner Zeitgenossen, die die kulturellen Voraussetzungen mit ihm teilten, mögen sie nun zu seinem Kreise gehören oder nicht. Das geht unzweideutig aus jenem nicht abgeschickten Brief an Hofmannsthal hervor, der die Antwort sein sollte auf dessen Bitte, sich an einem Aufruf europäischer Intellektueller zur Verhütung eines 1905 drohenden deutsch-englischen Krieges zu beteiligen. Er lautet (S. 225f.):

> Käme diese zuschrift nicht von Einem dessen verstand ich aufs höchste bewundre: so würd ich sie für einen scherz halten. *wir* treiben doch weder mit geistigen noch mit greifbaren dingen handel von hüben nach drüben, was soll uns das? Und dann: so einfach wie diese zettel vermelden liegen die verhältnisse doch nicht. Krieg ist nur lezte folge eines jahrelangen sinnlosen draufloswirtschaftens von beiden seiten. das verklebmittel einiger menschen däucht mir ohne jede wirkung. Ich hätte mit grösserer gelassenheit erwidert wenn sich nicht die trauer darüber einstellte dass es kaum noch einen punkt zu geben scheint wo wir uns nicht missverstehn.

Die Haltung, die George hier einnimmt, ist sicherlich richtig, sie deutet dennoch weniger auf die Sache als auf die Person, die sie vertritt und welche, in den Mythos verstrickt, die eigenen Worte kaum sinnvoll explizieren könnte. Das Problem, das er im Umgang mit Verwey und Hofmannsthal gespürt hat, mußte er durch Macht und Magie zu ersticken suchen. Der obige Brief ist 1938 erschienen. In dem zitierten Brief ist ein Satz weggelassen, der in der zweiten Auflage (1953) hinzugefügt ist: „Wer weiss ob man als echter freund der Deutschen ihnen nicht eine kräftige SEE-schlappe wünschen soll damit sie jene

völkische bescheidenheit wieder erlangen die sie von neuem zur erzeugung geistiger werte befähigt". Auch hier zeigt es sich, daß die an sich gute Sache durch die Person, die sie vertritt, problematisch wird: das Beiwort „völkisch" (das als „das völkische Banner" auch im Gedicht vorkommt, in „Der Dichter in Zeiten der Wirren") hebt die „bescheidenheit" zur Hälfte wieder auf wie die „SEE-*schlappe*" das Recht der Kritik an der anti-englischen Flottenpolitik.
Was wollte nun George im Herzen seines Herzens von Hofmannsthal? Dieser sah den Zusammenhang von Dämon und Dichter in ihm, darum wurde er erst nach dem Bruch frei, den großen Künstler rein zu verehren. George fühlte Hofmannsthal in seine geistige Biographie gehörig und merzte ihn nach dem Bruch aus ihr aus. Seine Schüler rezipierten das Werk nur bis zu diesem Bruch und taten so, als komme alles Spätere nicht mehr in Frage. Ob das Gedicht „Der Verworfene" aus dem 1899 erschienenen „Teppich des Lebens" wirklich auf Hofmannsthal geht, wie Borchardt behauptet, ist mindestens zweifelhaft. Denkbar wäre es durchaus, daß die Versöhnung mit dem „früheren Gegner" in dem Spruchgedicht aus dem „Jahr der Seele" – das in Georges Brief vom 31.5.1897 mit den Worten beginnt: „Heut lass uns Frieden schliessen", und zwar: mit dem „alten Hasser" – dem Dämon die Veröffentlichung einer solchen Verwerfung bei noch intakter Beziehung zu dem Verworfenen erlaubt hätte. Wie immer sich dies verhalte, das Gedicht ist nicht nur von dekorativer Leere, sondern es verriete gerade in dem Hauptvorwurf: „In alle seelen einzuschlüpfen gierig/Blieb deine eigne unbebaut und öd", wie wenig George zur Zeit seiner höchsten Bewunderung den nicht von dem „wirren blinden volk", den von ihm selbst vergötterten Dichter *verstanden* hätte, wenn er Hofmannsthals zentrale Metapher gleichzeitig formuliert und verhöhnt hätte. Seltsamerweise kommt diese Metapher, nach der zweiten Auflage des Briefwechsels, in dem gestrichenen Entwurf einer Strophe aus dem George geschickten Gedicht „Einem, der vorübergeht" vor: „Wir sehen ins offene Fenster/ Zuweilen am Wege hinein/ Und saugen ein fremdes Leben/ Zuweilen secundenlang ein". Das Gedicht „Helfer von damals" aus dem „Stern des Bundes", das wahrscheinlich auch und vor allem auf Hofmannsthal zielt, zeigt Georges seelisches Wachstum, denn es lautet:

HELFER VON DAMALS! RICHTTAG RÜCKT HERAN
Sein Für und Wider schneidet andres band
Und frühere liebe schweigt und beider träne.
Wir sind hinüber und ihr bliebet dort.
Mit kraft und kunst und redlichster begehr
Macht himmels-manna ihr zu giftigem mohne
Treibt ihr nicht minder zum verruchten end
Dass einem rudel von verrassten hunden
Der beste nachwuchs gleicht – auf eurer kinder
Gesichtern sich der lezte traum verwischt.

Es sei zunächst alles Prophetische in diesen Versen beherzt gestrichen, gerade weil es durch die Gegenwart als bestätigt erschiene, denn Prophetie, falls sie überhaupt einen aktualisierbaren Sinn hat, ist nicht auf die Zukunft bezogen, sondern auf die Gegenwart, in welcher sie das Schwerste lehrt, das unmittelbar richtige Verhalten. Wie heiß ist aber das übrigbleibende Gefühl, das hier durch die prophetische Entscheidung in Fesseln gelegt aber nicht erstickt wird? Der Vers „Und frühere liebe schweigt und beider träne" ist von bewegender Offenheit über die einmal Wirklichkeit gewesene Freundschaft, das tiefe Wort von Else Lasker-Schüler bestätigend: „Die Treue des Freundes beweist sich grundlegend zwischen zwei erzürnten Freunden". Denn George hat Hofmannsthal geliebt, nicht wie Maximin, davor bewahrte den jugendlichen Dichter die nachtwandlerische Sicherheit, das Dämonische in Georges Anspruch zu durchschauen, aber wie einen neben ihm als groß bejahten Künstler. Nach dem ersten Konflikt schreibt er an Hofmannsthals Vater (S. 237f.):

> Mögen ihr hr. sohn und ich uns auch im ganzen Leben nicht mehr kennen wollen, wendet er sich weg, wende ich mich weg, für mich bleibt er immer die erste person auf deutscher seite die ohne mir vorher näher gestanden zu haben mein schaffen verstanden und gewürdigt – und das zu einer zeit wo ich auf meinem einsamen felsen zu zittern anfing.

Der Brief geht noch weiter und wird, an den Vater geschrieben und an den Sohn gerichtet, tief persönlich. Es läßt sich in Georges Briefen nicht ohne tiefe Rührung erkennen, wie er die dichterische Originalität des Jüngeren hinter allen Spannungen verehrt hat. Aber gerade

hier zeichnet sich der eigentliche, der tragische Gegensatz zwischen beiden ab: daß er diese Originalität als eine *dichterische* sieht, in der von ihm postulierten Einschränkung des Dichterischen auf das Gedicht, bei schroffer Ablehnung des Romans und des Dramas und jeder *schriftstellerischen* Funktion des Dichters überhaupt. Gerade dieser schriftstellerischen Funktion strebte Hofmannsthal von Anfang an zu, indem er Georges Idee des Dichterischen als Präexistenz erlebte, aus welcher in die Existenz durchzubrechen, in das Schriftstellerische, in die Prosa, er sich dauernd bemühte.
Der Gegensatz läßt sich auch psychisch ausdrücken. Für George hat alles innere Leben nur so weit Bedeutung, als es in Kunst eingeht und in dieser zu sein aufhört. Der Ausdruck dafür ist die „Gestalt" des Dichters, das Streben geht auf Überwindung jedes Dualismus in der Einheit, das Symbol dieser Einheit wird der Kreis, theoretisch und praktisch. Hofmannsthal ist darum, weil er der Existenz zustrebt, gespalten, es ist aber nicht, wie so oft in der Geschichte der Poesie, die Spaltung von Dichter und kranker Natur, sondern beide Teile der Spaltung haben ihren Eigenwert. Ein Weg ist vorgezeichnet; das Ziel weit, aber bestimmt; die Einheit als Existenz gesichert gegen die Gefahr des Scheins. Daher kann auch der künstlerische Wahrheitsmut sich nicht auf eine einzige Kunstform festlegen, wie dies George durch sein ganzes Leben getan hat: Gedicht, Drama, lyrisches oder Bühnendrama, Libretto, Roman, Novelle, Essay haben für ihn den gleichen Wert, wenn es gilt, Teile seines Ichs in der Kunst zu rechtfertigen. George nun will Hofmannsthal ganz in das von ihm sanktionierte Gedicht hinüberziehen und ihn durch den Druck seiner Gedichte in einer schönen Buchausgabe dieser Entwicklung geneigt machen. Dieser geht zögernd darauf ein und explodiert, als er schon zugesagt hat, plötzlich, um sich dann allerdings doch zu fügen. Dennoch ist dieser Brief vom 26.5.1903 ein denkwürdiges Dokument. Er will das Buch nicht, weil der „Preis" ihm „zu hoch" ist: er will nicht „mit den wenigen gelungenen Gedichten . . ein gleiches Maß von Nichtigkeiten vermengen", die für ihn „charakteristisch nur so weit sind, als die produktive Persönlichkeit eben auch negatives, pathologisch-charakteristisches hervorbringt . . ."
Wenn ein Künstler völlig ehrlich ist – und die Ehrlichkeit ist ja gerade in der stolzen Bejahung des Wenigen zu erkennen, von dem er nur glaubt, daß es für ein Buch zu wenig sei –, kann sein Bekenntnis nie

der Ausdruck versagender Produktivität sein, wie George aus seiner über das vorhandene Maß hinaus prätendierten Fülle immer zu vermuten bereit war. Hier stand das einzelne Gedicht, für das der Dichter die strengste Verantwortung übernahm, um sie für die arrangierte Einheit vieler abzulehnen, in hoffnungslosem Kampfe gegen den zyklischen Menschen, dessen Hybris die Welt durch die Kunst ersetzen wollte, mit dem Anspruch, dennoch ein rechtmäßiges Bild von ihr zu überliefern. Der Gegensatz reicht über den Gegensatz zweier menschlicher und künstlerischer Typen weit hinaus und geht in einen kulturpolitischen Gegensatz über, in dem sich alle Tendenzen unentwirrbar verstricken und das wahre, das nicht mehr zu bewältigende Chaos spiegeln. George verfolgt mit staunenswerter Regsamkeit praktische Pläne. Die Blätter für die Kunst, die den Anschein einer esoterischen, für das Publikum unerreichbaren Zeitschrift hatten, konnten immer käuflich erworben werden. Sie erschienen, wie die „Fackel“ von Karl Kraus, in unregelmäßigen Abständen, aber George will sie in offensichtlicher Bekämpfung der dem Naturalismus dienenden „Freien Rundschau“ zu einer Monatsschrift machen, für deren praktische Leitung, mit dem Sitz in Stuttgart, er an Hofmannsthal denkt. Dieser geht auf den Vorschlag ein, weicht aus und zieht hin. Georges Motive sind vielfach. Er will Hofmannsthal konzentrieren, er will ihn in seiner Nähe haben, er will ihn seiner Wiener Umgebung entreißen, er will sich seines Namens bedienen, von dem er sehr wohl weiß, daß er in den Kreisen, die er verachtet, welche aber trotzdem das Publikum bilden, dessen Umformung er sich vorsetzt, schon bekannter ist als sein eigener. Er will zusammen mit ihm im deutschen Schrifttum eine „heilsame Diktatur“ ausüben, und als alles an dem Partner scheitert, macht er diesem zum Vorwurf, daß nur er sie verhindert habe. Das Entscheidende ist damit noch nicht gesagt. Er will den Freund von Österreich abziehen, dessen Verfall kein Boden für die Kunst sei. In dem überaus schönen Gedicht „Den Brüdern“ aus dem „Teppich des Lebens“, das Andrian gewidmet ist, spricht er es klar aus, woran Österreich leide und wie die österreichische Jugend zu heilen sei: der „farbenvolle Untergang“ kann sich in aufbauende Realität verwandeln nur durch Deutschland, nur durch George, der Deutschland verkörpert. Andrian ist ein Zeitsymptom der Schwäche; Hofmannsthal ist eine Kraft. Er hat den ganzen Verfall und den ganzen Aufbau in den Fingerspitzen, dazwischen liegt ein

gefährdeter Weg und kein Ziel, das die Sprache vorwegnehmen dürfte. Da er eine zarte Kraft war, hat er weniger erreicht, als sein Wahrheitsmut sich vornahm; da George eine robuste Kraft war, hat er mehr erreicht, als seinem rasenden Willen zustand. Es ergibt sich nun der seltsame Tatbestand, daß Hofmannsthal, den George nach Deutschland verpflanzen wollte, längst dorthin strebte, und zwar nach Berlin, wo als Ersatz für das sterbende Burgtheater Otto Brahm und Max Reinhardt lockten; nach jenem Berlin, das George mißachtete und wo doch der in München zuständige Rheinländer und Halbfranzose nicht zufällig einen Kreis einflußreicher Bewunderer und seinen Verleger fand. Auch Karl Kraus wurde durch Harden und durch das neue Theater nach Berlin gezogen. Selbst George gab zu, daß Zola und Ibsen, die in Berlin gefeierten Vorbilder des Naturalismus, wenn auch keine Dichter so doch in die Zeit wirkende Kräfte seien, ja noch 1914 bei Beginn des Krieges sieht er in der Einleitung zur zehnten Folge der Blätter für die Kunst die deutsche Poesie „nicht etwa in das immerhin stosskräftige getobe der achtziger jahre, sondern in den faden singsang der siebziger jahre zurückgesunken". Hofmannsthal widmete das „Gerettete Venedig" George, dieser lehnte das Drama ab, Gustav Landauer bewunderte es und machte den naturalistischen Sprechstil des berühmten Schauspielers Albert Bassermann für den Mißerfolg der Aufführung verantwortlich . .
Es soll nicht etwa der Eindruck erweckt werden, daß George bei genauer Betrachtung der Zeitverhältnisse ins Unrecht gesetzt sei. Im Gegenteil hinterläßt gerade er ein in all seiner Anfechtbarkeit geschlossenes Werk und Hofmannsthal in all seinem Wissen um die größere, die große Kunst geniale Trümmer eines Werkes. Der Naturalismus ging sehr bald in Zersetzung über, und die edle Gestalt Gerhart Hauptmanns war schon lange vor Hitler zweideutig. Hofmannsthal schreibt 1908 an seinen Vater aus Berlin:

> . . . zu welchem Zweck ich verschiedene Leute unter vier Augen aufsuche, so den Oberbürgermeister Kirschner, Bürgermeister Reicke, den einflußreichen Stadtverordneten Cassel und den Chefredakteur des Tagblattes Theodor Wolff, der das Blatt riesig in die Höhe bringt. Hier ist doch für geistig Strebende und nicht bloß künstlerische Menschen ein außerordentliches Milieu . . .

Er hat Recht, und gleichzeitig zeigt er, daß er nicht weiß, warum hier sein Unrecht beginnt: der demokratische Journalismus, welcher der Kunst unzweifelhaft einen gewissen Rückhalt bot, bohrte diese durch die Fähigkeit, sich mit jeder Fäulnis zu verbinden, heimlich an. Das sah Karl Kraus, das sah George. Hofmannsthal stürzte sich mit der reinsten Hingabe eines werktreuen Künstlers in die zwei großen produktiven Irrtümer seines Lebens, in die Arbeit für Reinhardt, in die für Richard Strauß. Was George ihm vorwarf, sein Auftreten mit Leuten, neben denen er geringer scheine als er sei – gerade das nahm er um der Sache willen freiwillig auf sich. Dieses Verhalten hat auch eine in die Zukunft weisende Bedeutung. Er schreibt im Juli 1916 in sein Tagebuch:

> Ich bin allein und beginne Verschiedenes auf eigene Hand, das eigentlich durch Übereinstimmung aller in einer Generation unternommen werden sollte: das Repertorium der deutschen Bühne neu wieder aufzubauen, die dramatische Musik auf ein anderes Gebiet zu führen. Der geistige Zusammenhang in diesen Versuchen wird von wenigen erkannt.

In aller Stille und ohne jede Anmaßung hat dieser Dichter die vielberufene „Gestalt" des Dichters zerschlagen: er stellt sich als ehrlicher Mann konkreten Aufgaben, die er, wie später Brecht, kollektiv lösen will. Der Briefwechsel mit Richard Strauß macht es deutlich, wie er diesem Musiker im Glauben an die musikdramatische Bedeutung seines Werkes sich unterordnet und doch dem Theaterpraktiker den Sinn für das Hohe beizubringen bemüht ist. Gleichzeitig arbeitet er an bezaubernden Komödien, die unzulänglich oder nie beendet werden. Er arbeitet rastlos, setzt seinen Ruhm aufs Spiel und läßt das herrlichste aller Fragmente, den Andreas-Roman, unvollendet im Schreibtisch, bis er schließlich der große Dichter der Erzählung „Die Frau ohne Schatten" wird und des Trauerspiels „Der Turm", zu einer Zeit, als George schon dem Verstummen nahe war.
Borchardt, der wie keiner den Konflikt zwischen den beiden Dichtern als persönliche Entscheidung erlebt und schon 1902 in der „Rede über Hofmannsthal" das Problem ausgesprochen hat, erklärt es ohne Kenntnis des Briefwechsels in dem Aufsatz „Hofmannsthals Lehrjahre" später so:

> Die Begegnung des Dreiundzwanzigjährigen, des machthungrigen keltischen Gewaltmenschen, der sich die Seelen zurechtwarf

wie das Tier die gelähmte Beute, und des achtzehnjährigen zarten und zähen Halbitalieners, der den heiligen Keim einer eigentümlichen Welt zu verteidigen hatte, stand unter verhängnisvollen Sternen, begann wie Durchdringung, hielt eine ängstliche Schwebe und endete im Bruch. Damit war nicht nur eine biographische Privatsache entschieden. Die edle Natur, die sich losgerissen und den Älteren zur Flucht gezwungen hatte, stand nicht nur, wie sie meinen mußte, für sich selber ein, sondern sie entschied eine noch verhüllt liegende große historische Krisis. Mit der bewahrten Freiheit Hofmannsthals begann die Georgesche Bewegung von ihren Anfängen an als ein in Grenzen gebannter Vorgang, der den Schwächekeim schon unheimlich klar in sich trug und weder in Zeit noch im Raum die deutsche Poesie des Jahrhunderts zu prägen, das heißt zu ersticken, Aussicht hatte. Deutschland ist in jenen Tagen der Gefahr entgangen, seine Poesie ein zweites Mal wie im siebzehnten Jahrhundert einer allgemeinen manieristischen und sadistischen Geschackstyrannei, einem erneuerten, schlimmeren Barock zu opfern. In der Abwehr seelischer Hybris durch den Entschluß eines Knaben zu seelischer Freiheit wurde dem alten Deutschland – Tradition und Kontinuität – der Lebensraum geschont, aus dessen Luftvorrat und befestigtem Asyl es Rückstoß und Vergeltung vorbereiten konnte.

Trotz dieses Verdikts gegen den Barock ist es wahr, daß Hofmannsthal dem echten Barock in der Nachfolge Calderons zustrebte; dazu hatte er die geistige Wiedergewinnung des Barock in Walter Benjamins „Ursprung des deutschen Trauerspiels" durch den Abdruck eines Kapitels in den „Neuen deutschen Beiträgen" ausdrücklich bestätigt. Wie immer nun Hofmannsthals bewußte kollektiv gehandhabte Produktivität über die Grenzen seiner Epoche weist, so läßt sich dennoch nicht leugnen, daß seine dichterische Kraft, so groß sie war, nicht groß genug war, um den „König Ödipus", den „Jedermann" und das „Salzburger große Welttheater" über den großen Theatererfolg hinaus als Sprachwerke beweiskräftig zu machen. Selbst Borchardt verrät eine Ahnung dieses Sachverhalts, wenn er nach Hofmannsthals Tode das höchste Lob so formuliert, daß dieser zweimal, im „Jedermann" und im „Turm", aus tiefer Scheu vor unabsehbaren Folgeketten einen Schritt vor dem „Weltgedicht" haltgemacht habe.

Es läßt sich aber dieser Konflikt noch unter einem tieferen Gesichtspunkt betrachten, als ihn Borchardts rechtmäßiger und doch begrenzter historischer, und historisierender, Blickpunkt erlaubt. George ist es, der in einem unabgeschickten Brief an Hofmannsthal (S. 251) schreibt:

> Sie selber haben sich von einem bösen engel leiten lassen mir auszuweichen ohne jede menschlichen und göttlichen gründe. was soll Ihre kunst vor mir zu fürchten haben. was habe ich vor Ihnen voraus als einige jahre? und wie Sie durch mich durchgehen müssen so wäre ich umgekehrt durch Sie durchgegangen. Ist Ihre kunst nicht von der meinen grundverschieden? obwohl sie zum selben ziele will. Jede Epoche hat ein einziges ziel . . .

Der Herausgeber Robert Boehringer weist hier in einer Fußnote ausdrücklich auf den Jahrhundertspruch des „Siebenten Ringes" hin, mit dem „einen" Gott in jeder „ewe". Was bedeutet die Äußerung Georges? Die Verwandlung einer vernünftigen Überlegung über das „Ziel" der „Epoche", mit einem neuen „Gott" als Maßstab, war noch nicht vollzogen. Obwohl alle Elemente schon bereit waren, die nicht mehr zu ändernde Verbindung einzugehen, war George noch nicht als George festgelegt, Hofmannsthal noch nicht als der spätere Hofmannsthal. Traurig ist es, zu denken: wäre Hofmannsthal ein wenig mutiger gewesen, so würde es ihm gelungen sein, das Eis in George zum Schmelzen zu bringen, ohne daß er eigene Gefahr gelaufen wäre; wäre George etwas weicher gewesen, so würde er Hofmannsthal gewonnen haben und die deutsche Poesie hätte eine freudigere Entwicklung genommen. Wie immer in chaotischen Zeiten geschieht das Eigentliche nicht, auf das manches hindeutet. Inzwischen starb Maximilian Kronberger, welcher in dem Briefwechsel überhaupt nicht erwähnt wird, Maximin blieb als ein „Gott" übrig, und alles verlief bei dem letzten Versuch, eine deutsche Kultur zu begründen, wie es verlaufen ist . .

FRIEDRICH GUNDOLF

Georg Bondi schreibt in seinen George-Erinnerungen: „Auch den noch nicht zwanzigjährigen Friedrich Gundolf, der damals in Berlin

studierte, führte George mir zu. Gundolf lud ich auch manchmal in einen größeren Kreis ein. Er wirkte etwas weltabgewandt, dabei sehr vornehm. Durch seine Schönheit fiel er allen auf, die ihn zum erstenmal sahen. Jeder wollte Näheres über diese ungewöhnliche Erscheinung von mir wissen". Und aus Rom heißt es: „Eines Nachmittags gingen wir vom Ponte Molle nach Villa Madama. Ganz in der Ferne sahen wir zwei Gestalten auf uns zuschreiten. Keine Rede davon, daß wir etwa ein Gesicht erkennen konnten. Nur die Silhouetten und die Bewegungen hatten etwas höchst Charakteristisches. Ich sagte zu meiner Frau: ‚Entweder kommen dort Dante und Vergil oder George und Gundolf'. Wir gingen etwa dreißig Meter weiter – und es waren George und Gundolf". Es war nicht Gundolf, der seinen jüdischen Familiennamen geändert hätte, unter welchem er noch eine Sammlung von Romantiker-Briefen herausgab, es war George, der ihm diesen schöner klingenden Namen gab und der ihm sogar mit dem Kosenamen Gundel anredete. Georg Bondi berichtet aber auch, daß Gundolf einmal ihm telephonisch mitteilte, er könne zum Abendbrot erst eine Viertelstunde später kommen. Als er nun vorschlug, auf Gundolf zu warten, sagte George: ‚Auf Gundolf brauchen Sie nicht so viel Rücksicht zu nehmen, er kann ebenso gut nach uns essen'." Voran geht der Satz: „Gundolf war damals 37 Jahre alt und Heidelberger Universitätsprofessor", und es folgt die Bemerkung Frau Bondis: „Ganz wie ein Vater, der sich gar nicht an den Gedanken gewöhnen kann, daß sein Kind schon erwachsen ist". Diese harmlose Beobachtung enthält im Kern die spätere Ablehnung einer nicht erwünschten „Schwiegertocher" und den schrecklichen Bruch.
Im „Siebenten Ring" steht die schöne „Tafel" auf Gundolf, die George nach kurzem Umgang mit diesem geschrieben hat:

> Warum so viel in fernen menschen forschen und in sagen lesen
> Wenn selber du ein wort erfinden kannst, dass einst es heisse:
> Auf kurzem pfad bin ich dir dies und du mir so gewesen!
> Ist das nicht licht und lösung über allem fleisse?

Die beiden ersten Zeilen ermuntern Gundolf zur Poesie; die beiden letzten sprechen aus, um welches Zentrum diese Poesie sich entfalten müsse. Der Rangunterschied von „dies" und „so" ist nicht zu übersehen: jenes bezieht sich auf die Sache, die Substanz in einer Person, dieses auf ein menschliches Verhalten. Die Frage ist hier wie

bei allen, die unter Georges Wirkung und Leitung gedichtet haben, ob Poesie sich bewußt tradieren lasse.
Gundolfs „Zwiegesprächen“ (1905) steht die folgende „Widmung an Stefan George“ voran:

Da du die scheue ungeschickte Hand
Zuerst gelehrt die rechten Klänge greifen,
Erhob sich leis zu dir aus dünnen Pfeifen
Das früheste Lied, das ich mir eigen fand.

Du wiesest mir von Berg und Strom und Markt
Musik und Maß im Wechsel wirrer Larven,
Bis mir zur Bändigung vielsaitiger Harfen
Die schwankende verzagte Brust erstarkt.

Und mischen Feste rauschend Tag und Nacht
Der Gipfel Sausen, das Geraun der Gruben:
Doch immer, durch Triumph und Prunk der Tuben,
Tönt deines großen Herzens stäter Schlag.

Enthalten die ersten beiden Strophen noch ein persönliches Bekenntnis, das die sprachliche Abhängigkeit von George mehr verhüllt als zeigt, da die freiwillige Unterordnung des ganzen jugendlichen Menschen unter einen Älteren und Reiferen das eigentliche Thema ist, so steht die letzte Strophe in der sprachlichen Übernahme schon an der Grenze der Parodie. Aber der letzte Vers nimmt die unterbrochene Verbindung mit dem Eingang wieder auf und schließt menschlich stark ab, ausgenommen der „stäte“ Schlag des großen Herzens, welcher verrät, daß dem Dichter die Kraft fehlt, vom *steten* Schlag des großen Herzens zu zeugen. „stät“ ist nur noch in dem großen „unstät und flüchtig“ der Bibel lebendig. Und selbst George sagt „stet“. Im „Siebenten Ring“ heißt es in dem Maximin-Gedicht „Erwiderungen: Einführung“: „..- und der stete/Gesang des engels--“ und im Schlußvers: „Knie hin und bete!“ In „Fahrt-Ende“ aus dem „Teppich des Lebens“ reimt „Gebete“ auf „das unverlierbar Stete“.
In der 9. Folge der Blätter für die Kunst aus dem Jahre 1910 steht das Gedicht „Der Erwachte“:

In dieser Nacht hat ein Gewitter
Den letzten Sommer abgeweht.
In wirren Rasen fegt der Flitter
Von Baum und Zaun und Blumenbeet.

Die scheuen Morgenschauer fahren
In das geknickte Obstgeäst.
Ich spüre mit den heissen Haaren,
Wie kühle Güsse es genässt.

Die Hände ins Genick verschränkt,
Das Haupt den Wolken zugebogen,
Von Feuern in der Nacht getränkt,
Mit schwülem Schlummer vollgesogen
Umkreis ich viele viele Mal
Im spröden Kies den engen Garten . .
Ich muß in unruhvoller Qual
Hier warten und umsonst erwarten.

Ich bin vom windigen Gesumm
Und Dorfgeläuten überflogen . .
Die leeren Wolken rasch und stumm
Sind Wolken Wolken nachgezogen.

Dies ist ein schönes Jugendgedicht, das überhaupt keine sprachliche Erinnerung an George wachruft, es sei denn in der Bestimmtheit jedes Zuges. Das Motiv der Wolken, dreimal wiederholt, wie in ihnen die Fülle der Leidenschaft zur Leere der vergeblichen Erwartung wird, fällt um so mehr auf, als es in dem zweiten Gedicht aus dem gleichen Bande bedeutend wiederkehrt. Dieses heißt „Das Fenster":

Tief im Sabbath wollt ich bleiben
Wo des Tags gestaute Flut
Dröhnend in den Purpurscheiben
Sich verläuft und wallt und ruht.
Hinter dem gemalten Prangen –
Schattenhafter Vogelflug –
Sind die Zeiten weggegangen.
Durch verhüllte Blüten draußen
Strich der Lüfte Zausen, Sausen
Nah genug und fern genug,
Wahr wie Wolken leer wie Wolken.

Wenn die Wolken draussen zogen
Und die Sonne atmend starb
Brach im hohen Fensterbogen
Sich die Flamme tausendfarb.
Dann beschwor ich fromm und wilder,
In die innre Nacht getaucht,
Aus erstarrten – neue Bilder.
Lande Leiber und Gesichter
Drangen aus dem Bad der Lichter
Wie ein Feuer zuckt und raucht –
Glut doch körperlos wie Feuer.

Doch im eigenen Blut und Beine
Einen dunklen Fieberhauch
Fühlt ich Fleisch der heissen Scheine
Und sie fühlten meines auch.
Schauend schauernd zugebogen
Haben wir uns Blick in Blick
Aneinander festgesogen.
Ich begriff ihr Leid und Brennen,
Ihre Namen musst ich nennen
Und ich wuchs in ihr Geschick
Mit des eignen Wesens Hunger.

Aus des Glases Glutgeklirre
Singt mir jedes Antlitz zu:
Du die Trübe, du die Irre,
Und die tanzt ob allem, Du! . .
Seid ihr noch im Bild? Ich spüre
Die begehrten Lippen dicht,
Doch verzehrend wie Vampyre.
Ihr von draussen seid inwendig
Mehr als all mein Herz lebendig.
Ihr seid ich und ich bin nicht . .
Wer zertrümmert mir das Fenster?

Das Gedicht gibt einer Krise die Gestalt. Sprachlich ist diese Krise daran erkennbar, daß eine vielfach verschlungene Reimstrophe jeweils nach zehn Versen reimlos abschließt und daß diese reimlosen

Verse in großer Steigerung die Konklusion jeder Strophe und schließlich des ganzen Gedichts enthalten:

> Wahr wie Wolken leer wie Wolken
> Glut doch körperlos wie Feuer
> Mit des eignen Wesens Hunger
> Wer zertrümmert mir das Fenster?

Ist dies nicht das Gedicht noch einmal, losgelöst von aller noch brüchigen Materie, auf einer hohen Stufe des Ausdrucks, bis zu der Frage des Schlusses, die eine echte Frage ist und keine rhetorische? Der Fragende weiß *in* seiner Frage, *wer* das Fenster zertrümmern könnte. Das Wort „Sabbath" gibt den Schlüssel in die Hand des Anfangs, um den Sinn des Endes und das ganze Gedicht aufzuschließen. Nicht daß der Sabbath hier mehr wäre als ein ästhetisches Symbol, um eine Feierstunde der Seele zu bezeichnen, und doch ist es nicht gleichgültig, welches Symbol ein Dichter hierfür tauglich glaubt. Das Fenster schließt die Welt draußen von der Welt drinnen ab, wo der Dichter sich befindet. Was er von drinnen sieht, ist ein „gemaltes Prangen" und ein „schattenhafter Vogelflug", nur „Purpurscheiben", in die der Tag sich verläuft, draußen aber die verhüllten Blüten, zerzaust von den Lüften, sind „nah genug und fern genug", jenes, um sie noch ästhetisch zu gewahren, dieses, um ihre unerwünschte Fruchtbarkeit fernzuhalten, wie es denn noch nicht lange her war, daß Mallarmé die Sterilität, die Unfruchtbarkeit im Banne Baudelaires gepriesen hatte. In der zweiten Strophe, die mit einem groß gesehenen Sonnenuntergang einsetzt, werden Bilder von Ländern und Leibern vergeblich beschworen, in der dritten erwachsen sie für die Zeit eines dunklen Fieberhauchs aus Schein zu Fleisch, es entsteht eine flüchtige Kommunion. Diese steigert das Unglück des Dichters, denn alles geschieht drinnen, alles geschieht im Bilde, was draußen ist und das wirkliche Ich des Dichters aufsaugt, bis *er* nicht mehr ist. Schuld ist das Fenster. Nur wer es zertrümmert, gibt die Welt frei. An wen ist die letzte Frage gerichtet? Auch an George, welcher als Zertrümmerer am nächsten stände, aber vor allem an den Schöpfer des Sabbath. Das Gedicht ist mit großer Kunst aufgebaut, und abgesehen von dem häßlichen Plural „der heissen Scheine", während die „heissen Haare" in dem Gedicht „Der Erwachte" stark und überzeugend wirken, erinnert hier nichts an George, alles an einen Dichter in der

Nachfolge der Romantik, welcher sonderbarerweise auf alle Volkstümlichkeit des Ausdrucks freiwillig verzichtet. Gundolf ist hier noch weit entfernt von der Wahrheit, die er sucht. Durch das Fenster von ihr getrennt, ist er wahr genug, wenn er ein Motiv bruchlos entwikkelt, so daß der Leser das Fenster, das der Dichter mit so guten Gründen will zertrümmert wissen, aufgebaut mit den Augen des Geistes sieht. Aber die Liebe hat in diesem Zusammenhang keinen Raum, denn für sie gäbe es kein Fenster, das sich nicht öffnen ließe. Dennoch spricht auch die Liebe schon sehr früh ein reines Wort, und das vierte der „Ernten" überschriebenen Gedichte lautet so:

Das bring ich heim vom Herbst: im Laubfall
Deine Gestalt voll Freude, unter Sternen
Dein sanftes Antlitz atmend von Lust.
Verlebte Hülsen rings . . du das Licht
Dieses Wachstums kindliche Seele
Unverwelklich.

Dies blieb vom Herbst: sinkende Feuer
Wärme die noch vom Sommer her flutet,
Früchte wie Küsse, Küsse wie unter Blüten,
Fast gesättigte Wünsche erneut . . .
Wo wir geruht – die goldigen Schattenhügel
Ganz mit Schlaf getränkt und Verlangen.

Dann die Weisheit, dann das Umfangen
Dann Vernichtung, dann das Glück.
Groß und hold wie erwünschter Tod
Kommt die Nacht herauf, Geliebte!

Wie schön sagen diese Verse alles, was sie verschweigen, bis zu den ergreifenden Schlußversen! Könnte nicht, statt der vagen „Ernten", die Überschrift dieses Gedichts „Der erwünschte Tod" sein, wie schon Abschatz im Barock großartig gesagt hat: „Da kommt auf rosenvoller Bahn/Der Tod, mein süßer Tod gegangen"? Aber der Ablauf eines ganzen Menschenlebens war notwendig, damit die Liebe zum Durchbruch der Wahrheit führte. Sie steht als Erfahrung und als Maßstab im Mittelpunkt der „Gedichte", die Gundolf 1930 noch kurz vor seinem Tode bei Georg Bondi veröffentlichte, was ohne

Georges Billigung übrigens nicht möglich war, eine Billigung, die *für* George spricht. Zur Beurteilung dieses Gedichtbandes ist es nicht mehr nötig, dem Dichter kritisch nachzurechnen, was ihm gelungen, was ihm mißlungen ist und wie weit er Georges Einfluß durchbrochen hat oder wie wenig. Diese Gedichte sind ein beweiskräftiges Dokument dafür, daß ein in der Anlage zertrümmerter großer Dichter durch ein Verhängnis, das er als eine weise Lenkung zu sehen gezwungen war, dazu geführt wurde, nur ein Fenster zertrümmern zu wollen, während er im allerletzten Augenblick dieses Fenster einfach öffnete und die Liebe und den Tod, will sagen: die Wahrheit sagte, als Mensch und als Dichter.
Schon die Gedichte auf den Vater und auf die Mutter zeigen das Neue an:

Nun hör ich, Vater, deine Stimme trauter
Und fühl dein warmes Leben durch die Nacht:
Der Schlag des Herzens, gütig, stark und lauter,
Die Qualen für uns durchgemacht.

Kein Krampf mehr! keine Klage: rein gesammelt
Wirkst du, lebendiger Wirker, Kraft und Geist,
Und hilfst uns lieb und kündest mir der stammelt
Von drüben was du bist und weißt.

Wie war es rings geheimnisvoll verdüstert
Seit du hinüber ins Geheimnis gingst
Und deine Helle mitnahmst: doch es knistert
Im Schatten Licht das du empfingst.

Bist du nun reiner noch im reinen Schauen
Um das du Leib und Leid ertrugst? Uns blieb
Aus deinem Dulden tröstliches Vertrauen,
Und Mut aus deinem Wissenstrieb.

Nun weile wach bei uns in deiner Fülle,
Des dunklen Gottes kundig der uns weckt . .
Und lös uns leis die unbarmherzige Hülle
Die Seinen Anblick uns verdeckt.

Wie einfach erklingt die Liebe des Sohnes, wie überzeugend! Der unreine Reim strahlt von Reinheit, und man hört wahrlich, wie die

Verdüsterung von einer der Erde entrissenen Helle her das empfangene Licht von drüben noch im Schatten *knistern* macht, und es ist so, als wenn Georges Satz aus „Tage und Taten" zu neuer Wahrheit wurde: „Die kunst ergreift am meisten, in der man das atemholen noch schlafender geister spürt". So nun ertönt dieses Neue in „Meiner Mutter":

Aus den Geschlechtern die verschwiegen
Mit tausendjähriger Geduld
Sich wahren und dem Wandel schmiegen
Nahmst du Bestand und Huld.

Erbe des Glaubens und der Plagen,
Die Gottes-Kindschaft und der Fluch,
Von keinem Einzelnen ertragen,
Bürde für Volk und Buch,

Verhängnis allen, die entwichen,
Sorge der Eltern, Kindern Angst,
War leise in dir ausgeglichen,
Musik worin du schwangst.

Das ist schon überdeutlich. Im Zentrum aber steht dennoch nicht die „Bürde für Volk und Buch" sondern die Liebe, die der Tod zur Wahrheit macht. Kann man sie reiner erfahren als in diesen vier Zeilen?

Ich sah den Glanz der Werde-Tage
Und fühlte Segnung wo ich litt.
Und liebte, ward geliebt und trage
Die holden Bilder mit.

Wunderbar erklingt ein anderer Vierzeiler:

Zehnmal an der Schwelle kehrt ich um
Wenn ich zehnmal von dir Abschied nahm.
Unersättlich machen Glück und Gram.
Nur nicht ferne sein und nur nicht stumm!

Oder dieses Gedicht:

Früh geweckt vom Nachtigallenschlag
Dem ich sonst mit dir entgegenlag
Horch ich traurig in den grünen Tag.
Ohne dich was wird der goldne Tag?

Tausendflimmerige Morgenflur
Überblüht und – scheint die eine Spur –
Immer deine, mein und deine Spur . . .
Andre such ich nicht, die deine nur.

Abend der mir sonst den Schlaf gebracht
Scheucht den Schlaf – o sterbenslange Nacht
Ohne dich mit Tränen durchgewacht –
Um die Treue die mit dir gewacht!

Hier wird nicht einmal mehr gereimt, hier wird nur noch wiederholt . . Auch auf den Untergang bezieht der Dichter die Liebe, auf den der Epoche und auf den eigenen. Ein Gedicht, das mit der Strophe beginnt:

Gibt es noch Taten, sich zu wehren
Ein Wort von unbeflecktem Mund
In diesem brüllenden Verheeren
Ein Wesen ausser Wahn und Schwund

schließt mit der Strophe:

Noch unter stürzendem Gemäuer
Umfass ich das erwählte Du
Und heb es im verhüllten Feuer
Dem zeitenlosen Himmel zu.

Den eigenen Untergang aber erfährt der Dichter so:

Aus meiner Bahn kann ich nicht fallen
Wenn Gnade war was mich gelenkt
Und treu notwendig bin ich allen
Gedanken die sie in mir denkt.

Und solche Liebe die mich rühret
Ist eins mit meines Herzens Stern
Und spräche Gott dass sie verführet
So muss ich lieben trotz dem Herrn.

Ich will nichts Eignes: doch mein Alles
Will dich . . . mein Herz mein Stern mein Rang,
Und wär es Zeichen meines Falles
So will ich auch den Untergang.

Die Blasphemie ist keine; der Liebende ist bereit, den vollen Preis zu zahlen. Für George und seine Welt ist kein Raum mehr. Der „Bruch" kann hier nicht entscheidend gewesen sein. Darum ist das Gedicht, das die Konsequenz aus keinem Bruch sondern aus einer Entscheidung der Seele zieht, durch und durch lauter:

Meine Jugend war gelenkt
Dumpf, dann willig durch den Meister
Bis ein Stärkerer mich entschränkt:
Wahrer schreit ich als Verwaister,
Ohne Stab, Geleit und Strang
Wissend nur noch Gott und Liebe
Durch das schütternde Geschiebe
Den vom Tod gewiesnen Gang.

Man hört, daß hier etwas *geschehen* ist. Er öffnet den Mund und sagt deutlich Ja zu dem Neuen, zu Gott, Liebe und Tod, und lautlos dankend Nein zu der Vergangenheit, zu George. Dennoch folgt auf dieses große Gedicht noch dies:

Wenn ich vor dir hinübergeh
Bleib mein! . . Und ihr die ihr mich mochtet
Und wider meine Liebe fochtet:
Tut ihr, tut mir im Grab nicht weh . .

Wenn alles Wirre von mir weicht
Und ich nur Wahrheit um mich dulde
Bekenn ich mich zu dir und schulde
Dir mehr als je mein Dank erreicht.

Doch in den Nächten da du weinst
„Geliebter hast du mich verlassen"
Wirst du mich fühlen kommst mich fassen
Mein Herz mein ganzes Herz wie einst!

Und wer dich kränkt, wär er mir nah,
Wie Bruder oder Meister, riefe
Mich unter Martern aus der Tiefe
Zu sühnen was an dir geschah.

Die Form wird zum Gehalt zurückgeführt und nun erst zur Form des höchsten Ranges. Zu dem, was hier geschieht, kann man nur schweigen. Die Buchstaben selbst weinen. Ein in jedem Laut hinsterbender Mensch nimmt seine ganze Kraft der Reinheit zusammen, um so schonend wie bestimmt gegen „Bruder oder Meister" der Wahrheit die Ehre zu geben.[1])

HERBERT STEINER

Von Herbert Steiner wußte man nicht mehr als daß er der vorzügliche, höchst gebildete und verantwortungsvolle Herausgeber der Zeitschrift „Corona" gewesen ist, der er durch Jahre seine besten Kräfte widmete, hätte er nicht eines Tages sich selbst zum Wort gemeldet, in einem 1942 in New York zuerst als Privatdruck gedrucktem Aufsatz „Meine Begegnung mit Stefan George". Dieser Aufsatz ist ein ungewöhnliches Dokument. Die erste Begegnung des noch nicht Siebzehnjährigen mit dem 41 Jahre alten Dichter fand 1909 in München statt, als Herbert Steiner noch in Wien zur Schule ging. Gundolf war der Vermittler. Inzwischen ist sein Briefwechsel mit Herbert Steiner und Ernst Robert Curtius erschienen. Herbert Steiner ist weder besonders klug noch dichterisch original. Er ist jung und von Georges Gedichten durch und durch bewegt. Seine Jugend ist schön. Er ist wie das „abenteuernde junge Blut", von dem Bor-

[1]) Einmal, als George grußlos an ihm vorüberging (Briefwechsel George-Gundolf S. 374), hat Gundolf ein dreistrophiges Gedicht gemacht, von dem ich nur die erste Strophe zitiere, da sie das Gedicht selbst ist:

Umfasse mich! Bei deines Herzens Schlag,
Des wachsten, wärmsten, fürcht ich nicht den Bösen
Der mir vorübergeht im finstern Tag.
Nichts kann von dir mich lösen.

Als Gundolf seine frühen Gedichte für den Druck zusammenstellte, schreibt er am 29.7.1929 an Wolfskehl: Die Durchsicht meiner frühen Gedichte ist für mich eine wirkliche Folter und manchmal bin ich nahe am Irrsinn".

chardt im „Intermezzo" spricht. Gundolf verhält sich herzlich, zurückhaltend, kritisch und pädagogisch. Manchmal spricht George durch ihn, ohne daß er selbst Briefe schriebe. Beide sind versteckt gegen Hofmannsthal, welchen der junge Mensch kennt und bewundert. Einmal, am 18. 8. 1909, fällt ein scharfes Wort: „Hofmannsthals Komödie Akt 1 habe ich in einer Zeitschrift gelesen und bin nicht begierig mehr davon kennen zu lernen, finde sie geschwätzig, spielerisch und forciert tänzerisch". Gundolfs Urteil verschärft sich 1910 in dem Jahrbuch für die geistige Bewegung, in dem Aufsatz „Das Bild Georges", der teilweise gegen Borchardt gerichtet ist, dessen Rede über Hofmannsthal aber *gelobt* wird, weil sie sich rückhaltlos für George einsetzt, obwohl schon damals, 1902, mit kritischen Einwänden gegen seine Theorie der Poesie. Ob Gundolfs Schärfe des Urteils einem so jungen Mann gegenüber pädagogisch war, bleibt fraglich.
Im Sommer 1908 schreibt Herbert Steiner: „Ihr Aufsatz über ‚Der Siebente Ring' (der, wie es scheint, von den jungen Wiener Literaten gut aufgenommen worden ist) hat auch mich sehr gefreut und manches Dunkle erklärt". Man kann sich vorstellen, mit welchem Gesichtsausdruck Gundolf und vor allem George das in der Klammer Stehende gelesen haben. „Ich schrieb dem Meister also, es sei mir vor allem darum zu tun ‚den Mann zu sehen, der die Dinge trotz der Brechungen grade schaut'. Ich danke Ihnen dafür, daß Sie es mir ermöglichten, den Meister zu sehen, zu sprechen. Es war herrlich und die Erinnerung ist nicht weniger herrlich, nicht minder schön". Gundolf läßt ihm bald darauf, im April 1909, durch George sagen:

> Stefan George bittet Sie folgende gute räte nicht in den wind zu schlagen: er billigt wol ihre abneigung gegen den heutigen betrieb des sports und ähnliches wobei naturgemäss die dümmsten am lautesten zu wort kommen: aber was schlimmer ist – es kann auch der einseitig ausgebildete geist vampirisch den körper aussaugen. Sie müssten durch eine ganze sommerruhepause hindurch einmal nichts anderes tun als den ganzen tag im freien liegen, kleine unanstrengende gänge machen und den körper im wasser und in der sonne ausstrecken. Vielleicht nehmen Sie das Ihnen unangenehm scheinende entgegen von einem Mann den Sie ehren und dessen teilnahme Sie gewiss sind.

Das ist pädagogisch. Die ganze Stelle klingt wie diktiert, besonders der Satz von der „vampirischen" Aussaugung des Körpers durch den Geist. Gundolf wußte um den gemeinten Sachverhalt, hätte aber wohl kaum eine solche Sprache gebraucht, denn sie ist trotz aller ahnenden Vorwegnahme des genauen Verstehens in der Jugend für diesen Empfänger wesentlich unverständlich, ein durch die Autorität des Schreibenden oder Diktierenden entbanalisiertes „mens sana in corpore sano" wäre hier eher am Platz gewesen. Dazu hat George die negative Bewertung des Geistes von Schuler (oder Klages) übernommen, sie wirkt verfremdet und imponierend, liebevoll und unpädagogisch. Kurz darauf ist Herbert Steiner wieder mit George zusammen und schreibt:

> Es war ein Sonntag, als ich die Nachricht von Stefan Georges Anwesenheit in Wien erhielt. Die Überraschung war groß! – Ich habe vor Freude getanzt! – Montag konnte ich den Nachmittag kaum erwarten. – Ich hatte solche Freundlichkeit und Güte nicht erwartet. – Der Meister fragte mich um vieles. – Verzeihen Sie, daß ich weiteres darüber nicht schreibe, ich wollte schon lange Alles zu Papier bringen, damit mir ja keines seiner Worte verlorengehe, aber es war und ist mir unmöglich, die Einfachheit, Güte und Größe wiederzugeben; so muß ich alles meinem Gedächtnis überlassen.

Zwei Tage später sollte er wieder zu George kommen und ihm vorlesen. Er wählt „An den Mond" (von Goethe), „Templer", „Hehre Harfe" und „Goethes letzte Nacht in Italien", *aber:* „Der Meister war schon abgereist". Der Grund der Abreise kann ein natürlicher gewesen sein, unbedingt sicher ist es nicht. Es mag immerhin zusammenhängen mit irgendeiner Ungeschicklichkeit der Jugend, mit einer pädagogischen Erwägung des Älteren, wir wissen es nicht. Zu dem „Jahrhundert Goethes", das George ihm geschenkt hatte, schreibt er: „Es ist nicht leicht aus ‚J. G.' zu finden, was man von Gedichten verlangen dürfe. – Es enthält viel unendliche, grenzenlose Gedichte und übt starken Einfluß auf meinen Geschmack". Und in dem gleichen Brief, in dem er berichtet, daß er George „Templer" und „Hehre Harfe" vorlesen wolle, bittet er Gundolf, ihm beide Gedichte zu erklären, da sie zu dem ihm „Liebsten der Lyrik" gehörten, er sie aber nicht genügend verstehe. Das ist ein rührendes Eingeständnis dichterisch tief angerührter Jugend, die auch das Unverstandene zu lieben bereit ist. Es hat zur Folge, daß Gundolf in dem Brief vom 16. 5. 1909 beide Gedichte erklärt, ohne freilich von den beiden rätselhaften Schlußstrophen von „Templer" mehr als eine „prosaische" Paraphrase zu geben, wie er selbst abschließend sagt, eine „prosaische" übrigens, die sich wesentlich unterscheidet von dem offiziellen Kommentar bei Morwitz. Am 14. 8. 1909 schreibt Herbert Steiner: „Ich kann Stefan Georges nächste Dichtungen kaum erwarten und werde doch 3–4 Jahre warten müssen. (Hoffentlich erscheint 1910 ein Band, sei er auch dünn – hier ist das Wenige unendlich viel!) Wenn mich der Meister hören würde, er würde lachen und sagen: ‚Was sind Sie für ein komischer Junge!' Wieviel ich darum geben würde, diese Worte bald wieder zu hören . . ! Aber ich muß entbehren". Gundolf antwortet vier Tage später freundlich und dämpfend: „Übrigens müssen Sie nicht auf jede Ihrer Sendungen von ihm Antwort erwarten – die gibt er fast nie, nur in den dringenden Fällen – seiner Fernwirkung dürfen Sie aber auch ohne schriftliche Zeichen gewiß sein. Einen neuen Gedichtband St. G's erwarten Sie schon wieder! Lieber, Sie habens gut vor: wir andern haben die alten noch nicht bewältigt und stehen dem letzten noch neu und aberneu gegenüber. Nein, ich weiß Ihnen über neuere Gedichte nicht das Kleinste mitzuteilen". Das Ganze gibt ein Bild von frischem menschlichen und geistigen Leben auf beiden Seiten. Um so strenger ist Gundolfs Brief vom 5. 3. 1910. Zu der Anrede findet sich die Fußnote: „Kleinschreibung". Diese bezieht sich auf den ganzen Brief und legt die Vermutung nahe, daß er wenigstens teilweise von George *diktiert* ist:

> Diese Auflösung des lichtes (des lebens) in hundert diffuse lichterchen und farbenflecken hat für uns etwas geradezu widerwärtiges und wir haben von Ihnen eine zu gute meinung, um Sie auf diese gefahr worin Sie schweben nicht immer und immer hinzuweisen . . Ein wiedersehen hängt in gewissem sinn von Ihnen ab: dass ich Sie vorläufig in Wien besuche hat keinen besondren wert: Sie würden in Ihrem jetzigen zustand auch kaum was andres draus brau'n als ein neues gurgelwasser. Auch ist jetzt die zeit zu beschäftigt. All das schreib ich weil ich in Ihnen das zeug zu einem wirklichen menschen sehe und ehre und ausbilden möchte. Das kann ich jezt um so leichter als ich bei Ihnen jezt nicht mehr in den

verdacht eines ‚düstren predigers' komme, da Sie ja selbst erlebt haben wie auch wir hier trotz der vielen gedanken u. arbeit lieben und lachen und scherzen.

Herbert Steiner verteidigt sich am 18. 3.: „Wie aber können Sie glauben, die Gegenwart eines lieben Menschen könne als ‚Gurgelwasser' verbraucht, könne je so geachtet und seine Worte gleichgesetzt werden denen eines x-beliebigen Literaten, Mitschülers etc. etc.?" In dem Brief vom 16. 4. 1910 schreibt er den Satz: „Ich wollte damals nur andeuten, daß trotz der vielen Scherzverdrehungen in München ich mehr Ehrfurcht haben dürfte als Sie wohl glauben". Es folgt noch ein Brief Gundolfs gegen das „Wienerische" in Herbert Steiners Wesen. In dem Brief vom 30. 6. 1910 bekennt sich dieser zu Gundolfs und Georges Einfluß, „der mit der Zeit anfing . . nachhaltiger zu wirken . . und zwar *nicht* im Literarischen, sondern im rein Einfach-Menschlichen (ich glaube, daß Sie das freuen wird; irre ich?)". Aber es nützt nicht viel: der Briefwechsel zerflattert: der letzte Brief ist vom 14. 1. 1913. Gundolf und George haben Recht mit ihren Vorwürfen, er hat Recht mit seiner Verehrung, ohne zu wissen, daß sie unzureichend ist. Er verehrt, aber seine Neugier nach allen Seiten ist zu groß, als daß er sich in die Konsequenzen *dieser* Verehrung fügen könnte. Er spricht in seinen Briefen ahnungslos von Rilke und Borchardt, er weiß nicht, *was* er damit aufrührt.
Am 17. 6. 1911 erhält er den ersten Brief von diesem. Borchardts „Briefe an einen jungen Menschen" in der Neuen Rundschau (1956, 2–3) sind an Herbert Steiner gerichtet. Der kurze Aufsatz „Geggiano" von Franz Albrecht, der ihnen vorangeht, ist von Herbert Steiner, welcher eben da, nicht weit von Siena, Borchardt besucht hat. Von diesem Besuch wird George erfahren haben: es war das Ende, für ihn und für Gundolf. In Borchardts Briefen, die nicht in diesen Zusammenhang gehören, erklingt ein anderer Ton. Die persönliche Beziehung ist da, als selbstverständliche Voraussetzung, das Sachliche, das Belehrende steht im Mittelpunkt. Hier ist etwas zu lernen, unabhängig von persönlichen Konflikten, welche dennoch tief auf die jugendliche Psyche eingewirkt haben mögen.
Wie spiegelt sich nun Herbert Steiners Begegnung mit George in seinem späten Aufsatz? Er ist mit großer Zartheit geschrieben und die gebliebene Bewunderung für den großen Dichter untertönt von

schwermütigem Wissen um seine Grenzen. Wir wissen schon manches aus dem Briefwechsel. So war der erste Eindruck:

> Ich stand in dem schmalen Zimmer einer Pension vor einem mittelgroßen hagern Mann, der mir erst wie ein Gelehrter von feiner Prägung erschien; sein Gesicht . . nicht gelblich-fahl und düster wie sonst oft, war belebt, fast strahlend; die Gebärde sparsam; der Ton des Gesprächs bei völliger Bestimmtheit und Autorität der unbefangenste; die anklingende hessische Mundart mir schnell vertraut. Damals sah ich die hellen Seiten seines Wesens. Die völlige Einfachheit, die Zartheit, die noch nichts von Härte durchblicken ließ, die überschaubare Klugheit, die verworrene Verhältnisse ins Einfache zu schlichten weiß, die Gabe, Maasse aufzustellen: all das bezauberte, weckte die Sehnsucht nach weiterem Gespräch, tieferer Belehrung, wie nur ein Älterer, der einen jungen Menschen ernst nimmt, ihn zu gewinnen und in seinen Bann zu ziehen vermag.

Man kann sagen: so war er! Und doch wird die „Härte“ erwähnt. Wir hören vom Sport und dem „vampirischen“ Aussaugen des Geistes, er *hat* also Gundolf den Brief diktiert. Wir hören von seiner Zuversicht, daß seine Werke jedem zugänglich seien und daß ein Schlosserjunge sich danach sehne, sie zu lesen, daß Dilthey sein „verehrter Freund“ sei und Ricarda Huchs „Ludolf Ursleu“ ein großer Roman. Das ist alles ebenso wahr wie vereinfacht. Steiner hatte viel gelesen, zu viel, so daß George einmal sagt: „Junge, Junge, was wollen Sie später lesen, wenn Sie jetzt schon alles kennen?“ Dieser läßt sich nicht einschüchtern: „Oh, es wird immer etwas zu lesen geben“. Aber noch nie hatte er die „warnende“ Antwort gehört: „Gewiss, aber nicht darauf kommt es an. Wenn die Intensität des Aufnehmens einmal ihren höchsten Grad überschritten hat und verbraucht ist, erneuert sie sich nicht so schnell oder nie“. Dies ist eine tiefe Erkenntnis, welche einem jungen Menschen damals nirgendwo anders zuteil werden konnte, es sei denn in seiner Heimatstadt Wien bei Karl Kraus, der genau im Jahre 1909 in „Sprüche und Widersprüche“ schreibt: Zu seiner Belehrung sollte ein Schriftsteller mehr leben als lesen. Zu seiner Unterhaltung sollte ein Schriftsteller mehr schreiben als lesen. Dann könnten Bücher entstehen, die das Publikum zur Belehrung und zur Unterhaltung liest“. Das richtige Lesen wird nicht abgelehnt sondern vorausgesetzt und ausgeklammert, und vom Dichter ist nicht einmal die Rede.

Die zweite Begegnung ist anders, obwohl das Verlangen, George wiederzusehen, stark war, „aber vielleicht hatte sich der reine Himmel des Vertrauens leicht getrübt, war die erste Unbefangenheit vorüber". So schnell geht das!

> Er stand in der schwach erleuchteten Bahnhofshalle an der Schranke, im schwarzen Hut und hoch geschlossenen, wie eine Sutane geschnittenen schwarzen Mantel, und ich erschrak über das fahle, totenhafte Gesicht. Das Gefühl versank rasch, freilich um immer wieder aufzutauchen.

Es gibt da, wahrscheinlich bei Wolfskehl in München im sogenannten „Kugelzimmer", ein kultisch gefärbtes Zusammensein mit togaartigen Gewändern und Krügen aus altem Zinn, George nach römischer Sitte liegend und den Jungen zutrinkend mit den Worten: „Immer frisch nach Traumglück auszugehen/ Und zu schwanken auch in Traumgefahr", das sind die herrlichen Goetheschen Verse aus „Warum gabst du uns die tiefen Blicke" an Frau von Stein. Nach dem Essen erhob sich George und sprach „auf Wunsch der Jugend" das Gedicht „Goethes lezte Nacht in Italien". Wichtig ist, was Herbert Steiner über das Lesen sagt:

> Es war ein fast skandierender, klanglos-starrer Zaubersang, allzu hart auf den Rhythmus gestellt, jede Zeile ein Ganzes, jedes Wort gebunden in die Zeile, gewiß allem Schauspielerischen entgegen, aber kaum bewegt, kaum moduliert.

Die Einrichtung des Zimmers war von George selbst, es durfte nicht mit Straßenschuhen betreten werden, alles einfach, ohne Ornament, stoffüberspannte Bänke an den Wänden, ein Photo Maximins an der Wand, an Büchern Platons Phaidros in der Übersetzung von Rudolf Kassner, Shakespeares Sonette und Goethes Gedenkaufsatz über Winckelmann in der Ausgabe letzter Hand, ein Aufsatz übrigens, der eine überraschende Beziehung hat zu dem letzten Vers des Gedichts „Templer". Er enthält den von Morwitz in seinem Kommentar erwähnten Satz: „Der Gott war zum Menschen geworden, um den Menschen zum Gott zu erheben". Er steht in dem Abschnitt „Schönheit" und folgt dem Satz über den Olympischen Jupiter: „Von sol-

chen Gefühlen wurden die ergriffen, die den Olympischen Jupiter erblickten, wie wir aus den Beschreibungen, Nachrichten und Zeugnissen der Alten uns entwickeln können". George hat also Winckelmanns Satz in einen ganz anderen Bereich übersetzt, wenn er sagt: „Den leib vergottet und den gott verleibt". Gesprochen wurde von Andrian und von seinem frechen Witzwort aus dem Café Griensteidl in Wien: „Der Goethe ist ganz g'scheit", das rasch in Umlauf kam. Wer es aber in Umlauf gebracht hat, das sagt Herbert Steiner nicht, es war Karl Kraus als der frühe Autor der 1897 erschienenen Satire „Die demolierte Litteratur".
Ob Herbert Steiner diese Quelle gekannt hat, weiß ich nicht; daß George sie gekannt hat, ist kaum zu bezweifeln. Man sprach über Wien, wo es „wenig Treue", nur „seltsam schönes Farbenspiel" gebe, über Andrian „mit hoher Achtung", welche heute nachzuempfinden schwer ist, über Hofmannsthal „bei aller Liebe mit Zurückhaltung". Es ist möglich, daß sich George so ausgedrückt hat, was er aber inhaltlich sagt, ist vernichtend: er hätte verstummen sollen, wie Andrian verstummt ist, „nachdem seine Substanz verbraucht war".

> Ich hatte eben „Christinas Heimreise" gelesen. Das Sich-Einfügen in die alte Welt, der George eine neue entgegenstellen wollte, in die Gesellschaft, die George mied, um seinen „Staat" zu gründen – den Seinen erschien es als Pakt mit dem Niedrigen der Zeit . .

Dies ist der Wendepunkt, aber noch erzählt er, daß Gundolf aus „Das Bild Georges" vorlas und Antonius und Kleopatra in seiner Übertragung mit aktiver Mitarbeit Georges, und aus jedem seiner Worte klang „der Dank, daß er George alles Hohe wie den Blick für das Hohe verdanke". Herbert Steiner gibt nun eine Gesamtdarstellung Georges, die nicht nur aus seinem persönlichen Eindruck stammt und nicht neu ist. Aufhorchen macht dies:

> Ein kühner Schritt – und er stand jenseits der gemeinen Bindungen, an einem Punkt, von dem aus er sich einen Staat im Staat, eine Welt in der Welt schuf. Der demiurgische Trieb war wohl sein zentraler.

Die Kritik wird verschwiegen, aber kaum noch hier:

> Er konnte nicht anders als fordern und verwerfen, scheiden und

richten; seine Art zu sehen war tief dualistisch. Er mußte gesondert stehen, einsam, von niemand bedingt, selbstunmittelbar. Er war ein Empörer – die gewollt strenge Form seiner Dichtung darf darüber nicht täuschen –, leidend und reuelos, aus Kains Geschlecht.

Das teilt sich so stark mit, daß der nächste Satz kaum noch als wahre Aussage hörbar wird: „Aber ebenso tief war sein Glaube an die sich ewig erneuernde Jugend der Welt“. Es kommt noch etwas tief Persönliches:

Es war ein eisig kalter Abend, der Boden tief gefroren. George stützte sich auf einen Stock und auf meinen Arm; er summte ein spanisches Lied, eine Erinnerung an frühe Pariser oder Madrider Tage. Wir nahmen Tee und Abendbrot bei den Freunden. Ich hatte eben einen Spruch aus der Heiligen Schrift ungenau zitiert (George stellte ihn richtig: „Nein, so geht das nicht, das ist zu ernst, zu einfach, daran darf keine Silbe geändert werden“), da fiel ein mir fremdes Wort, „Mahatma“. Ich fragte danach. Ich sehe ihn, die Zigarette in der einen Hand, die andere mit dem Monokel spielend, ich höre die ruhige, mundartlich getönte Antwort: „Mahatmas – das sind die Mächte, die hinter dem Leben stehen. Wenn sie einen Mann brauchen, der für sie kämpft, dann senden sie ihn ins Leben. Mich haben die Mahatmas geschickt.“

Man möchte wissen, welchen Spruch aus der Heiligen Schrift Herbert Steiner zitiert hat. Georges Richtigstellung des Textes ist überlegen, die Mahatmas sind ein Bluff aus dem Bereich der Frau Helena Blavatsky (1831–1891), der Begründerin der Theosophischen Gesellschaft, der kaum zu halten ist.[1])
George zeigt ihm das Gedicht „An H.“. Er nimmt das Manuskript sofort wieder an sich. Hier fehlen die drei letzten Verse, die „Gegenstimme“, die im dritten Buch des „Stern des Bundes“ hinzugefügt ist:

---

[1]) Gundolf schreibt am 2.2.1902 an George, daß Lechter „voll Blavatskyscher Geheimlehre“ sei, und Erika Wolters schreibt am 22.6.1922 an Gundolf, der Meister rate dem, der Spenglers „Unmassen kosmisch-mystischer Dinge verdaut“ habe, „auch ernstlich die dicken Folianten der dicken Madame Blavatsky“. Eine positive Äußerung Georges ist mir nicht bekannt, dagegen ist der ergreifende Brief an Lechter vom 30.10.1919 bei Boehringer (S. 86) eine klare Ablehnung. Um so seltsamer die unsinnige Rede von den „Mahatmas“.

Wer soll dich anders wünschen wenn du so
Dein haupt mit lächeln senkst und schwank dich drehst
Zu volle blume auf zu zartem halme?
Wer gönnte dir nicht licht und linde luft?
Und dennoch wisse: lebst du für den tag
Wo heilsam ungewitter dir den rest
Von asche stäubt aus deinem goldnen haar . . .
‚Sprecht nicht zu streng vom schwachen der sich trennte
Erinnert euch wie ihr mir freundlich tatet
Ich war ein blondes wunder euch – nichts mehr.

Dies ist ein sehr schönes Gedicht. Der schwermütige Kommentar des Dargestellten sagt alles, was er verschweigt: „Diese Verse sprechen von einer Lebensforderung des Dichters; aber nicht jeder mag geschaffen sein, Schicksal anzuziehen. Und sie sprechen von Spiel und Ernst jener Tage, vom Scherz, der Abwehr ist, der eine Beängstigung verbirgt und überdeckt und ausweicht, von der Spannung, die von George ausging, und von seinem Werben“. Völlig deutlich aber ist dies: „Wie wechselnd war sein Gesicht! Ich habe es zart und sorglich gesehen, verschlossen, undurchdringlich, völlig fremd und – wie nie ein anderes – verwandelt, verzehrt von aufflammender Leidenschaft“. George liest ihm aus dem Phaidros die Rede des Sokrates vom Liebenden und vom Geliebten vor. Er sagt von Maximin: „Hier ist eine Sache, von der ich dir noch mit keinem Wort gesprochen habe“. Er warnt ihn, sich „nicht dem frevelhaften Glauben hinzugeben, er wisse nun alles von ihm und den Seinen“. Und er faßt zusammen: „Dies war nur die erste Initiation“. Eine zweite ist nicht erfolgt. Herbert Steiner hat George nicht wiedergesehen und auch Gundolf nicht. Im letzten Absatz spricht er noch einmal von Georges früh gealterten und verschärften Zügen, dann kommt dies:

Sein Bild begleitete mich lange, nahm in bösen Träumen die Züge einer düsteren und mächtigen Figur Balzacs an, wurde schliesslich ferner, klarer. Jahre und Jahre später sah ich ein Gemälde von Burne-Jones: Merlin, dunkel gekleidet, bleich, regungslos, rätselhaft, blickt auf Nimuë, die vor ihm durch den Garten geht. Mir war, als stehe ich wieder in jenem Bann: so sehr schien mir der Zauberer George zu gleichen.

Dies ist ein schöner Ausgang, aber die „düstere und mächtige Figur" bei Balzac war die des Vautrin, des dämonischen Verbrechers. Von Balzac ist das Motto des Aufsatzes: „Il y a la postérité de Caïn". Dieser Satz steht in dem 51. Kapitel von „Un drame dans la prison", das ist der zweite Band von „Splendeurs et misères des courtisanes". Dort steht der Abschiedsbrief von Lucien de Rubempré an den Abbé Carlos Herrera. In Herbert Steiners Zitat fehlt die Fortsetzung. Die ganze Stelle, übersetzt, lautet:

> Es gibt die Nachkommenschaft Kains und die Abels, wie Sie manchmal sagten. Kain ist, in dem großen Drama der Menschheit, die Opposition. Sie stammen von Adam ab durch die Linie, in der der Teufel nicht aufgehört hat das Feuer zu blasen, dessen erster Funke auf Eva geworfen war. Unter den Dämonen dieser Art finden sich von Zeit zu Zeit schreckliche mit einem Riesenbau, die alle menschlichen Kräfte zusammenfassen und die jenen fiebrigen Tieren der Wüste gleichen, deren Leben die ungeheuren Räume fordert, die sie dort finden. Diese Leute sind gefährlich in der Gesellschaft, wie es Löwen wären in der Normandie ... Wenn Gott es will, so sind diese geheimnisvollen Wesen Moses, Attila, Karl der Große, Mohammed oder Napoleon: aber wenn er diese gigantischen Instrumente auf dem Grunde des Ozeans eine Generation lang rosten läßt, dann sind es nur mehr Pugatcheff, Fouché, Louvel oder der Abbé Carlos Herrera. Im Besitz einer ungeheuren Macht über die zarten Seelen ziehen sie sie an und zermalmen sie. Es ist groß, es ist schön in seiner Art. Es ist die giftige Pflanze mit den reichen Farben, die die Kinder in den Wäldern in ihren Bann zieht. Es ist die Poesie des Bösen. Menschen Ihrer Art müssen Höhlen bewohnen und nicht aus ihnen herauskommen. Du hast mich teilnehmen lassen an diesem gigantischen Leben, auf Rechnung meiner Existenz. So kann ich meinen Kopf herausziehen aus den gordischen Knoten deiner Politik, um ihn dem schlingenden Knoten meiner Krawatte zu geben. Leb wohl, nun, leb wohl, grandiose Statue des Bösen und der Korruption; leben Sie wohl, der Sie mir auf dem guten Wege mehr gewesen sind als Ximenès, mehr als Richelieu! Sie haben Ihre Versprechungen gehalten: ich finde mich wieder, wie ich war am Ufer der Charente, als ich Ihnen die Entzückungen eines Traumes verdankt habe; aber leider ist es

nicht mehr der Fluß meiner Heimat, in dem ich die Jugendsünden ertränken wollte; es ist die Seine und mein Loch eine Gefängniszelle in der Conciergerie. Bedauern Sie mich nicht: meine Verachtung für Sie war so groß wie meine Bewunderung.

Dies ist ein wahrhaft furchtbares Dokument, das Herbert Steiner zweifellos gekannt hat.
Aber am Schluß dieses geheimnisvollen Aufsatzes steht auf einer besonderen Seite unter dem Impressum des Druckers „Printed bei Jacob Hammer at the Hammer Press" in großen Lettern: AD MAIOREM DEI GLORIAM.

MAXIMILIAN KRONBERGER

Maximilian Kronberger ist 1888 in Berlin geboren und 1904 in München gestorben. Die Aufzeichnungen über seine Beziehungen zu George, die die halb private Veröffentlichung seines Nachlasses in den dreißiger Jahren ans Licht brachte, sind eine wichtige Quelle zum Verständnis Georges. Diese Aufzeichnungen sind von einem ganz jungen Menschen, in dem normalen, ziemlich farblosen Deutsch eines begabten Schülers geschrieben. Die Vorbemerkung des Verfassers über die mit seinen Aufzeichnungen verknüpfte Absicht – die er ja unmöglich in einer Veröffentlichung hätte verwirklichen können – scheint von einem Menschen zu stammen, der entweder mit einem frühen Tode rechnete oder sich einfach an der Rolle eines ein Vorwort schreibenden Autors kindlich erfreute. Was an der Farblosigkeit des Stils besonders auffällt, ist die Mischung von Kindlichkeit und Sachlichkeit, wie sie durchgehends sich bekundet. Es fehlt jede Spiegelung sei es in George, sei es in ihm selbst: er berichtet von einem bedeutenden Menschen von bereits vierunddreißig Jahren, der in sein Leben getreten ist. Er reflektiert nicht über die Gründe, die George könnten bewogen haben, sich ihm in so besonderer Weise zu nähern und zu widmen. Auch das Verhältnis zu seinem eigenen Dichten ist nicht gefühlsbetont. Diese Tatsachen lassen sich vielleicht als ein Fingerzeig dafür betrachten, daß hier ein *besonderer* Mensch und Künstler entstanden wäre, wenn nicht das Schicksal in Gestalt einer tödlichen Krankheit plötzlich den Faden abgerissen hätte.

Die Gedichte zeigen zweifellose Spuren dichterischen Genies. Die Anordnung ist zeitlich, es sind aber nicht alle Gedichte aufgenommen. In den Aufzeichnungen ist eines derjenigen, die der junge Mensch George als erste gezeigt hat, enthalten: es ist noch ganz ungeschickt. Andere, deren Titel er nennt, fehlen in dieser Sammlung. Es ergibt sich bei genauem Lesen die denkwürdige Tatsache, daß die geistig bedeutsamsten Kundgebungen in jenen Versen enthalten sind, die den Titel „Aus einem frühen Zyklus“ tragen und eben wegen dieses Titels *vor* der Bekanntschaft mit George entstanden sein mögen. Es sind Zeilen, die einen außerordentlichen Gehalt in einer gleichsam *vordichterischen* Bündigkeit mitteilen, wie etwa diese:

Nehmt mir mein irdisch Gut; mein heilig Können
Bleibt doch mein Eigen, denn ich selbst
Erschuf es mir in heißen Stunden.

Die Verbindung eines „Könnens“ mit der Heiligkeit, ist nicht weniger überraschend als die wie selbstverständliche Ableitung dieses Vermögens aus dem Selbst, das keine Rückbeziehung auf einen göttlichen Ursprung kennt. Hierher gehört auch die folgende Äußerung:

Ich will
Mir meine Gottheit selbst erbilden.
Ich will mich aus der geistigen Ruhe
An ewige Gedanken wenden.

Von da geht es geraden Weges zu der Beschwörung des „Halbgotts“ in „Erfüllung“, dem ersten Gedicht der Sammlung, welches der Öffentlichkeit schon aus dem Motto zu Georges Gedicht „Die Winke“ im „Neuen Reich“ bekannt war:

Jetzt naht nach Tausenden von Jahren
Ein einziger freier Augenblick:
Da brechen endlich alle Ketten,
Und aus der weitgeborstnen Erde
Steigt nackt und schön ein neuer Halbgott auf.

Diese Verse sind kein Gedicht, aber ein erstaunliches sprachliches Dokument. In den Versen, in denen Gott mit Namen genannt wird, hat dieser fühlbar und hörbar die Züge eines Halbgotts. Nur diesen kann man so anreden:

Dem Tod, den ich mir eben geben wollte,
Durft ich empfinden doch mit dem Gefühle,
Daß ich mit Gott versöhnt.
Zu seinen Füssen will ich ewig sitzen,
Ich will an seinem Auge hängen,
An seinem unvergleichlichen Gesichte
Will ich mein Auge weiden, seine Worte
Sind meines Ohres Harmonie.

Der Gedanke des ersten Verses, der für sehr junge Menschen von besonderer Begabung typisch ist, wird erst bedenklich, wenn das Gedicht den Gedanken ausdrücken will, daß der Dichter ewig zu den Füßen Gottes sitzen wolle, aber nicht in diesem sondern in jenem Leben, nach dem Tode, und daß er jenes Leben durch dieses ersetzt und damit den Tod ausmerzt. Darauf können indirekt die Verse deuten:

Sogar in diesen öden Räumen
Muß ich den Hymnus seines Wesens hören.
In dieser Leere selbst muß ich vernehmen,
Wie alles sich nach seinem Lichte wendet.

Die späteren Gedichte sind strenger in der Kunstübung, atmen aber das lyrische Seelenklima der Epoche und sind so von George beeinflußt, wie sie Georges spätere Gedichte mögen beeinflußt haben, zum mindesten mag George das Schema des Halbgotts wenn nicht übernommen so doch hier bestätigt gefunden und zu einem „Gott" gesteigert haben. In der Mitte steht „Am Brunnen" als das einzige vollkommene Gedicht, das diesem Dichter gelungen ist:

Du sitzt am Brunnen mit den Sphinxen,
Die aus den hellen Felsen sind gehauen.
Ihr Haar verwirrten nicht die Winde,
Noch unverwittert sind die großen Klauen.

Du sitzt am Brunnen mit den Sphinxen –
Dem Untier legst den Lorbeer du aufs Haupt,
Den einst dein Ahne hat gewunden,
Den du der Statue im Hof geraubt.

Du sitzt am Brunnen mit den Sphinxen –
Du legst dem Tier aufs Haupt die weiße Hand,
An der du liebreich mich geleitet
Zurück aus der Verbannung Land.

Du sitzt am Brunnen mit den Sphinxen –
Die singen dir ein stilles Lied . . .
In kurzer Zeit bist du gealtert,
Wie vor dem Herbst die Rose schied.

Es ist möglich, daß dieses Gedicht an George gerichtet ist, es ist aber sicher, daß es falls überhaupt einen Einfluß in der Leichtigkeit und Sicherheit des Tones wie in dem Verzicht auf die Durchreimung weit eher den Einfluß Hofmannsthals bezeugt. In Beziehung auf den Menschen, der an diesem Brunnen sitzt, gehen die Sphinxe eine höhere Einheit ein: sie sind jene Sphinxe, die über das höchste Wissen schweigend verfügen. Wiederum wächst der angeredete Mensch durch sie in die höhere Einheit des Kampfes: das „Untier" wird so durch den „Lorbeer" besänftigt, wie der „Ahne" die Tradition verbürgt, die der „Raub" in Frage stellt. Der Sieg über die Sphinx ist verknüpft mit dem Dank dessen, der als Zeuge sieht, daß die „weiße Hand" des Siegers auch ihn gerettet hat und daß schließlich die besiegte Sphinx den Sieger doch besiegt, in dem schlagenden Schlußvers von dem schnellen Altern des Siegers, wenn die Besiegten ihm ein stilles Lied singen.
Daß ein so junger Mensch die geistige und sprachliche Reife, die er in diesem Gedicht erreicht hat, nicht einhalten konnte, spricht nicht gegen ihn. Die bescheidenen Trümmer dieses Werkes werden dauern; daß die „zartheit und seherische pracht seiner hinterlassenen verse als bruchstücke eines eben beginnenden werkes jedes uns gültige mass übersteigt", dies hat George geglaubt, der Verse des so Gefeierten als Zitate in seine eigenen Gedichte verwebt und einen Gott durchsetzen will, der nicht zu göttlich ist, um nicht auch Gedichte zu machen. Bereits zu Lebzeiten des Gepriesenen hat er mit dieser Vergöttlichung begonnen. In den Aufzeichnungen heißt es:

> Endlich traf ich George wieder und er sagte mit der größten Bestimmtheit: „Was Sie mir gaben, haben Sie geschrieben." Ich verstand es zuerst als Frage und sagte Ja. Da begann er denn gleich,

das Gedicht sei ja ganz nett, ob ich mehr dichte und ob er es sehen könne. Ich versprach, ihm meine weiteren Sachen zu geben. Er fand einige ganz gut, besonders „Ein Ziel", „Der Dolch", „Das Ende". Letzteres fand er am besten. Doch ginge ein trübdüsterer Zug durch das ganze Buch.

Aus diesen noch sehr einschränkenden Urteilen geht unzweideutig hervor, daß George ursprünglich nicht durch die Gedichte sondern durch die Schönheit dieses Knaben angezogen wurde, eine Schönheit, die allerdings, soweit man nach der dem Buch vorangestellten Photographie urteilen kann, ungewöhnlich gewesen sein muß. Man nehme dazu die folgenden Sätze:

Auf meine Gedichte hin richtete er das Gedicht „Das Wunder" an mich, dessen Abschrift ich aber leider nicht besitze, dann ein zweites: Der Jüngling blieb in Trauer Tag und Nacht . . .

George hat also das Gedicht aus dem Maximin-Zyklus des „Siebenten Ringes", das mit den Worten schließt: „Es war der Herr der kam und ging" dem also Angeredeten zur Kenntnis gebracht, ohne daß dessen Worte den geringsten Eindruck verrieten, wie er doch von einer solchen Anrede ausgehen müßte, ja er versteht in den Worten „auf meine Gedichte hin" den Kausalzusammenhang völlig falsch. Verwey, in „Mein Verhältnis zu Stefan George", schreibt bei Maximilian Kronbergers Tod über George:

Er las mir abends aus seinen nachgelassenen Gedichten vor. In der sechsten Folge der Blätter... standen schon ein paar Gedichte von ihm selbst . . . Darunter Die Verkennung, die unerkannte Erscheinung Jesu auf dem Wege nach Emmaus. Ich fand es schwächer als ich es von ihm gewohnt war und ich fürchtete, daß er aus dem Bedürfnis ein natürliches Geschehen ins Übernatürliche zu übertragen, als Wirklichkeit annehmen würde, was nicht mehr denn eine gedankliche Spiegelung war.

Die dichterische Begabung dieses Jünglings ist isoliert, und die normale Entwicklung seines leiblich-seelischen Organismus hält rechtmäßig mit ihr nicht Schritt. So schreibt er über eines der kultischen Feste, die damals in München stattfanden, die folgenden Sätze nieder:

> Um sechs Uhr kam ich dann und hatte Gelegenheit, einen prachtvollen Zug zu bewundern. Zehn Personen bildeten ihn, alles in sehr schönen Gewändern, George als Cäsar, eine Persephone, ein Hermes und noch mehr famose Gestalten. Später (11. 4. 1903) schenkte mir George einen Ausschnitt der Photographie, sich als Cäsaren und ihm zu Füssen einen als Persephone verkleideten Herren.

Diese Sätze sprechen gerade in ihrer unfreiwilligen Kindlichkeit für die normalen Entwicklungsmöglichkeiten eines begabten jungen Menschen, welcher zwar rechtmäßig im Gedicht lebte aber unrechtmäßig durch den Interpretationsprozeß eines zugleich Liebenden und Wollenden in die Sphäre der Göttlichkeit erhoben wurde. Man muß annehmen, daß Maximilian Kronberger, so lange er lebte, das Göttliche als eine Metapher zur Kenntnis nahm. Nach seinem Tode geschah, was er nicht hindern konnte.
Gewiß, er hat auch den folgenden Dialog niedergeschrieben:

> Einst fragte er mich: „Max, glauben Sie, dass es eine Freundschaft gibt, die höher als die Liebe steht?" Und ich bejahte es.

Wie weit dieser Gedanke für ihn bindend war, als er ihn bejahte, und wie weit er für sein Leben bindend gewesen wäre, wir wissen es nicht. Dieser junge Tote hat sein Geheimnis mit ins Grab genommen, und bei George findet sich kein Wort, das hülfe, es aufzuklären. Dennoch hat der so früh Gestorbene sich einmal zur Wehr gesetzt und in der autoritativsten Form Georges Wahnsinn, seine Mania beleuchtet, wie denn Theodor Lessing aus dieser frühesten Münchener Zeit berichtet: „Geriet er in Erregung, so nahm er lange Schritte, stampfte den Boden, konnte die steife Würde jäh fahren lassen und schreiend, gestikulierend, ja heiser kreischend die gefährliche Untiefe seines Wesens preisgeben". Es gab einen Streit um nichts; der Jüngere hatte eine Verabredung nicht eingehalten. Wir lesen:

> Als ich ins Zimmer trat, ließ er mich ungewöhnlich lange warten, und sah mich lange an. Ich fragte ihn, wie es ihm gehe, erhielt aber keine Antwort. Ziemlich deprimiert sagte ich, daß ich leider am Sonntag keine Zeit habe und deshalb heute so frei gewesen sei zu kommen. Nun begann er mit zunehmender Heftigkeit mir Vorwürfe zu machen, daß ich an dem vorigen Sonntag nicht zu ihm

gekommen war. In dem Brief, in dem ich für den kommenden Sonntag absagte, hatte ich geschrieben, ich stehe ihm zur Verfügung. Diesen Ausdruck, der an und für sich bloße Phrase ist, beanstandete er aufs heftigste, indem er sagte, ich habe nicht das Recht zu schreiben; wenn er das mir gegenüber tue, so sei das gerechtfertigt. Und daß ich am Sonntag keine freie Zeit gehabt hätte, sei eine bloße Ausrede, er kenne das aus seiner Jugend etc. Auch für den kommenden Sonntag sei es eine dumme Ausrede. Ich sagte ihm, ich hätte in der Tat keine Zeit, er tue mir Unrecht. Da drehte er sich zu mir, legte die Stirn in Falten und drohte mir mit dem Finger. Dann setzte er sich an den Schreibtisch und begann, wenn ich keine Zeit resp. nicht den Willen habe zu kommen, wenn er Zeit habe, so habe auch er nicht Zeit noch Willen mich zu empfangen, wenn ich komme. „Kommen Sie, wenn Sie wollen", so schloß er. Ich sagte kalt adieu und reichte ihm die Hand, er aber sah absolut nicht her. Da zog ich sie denn heftig zurück und ging mit kräftigen Schritten aus dem Zimmer. Hinter mir stand er auf und ging ins Nebenzimmer.

Und dann lesen wir dies:

Am nächsten Tag schrieb ich ihm den folgenden Brief: Sehr geehrter Herr George! Nach dem gestrigen Vorkommnis und nach dem kühlen Verhalten gegen mich in der letzten Zeit sehe ich keinen Grund unsere Bekanntschaft weiterzuführen, sondern bitte Sie, alle Beziehungen zu mir abzubrechen. Bitte schicken Sie mir umgehend alle Sachen meines Vetters, die in Ihren Händen sind. Hochachtungsvollst Maximilian Kronberger

Vorher hatte es geheißen:

Er hatte in letzter Zeit immer zunehmende Beweise seiner Gleichgültigkeit gegen mich gezeigt . . . zeigte mir ein Gedicht, welches ich mit vollem Recht auf mich beziehe und welches dann einem sehr derben Reisepaß gleichkommt . . . Ich brauche mich doch nicht von ihm zusammenschimpfen lassen wie ein Schuljunge.

Der er schließlich war und dann auch wieder nicht war! Aber er ahnt nicht, daß der Zusammenhang umgekehrt ist: George beherrscht sich; seine Leidenschaft läuft leer; ihm fehlt das sprechende Wort der echten Beziehung, als Freiheit des Du und des Ich.

Die „kräftigen Schritte“, mit denen der, dem Unrecht widerfährt, aus dem Zimmer geht – man könnte an Karl Rossmann denken in Kafkas „Amerika“, der an einer entscheidenden Stelle, freilich ohne gehört zu werden, sagt: „Es ist unmöglich, sich zu verteidigen, wenn nicht guter Wille da ist“ –, sind eine grandiose sprachliche Prägung, in welcher der Dämon von einem jungen Menschen, dem die volle Kraft des Guten eignet, besiegt wird. Was bedeutet aber hier das „Drohen“ mit dem Finger? Sokrates bejahte im Umgang mit den vornehmen Jünglingen Athens den Eros und verwandelte ihn durch Erkenntnis; sein Dämon sagte ihm, was er *nicht* tun solle, sein Tun war ein Sprechen, sein Sprechen entsprang der Vernunft und strebte zur Vernunft. Es gibt im „Stern des Bundes“ ein sprachlich außerordentliches Gedicht, das hierher gehört:

> Du trugst in holder scham die stirn gesenkt
> Ich ahnte wo dein buch im dunkeln liess:
> Wann geist wann leib bestimmt der Sinn . . dir weist
> Allein was achse ist was rollend rad,
> Wandelnd und bleibend heil, lebendige hand.
> Damals beim mahl griff dich des mahles herr:
> In seiner lohenden entzückung schwall
> Und in der inbrunst lang gestauten glücks
> Versank nicht nur der geist – es schwieg der leib
> Als spät du auf mein lager kamst geschlichen.

Dem Drohen entspricht in der Erfüllung ein Greifen, im „Brand des Tempels“ sogar ein Rauben. Dennoch ist dies auf den ersten Blick eine sokratische Situation, die so viel Ähnlichkeit mit der von Alkibiades im „Gastmahl“ beschriebenen hat, daß sich annehmen läßt, sie komme bewußt daher. Noch der großgeschriebene „Sinn“ scheint dies zu bestätigen. Aber die lebendige Hand und das Greifen der lebendigen Hand nach der anderen, des Mahles Herr und die Inbrunst lang gestauten Glücks unterschieben dem sokratischen Willen zur Vernunft und zur Lehre das antisokratische Glück der Person und ihr Streben nach Macht und Herrschaft über eine jugendliche Seele, deren reine Hingabe nicht aus Weisheit abgelehnt sondern aus magischer Einsicht verschoben wird. Sokrates war häßlich, und er wurde um des höchsten Schönen willen geliebt, aber noch in der Szene mit Alkibiades war sein Tun einfach ein Nichttun: die Drohung hatte im Bereich seines Geistes keinen Raum. Um so stärker ist die Wirksamkeit der Drohung im Bereich von Georges magischem Dämon.

Der Tod Maximins, der im Mittelpunkt von Georges Poesie seit dem „Siebenten Ring" steht, schließt die Entstehung großer Gedichte nicht aus, schließt aber eine bedenkliche Rückbeziehung auf den Menschen George ein. Hier sind in einen wirklichen Menschen, dessen eigentliche Entwicklung der Tod für immer verschweigt, Züge hineinkomponiert, die wechselweise die eines Gottes und die eines nationalen Genius sind. Verwey deutet auf das Problem, wenn er schreibt:

> Was von jung auf George am stärksten berührte, war nicht die Wirklichkeit sondern die Kulturgeschichte. Ihre Bilder stellten sich zwischen ihn und die Wirklichkeit. In dieser schon gebildeten Zwischensphäre fühlte er sich sicher. Dort fand er die Vorstellungen, die seiner Flächen-Kunst paßten, die er in seinem Vers nur mehr einzurahmen hatte. Der Teppich war von dieser Kunst die größte, die wahrhaft grandiose Erscheinung. Auch das Maximin-Erlebnis war im Wesen kulturhistorisch. Aber er wollte es für wirklich genommen sehen. Als solches erkannte ich es nicht. Ich wußte, daß die Konzeption von Maximin schon bestand, bevor Maximin selbst erschien. Ich sah in der Vergöttlichung der Wirklichkeit, die George begangen hatte, ein Zeichen innerer Krise, wobei aber die Phantasie Schaden litt. Ich stand mit diesen Gedanken gänzlich allein, und ich wurde darin bestärkt, als im Frühjahr 1914 Der Stern des Bundes erschien . .

In dem zweiten der drei Cyril Meir Scott gewidmeten Gedichte „Ein Knabe, der mir von Herbst und Abend sang" aus dem „Teppich des Lebens" heißt es: „Ja wie wir einst voll demut und verlangen/Uns zu des Heilands blutigen füssen bückten/So knien wir huldigend dem neuen Gott". Das moralische Problem wird deutlich in der Vorrede zu dem Maximin-Gedenkbuch von 1906, die der Dichter in die zweite Ausgabe von „Tage und Taten" aufgenommen hat, denn hier, wo George sich vorsetzt, in so einfachen Worten von dem ihm Widerfahrenen zu sprechen, wie etwa Claudel von seiner Erleuchtung in Notre-Dame gesprochen hat, gibt er seiner Erfahrung eine so ungeheuerlich weite Perspektive, daß in ihr Schein und Wesen unentwirrbar ineinander verlaufen. Das Gesagte ist weder zu beurteilen noch zu widerlegen, man kann nur sagen, daß kein Zug, ausgenommen der, daß ein wohlgebildeter Knabe gern und ergriffen aus den Dichtern vorlas, die er liebte, auf den wirklichen Menschen sich bezieht, von dem die Aufzeichnungen Maximilian Kronbergers einen so bestimmten Begriff geben. Dieser zitiert aber von George die wichtige Äußerung:

> Musik steht auf der tiefsten Stufe der Kunst. Sie ist die Kunst, die selbst den Tieren in einem bestimmten Grade eigen ist.

Georges Musikfeindschaft – welche die immerhin denkbare Feindschaft gegen die *moderne* Musik auf die *ganze* Musik ausdehnt – ist hier das Bekenntnis des abendländischen Willensmenschen, der mit den Tieren nicht jene einfachen Urlaute gemeinsam haben will, die den vergötterten Griechen in dem Leiergesang, der die Steine zum Mauerbau von Theben schichtete, selbstverständlich war. Eine solche Äußerung ist aber nicht nur im Sinne von Georges eigensten Intentionen falsch, sie ist auch und vor allem humorlos. Das Vorwort zu dem Maximin-Gedenkbuch zerfällt in Sätze. Diese sind teilweise schön, soweit Schönheit ohne Gehalt sich aufnehmen läßt. An manchen Stellen stößt die riesige Anspannung des Pathos gegen die Sprache, indem sie gegen sie verstößt. In einem gehaltvollen Sinne schön ist der Satz:

> . . was uns not tat war Einer, der von den einfachen geschehnissen ergriffen wurde und uns die dinge zeigte wie die augen der götter sie sehen.

Dennoch sind die einfachen Dinge in Georges Vermittlung nicht einfach. Zwischen Maximin und Maximilian Kronberger besteht keine Identität. Dieser war ein reiner und schöner Mensch, der jung hat sterben müssen. In seinem kurzen Leben hat er seinen Versen einige tiefe Seelentöne einverleibt, die nicht vergehen werden.
Einmal hat George mit Zungen gesprochen und an das Geheimnis gerührt, das er mit ins Grab genommen hat: wie es möglich war, daß Maximilian Kronberger trotz aller esoterischen und exoterischen Rede *wirklich* ein Gott, wirklich *ein Gott* gewesen sei. Er schreibt nämlich am 11.2.1911 an Gundolf:

> Was Du mir von *Percy* schreibst, fesselt mich sehr, und fordert als jugendstufe frei den vergleich mit *Maximin* heraus – Der aber stand glühend und gesättigt auf der göttlichen ebene, mit einem göttlichen wissen adonishaft in seiner erfüllung. der P. aber steht ganz auf menschlich heroischer stufe – voll wilden drängens und begehrens mit all dem streit schon im antlitz der den zum leidendtuenden bestimmten bezeichnet. – Wenn Du ihn siehst schreib mir nur immer von ihm.

Percy Gothein, 1896 geboren, war damals fünfzehn Jahre alt, etwa in dem Alter, in dem Maximilian Kronberger gestorben ist. Er war der Sohn des Historikers Eberhard Gothein in Heidelberg. Zu diesem stand George in persönlicher Beziehung, besonders auch zu seiner klugen Frau Marie-Luise Gothein, die das Haus beherrschte. Was aber fordert in Gundolfs Brief vom 3.2.1911 den Vergleich mit Maximilian Kronberger heraus? Da schreibt er:

> .. dafür räche ich mich an Dir durch die Mitteilung daß ich den Percy gesehen habe, schöner und mächtiger als je ... Er ist sehr wortkarg und hat etwas abgemessen unbändiges, hieratisch flegelhaftes in seinen Bewegungen, dem man schwer widerstehen kann. Am Tag als ich ankam, war gerade für ihn aus London eine große Kiste angelangt, enthaltend die Cäsarbüste des britischen Museums: er hielt sie im Arm und stellte sie vor mich hin ... wobei mir auffiel, wie wenig sein nicht nur schöner sondern intensiv bedeutender Kopf verschwindet neben dem überlebensgroßen Imperatorgesicht ..

Dann kommt etwas ziemlich Albernes auf lateinisch, das auf deutsch mit einem Fragezeichen in eckiger Klammer heißt: Dem Größten ahnte das heranwachsende Große. Und dann dies:

> Ich weiß ein paar lustige und bezeichnende Geschichten aus seiner Kindheit die ich Dir gelegentlich erzähle ... z.B. von seinem sagenhaften Appetit.

Das Ganze gibt ein überaus anziehendes Bild von einem jungen begabten Menschen, der berechtigte Hoffnungen erregt. Georges Einsicht in Wesen und Zukunft dieses jungen Menschen ist erstaunlich, und selbst die Übertreibung der „menschlich *heroischen* Stufe“

spricht nicht dagegen, denn sie ist entsprungen aus dem Gegensatz zu der *„göttlichen* Ebene". Dieser Gegensatz selbst ist höchst belehrend. Wir wissen nicht, wie Maximilian Kronberger, hätte er länger gelebt, sich entwickelt hätte. Wir können es ahnen: er hätte sich von George entfernt, wie Percy Gothein gegen den Stachel gelökt und schließlich sich von George entfernt hat. Viele Einzelheiten hierüber stehen in Salins Buch. Percy Gothein selbst hat nach Georges Tod überaus anziehend über seine Begegnung mit ihm als vierzehnjähriger Junge und über seinen Besuch in Bingen (Castrum Peregrini 1, 1951) geschrieben. Nun gibt es aber hier noch etwas Besonderes. Es ist unzweifelhaft, daß George diese Briefstelle *vergessen* hat, und es ist die Frage, ob man das kann: *diese* Briefstelle vergessen. Unter den „Sprüchen an die Lebenden" im „Neuen Reich" gibt es nämlich das Gedicht, das „P" überschrieben ist:

Du willst hinaus in land und meer manch jahr
Die Welt erkennen unter kampf und fahr,
Ein ungeweihter suchest du das leben
Drum schickt es dich zurück und wird nichts geben.

Das höchste was von gott dem menschen eignet
Kam vor dein haus, hat sich für dich ereignet.
Du sahest nicht: du bleibst dein leben blind
Du merktest nicht: du bleibst dein leben kind.

Dies ist ein starkes, noch in seiner Hybris menschliches Gedicht, in dessen zweiter Strophe in den ersten beiden Versen George pro domo spricht; die letzten beiden Verse der ersten geben den „ungeweihten" preis. Dieser Ungeweihte ist am 22.12.1944 in Neuengamme bei Hamburg gestorben, er ist aber nicht gestorben, wie das Personenregister in Böhringers Buch sagt, sondern in dem dortigen Konzentrationslager ermordet worden. Das Leben hat also doch etwas „gegeben": Leiden und das Opfer des Lebens für eine hohe Sache. Rückwirkend läßt Georges vielleicht richtige Einschätzung Percy Gotheins im Brief und seine falsche Einschätzung des gleichen Percy Gothein später einen Schluß zu, wie anders er Maximilian Kronberger hätte einschätzen können, wenn er nicht dieser Notwendigkeit wäre überhoben worden.

Die drei Gedichte, die unter dem Titel „Gebete" im „Neuen Reich" enthalten sind, gehen hörbar auf Maximilian Kronberger. Es sind je zwanzig ungereimte Jamben mit jeweils gereimten Schlüssen wie oft bei Shakespeare in den Dramen. Eine ferne Erinnerung an die Schlußreime der Sonette mag mitwirken. Die Intention geht auf die schöne und genaue Wiedergabe des in der fernen Vergangenheit Gelebten. Das erste Gedicht drückt Zweifel am Gelingen aus:

So schien mir dass aus meinem besten blute
Das bild nur abglanz sei der kraft und würde

Mein lied dem wahren gang mehr nicht entspreche
Als einem ding sein schatten auf der welle . . .

Der Schluß lautet:

Fügsam ein werker der sein teil vollendet
Will ich nicht mehr mit dichterworten klagen:
Da Du der höhere bist muss ich versagen.

Das klingt wie ein Abschied des Dichters. Das zweite Gedicht drückt noch tieferen Zweifel aus:

Mir bangt dass ich umwölkt von frost und starre
Auf die Verkündung minder tief vertraute
Und, was als eifer treibt in meine tage,
In dumpfen stoff mein feuer nicht mehr presste . .
Dass mir der schönsten leuchten führung fehlte
Und ich mich rückwärts in die nacht verlöre.

Das ist schon Verzweiflung. Ihr antwortet die volle Rückkehr des Ersehnten nach München. Ich zitiere den Schluß:

Erwartung zittert als ob jezt nicht ferne
Ein tor-gang hallte von ersehntem schritte:
Als wandeltest Du wieder neu gestaltet
In Deiner stadt wo Du für uns gewaltet.

Dieses „gewaltet" ist von dem göttlichen Zusammenhang, der dem frühen Toten von dem Dichter aufgezwungen wird, noch eben haltbar, das Ganze nicht unwürdig der Frühlingsstrophe aus dem Maximin-Gedicht im „Siebenten Ring“, einer der vollkommensten lyrischen Augenblicke in Georges Werk:

‚Frühling, wie niemals verlockst du mich heuer!
Dürft ich noch einmal die knospenden mai'n
Einmal noch sehen mit euch die mir teuer
Lieblichste blumen am irdischen rain!‘

Das dritte Gedicht enthält weder Zweifel noch Verzweiflung sondern Einsicht in die Grenzen. Es beginnt:

So hohes glück war keinem je erschienen
Dass er verharren dürft in seinem strahle,
Mit auf- und niedergang wird es bestehen . .

Dann geht es weiter:

Ich muss mich neigen überm dunklen brunnen,
Die form aus seinen tiefen wieder suchen –
Anders und immer Du – und aufwärts holen . .

Hier ist noch einmal: der Brunnen, aber „anders“ als der Born in „Das Wort“, denn das „Anders“ ist zwar „immer Du“, aber *auch anders.* Es ist bezogen auf jenes „Du“:

So lass geschehn dass ich an jeder freude
Gemäss dem satz des lebens mich entfache!

Und nun der große Schluß:

Da uns die trübe droht wenn wir nicht strömen
Reisst oft sich unser geist aus seinen grenzen:
Vom glorreichen beginn an webt er träume
In reihen endlos bis in spätste zonen
Verfolgt er zug um zug verwegne spiele . .
Zujubelnd den erahnten morgenröten
Hängt er verzückt in unermessner schwebe.
Dann wieder schaut er aus wo sich ihm weise
Ein fester stern – dein stern – zu stetem preise
Und wo ein ruhen sei im allgekreise.

Da klingt nichts mehr von Abschied aber auch nichts mehr von erstrebter Sprache. Das Leben des Dichters wird fortgesetzt, „endlos“, aber auch transzendiert in den Kosmos. Nicht bildet ein Reimpaar das *wirkliche* Ende, sondern ein *dritter* Reim wird hinzugefügt: „Und wo ein ruhen sei im allgekreise“. „Gebete“ sind das wohl nicht. In den „Meditationen um Stefan George“ von Peter Lutz Lehmann steht (S. 236) die schöne Stelle: „Es ist das ein Merkmal Nietzscheschen und Georgeschen Geistes: je mehr Leben in die Form gebannt wird, um so hoffnungsloser werden die Ausbruchsversuche dieser Kraft zurück ins amorphe Leben. Nietzsches Übermensch taugt so wenig zur Weltanschauung wie Maximin zur Religion. Die Kunst hält ihre Kinder fest – eifersüchtig wie Niobe“.

Das Werk

DER ARCHAISMUS

Es fällt auf, daß die Zeitgenossen Georges Sprache zunächst aus den verschiedensten Gründen als seltsam empfunden und allmählich sich zugeeignet, daß sie sie aber nicht für archaistisch gehalten haben. Der Einzige, der in der Epoche den Blick auf das Problem des Archaismus richtete, war Borchardt. Für ihn ist er die entscheidende Sprachfigur. Darum ist es besonders merkwürdig, daß er in seiner ersten programmatischen Äußerung hierüber, in dem Nachwort zum „Buch Joram“ (1907) sich auf George überhaupt nicht, dagegen mit besonderem Nachdruck auf Hofmannsthal bezieht, welcher die Sprache des Schlegelschen Shakespeare in die deutsche Dichtersprache einbezogen habe. Das Problem ist komplex, scheint aber zwei scharf geschiedene Aspekte zu bieten. Walter Benjamin hat gezeigt, daß wesentlicher als die paradoxe Frage, wie sich eine Übersetzung zu dem Original verhält und verhalten soll, die Frage sei nach der geschichtsphilosophischen Bedeutung des Übersetzens überhaupt, und er kommt zu dem Ergebnis, daß Übersetzen ein Ausdruck des „natürlichen“ Lebens der Werke sei und, wie „Kritik“, eine „Form“. In dem gleichen Sinne gibt es den Archaismus nicht nur als eine komplizierte Sprachfigur, von welcher alles Dichten Gebrauch macht und Gebrauch machen muß, sondern als eine *Form,* in welcher die Überlieferung das Überlieferte produktiv erhält, besonders in Zeiten des Verfalls: diese Zeiten können noch im Sinken der Kunst diesem Sinken, wie Aloys Riegl gelehrt hat, einen eigentümlichen Ausdruck geben. Anderseits sagt Benjamin in „Ursprung des deutschen Trauerspiels“: „Die barocken Übersetzer fanden Freude an den gewaltsamsten Prägungen, wie sie bei den Heutigen zumal als Archaismen begegnen, in denen man der Quellen des Sprachlebens sich zu versichern meinte. Immer ist diese Gewaltsamkeit Kennzeichen einer Produktion, in welcher ein geformter Ausdruck wahrhaften Gehalts kaum dem Konflikt entbundener Kräfte abzuringen ist“.
Borchardt stellt die Frage: „Und was ist überhaupt noch echt

archaisch, wenn alle Dichtung in fester Form archaistisch heißen soll?" Das Archaistische oder das Alexandrinische scheidet also aus wie jeder Verfall, und doch stimmt Borchardt in der Bejahung des archaisch interpretierten Kallimachos (310–238 a.D.), welcher langsam wieder ein großer Name werde, mit George überein, der in der Lobrede auf Mallarmé aus „Tage und Taten" die „schwergeborenen Verse des heißblütigen Ägypters" und ihre „klaren Dunkelheiten" geradezu gegen Homer ausspielt. Nach Borchardt hat nun das Archaische die folgende Funktion: „Alle Kulturen, in denen große Epochen der künstlerischen Produktion sich gefolgt sind, fassen den Begriff des Klassischen als ein aus Verpflichtung und Vorrecht gemischtes, nie aussterbendes Blutsverhältnis zu ihren archaischen Literaturen, als Möglichkeit und Notwendigkeit, sich des einmal für bestimmte Stoffkreise großartig ausgebildeten Tones als eines ewig statthaften wenn auch selten verstatteten, als eines außergewöhnlichen, aber darum nicht minder lebendigen, nachdrücklichst zu bedienen". Bei George scheint es sich um den gleichen Vorgang zu handeln, aber er wird dialektisch zersetzt, da zwar neue Sprache und neue Welt sich decken sollen, aber in Wahrheit nur alte Sprache und neue Welt sich decken: durch das Fehlen der alten Welt ist die neue ins Leere gesetzt und wird selbst archaisch. Gibt es Beispiele für eine solche archaische Welt? Im Grunde zeigt sie jedes Gedicht, und so müßte es unverständlich werden, wie etwa das „Templer"-Gedicht aus dem „Siebenten Ring", trotz der beiden allerdings sehr großen Schlußstrophen. Aber schon im „Jahr der Seele" ist zu lesen:

Ich schrieb es auf: nicht länger sei verhehlt
Was als gedanken ich nicht mehr verbanne,
Was ich nicht sage, du nicht fühlst: uns fehlt
Bis an das glück noch eine weite spanne.

An einer hohen blume welkem stiel
Entfaltest du's, ich stehe fern und ahne . .
Es war das weisse blatt das dir entfiel
Die grellste farbe auf dem fahlen plane.[1])

---

[1]) Victor Martin schreibt in einer französischen Besprechung der Fragmenta des Callimachus Vol. 1 (ed. R. Pfeiffer, Oxford 1949) in L'Antiquité Classique IX, 1950, p.

Was geht hier vor? Ein Brief wird geschrieben, eine Mitteilung empfangen. Sie ist traurig. Das weiße Blatt des Briefes ist der Maßstab für die Farbe des Empfängers. Der Schreiber beobachtet den Vorgang aus der Nähe der Wirklichkeit oder der Vorstellung. Diese Welt nun, in der etwas sehr Konkretes – und vielleicht Bedenkliches – geschieht, ist archaisch, aber dieses Archaische ist eine Fiktion: so soll einmal die Welt gewesen sein, damit so sie einmal wieder werde. Die entscheidende Qualität dieser fiktiven Welt ist –: die Schönheit. Borchardt will im Wege des zentralen Archaismus, der sich auf Wortwahl, Syntax, Vers, Rhythmus, Melos zugleich bezieht, die alte Welt erneuern. Das außerordentliche Dokument dieses Strebens ist das Nachwort zu seinem deutschen Dante, nach welchem er mit seiner Übersetzung der Commedia einen verlorengegangenen deutschen Dichter des Mittelalters vom Range Dantes durch eine Mischung von erfundener alter und eigener neuer Sprache *konstruieren* will, wissend, daß er selbst dieser Originaldichter nicht mehr sein oder werden, sondern nur etwas Altes, das neu oder etwas Neues, das

205: „Der Ausdruck ist von einem unvorstellbaren Raffinement. Zunächst vermeiden das Vokabular und auch die Morphologie freiwillig den üblichen Sprachgebrauch und schöpfen an allen Quellen, vom Archaismus bis zum Provinzialismus, um die Sprache zu erneuern und zu bereichern, ihr ein unerwartetes Kolorit, einen unerwarteten Akzent zu geben. Die mit einer bemerkenswerten Kühnheit behandelte Ordnung der Worte dient dem gleichen Ergebnis. Kallimachus ist dazu ein Virtuose der anspielenden Umschreibung, die um verstanden zu werden eine der seinen gleiche Erudition fordert. Aber das ist nicht alles. Man fühlt den Dichter durchtränkt von Literatur. Die ganze griechische Poesie von Homer bis zu ihm bewohnt seine Erinnerung. Diese liefert ihm für den Ausdruck alle Wendungen, die seine Vorgänger gefunden haben, und sie kommen im gegebenen Moment unter die Feder, wenn sie dem entsprechen, was er sagen will. Nicht daß man im mindesten die Anstrengung fühlte, das gewollte und systematische Verfahren, den Rückgang auf einen Zettelkasten. Es ist vielmehr die natürliche Wirkung einer reichen, lebenden, assimilierten, organischen Kultur. Wäre dem nicht so, das Ergebnis würde den Eindruck des Kunststücks machen statt vielmehr den des offenbaren Raffinements. Diese Facetten des Stils reflektieren bald Homer, bald Hesiod, bald diesen oder jenen Lyriker oder Tragiker, Aeschylos, Archilochos oder Sappho. Die Verse des Kallimachus sind voll vom Echo dieser großen Stimmen. Es tönt darin oft auf die diskreteste Art, durch die Vermittlung eines Wortes, einer Wendung, einer Biegung oder eines traditionellen genial angepaßten Ausdrucks". Dies könnte auf Borchardt zutreffen, und es ist nur die Frage, ob Kallimachus ein archaisierender oder ein archaischer Dichter ist, welcher zu sein Borchardt anstrebt.

alt erscheint, schaffen könne. „Die Sprache, in die ich übertrug, kannte ich weder als solche noch konnte es sie als solche gegeben haben, das Original warf erst ihren Schatten gegen meine innere Wand: sie entstand, wie eine Dichtersprache entsteht, ipso facto des Werkes." Die Grenze dieser großen Bemühung liegt in der Einsicht, daß dieser alten Sprache keine eigentlich neue entspricht, aber auch, indem er bewußtseinsmäßig der neuen zustrebt, keine fiktive.

Das Fiktive seiner Welt führt George und seine Sprache in zwei Richtungen, welche gegeneinander wirken und sich dennoch ineinander verschlingen: in die Richtung der gesprochenen Nüchternheit und die des ungesprochenen Archaismus. Für die erste Richtung gibt es die häufigsten Beispiele vom „Siebenten Ring" ab, als das lyrische Gedicht endgültig in das Lehrgedicht überzugehen beginnt, aber auch früher sind sie vorhanden. Im „Jahr der Seele" beginnt ein besonders schönes Gedicht mit dem Vers: „Der lüfte *schaukeln* wie von neuen dingen". Also, wie Wellen schaukeln, aber eigentlich schaukeln sie das Schiff, welches der unausgesprochene Beziehungspunkt ist des intransitiven Schaukelns, so könnten die Lüfte schaukeln: den Menschen, welchen die „neuen dinge" schwanken lassen und schaukeln machen von den Wellen der Lüfte. Der Ausdruck hat den Bildvorgang bis zum Verschlucktwerden konzentriert, nun steht er in einem nackten Realismus da, dessen gewollte Wortbedeutung stört, ehe der Bildsinn erfaßt ist. Diese Störung ist noch eindeutiger und härter im Anfang des schönen Gedichts „Morgenschauer" aus dem „Teppich des Lebens": „Lässt solch ein schmerz sich *nieten*/Und solch ein hauch und solch ein licht?" Dieses Wort kam schon einmal vor, in dem Gedicht „Die Schmiede" aus der „Fibel", aber da gehörte der Begriff, so problematisch er auch in Verbindung mit der „Seele" war, mindestens zu der Anschauung einer Schmiede, denn diese wird wirklich dargestellt, bevor ihr eine Symbolbedeutung zuwächst. In „Morgenschauer" verwendet George bei gewachsener Sprachkraft den Ausdruck für eine ihm unangemessene Sphäre mit souveräner Weglassung jeder Verdeutlichung. Später, wenn die Forderung, den Symbolcharakter des Wortes zu empfangen, zurücktritt hinter der Behauptung, das Wort gebe bündig erfahrene Realität wieder, heißt es einfach wie in dem Gedicht „Der Krieg": „Lang hab ich roten schweiss der angst geschwizt", und der Leser soll sich diese häßliche Vorstellung als eine reale zueigen machen, nicht ohne sie noch

immer als schön zu empfinden. Ein ähnlicher Ausdruck bei Dante entspräche genau dem Gemeinten seiner realen Welt der Phantasie. Die Archaismen Georges sollen, wenn sie im Reim stehen, den Ausdruckswert des Reimes steigern, wenn sie im Satz stehen, das Archaische der dargestellten Welt unterstreichen.
Für jenes gibt es ein prägnantes Beispiel im „Jahr der Seele". Es ist die letzte Strophe aus dem Gedicht in „Sieg des Sommers", das beginnt: „Die reichsten schätze lernet frei verschwenden". Der Dichter fordert auf, zu der Schönheit der Welt sich frei und froh zu verhalten, und darum sagt er:

> Und törig nennt als übel zu befahren
> Dass ihr in euch schon ferne bilder küsstet
> Und dass ihr niemals zu versöhnen wüsstet
> Den kuss im traum empfangen und den wahren.

Werfen wir zunächst einen Blick auf „törig" – obwohl es nicht der tragende Archaismus der Strophe ist –, denn auch er führt auf einen wichtigen Sachverhalt: dieser Archaismus entspringt Georges puristischen Tendenzen, hier nicht im Sinn der Verdeutschung eines Fremdworts, sondern im Sinne der Vermeidung häßlicher Klangbilder wie des cht in „töricht". So führt er im „Stern des Bundes" auch das obsolete „fodern" wieder ein, aus den gleichen Gründen. Dieser Purismus ist in seiner hartnäckigen Durchführung ein ebenso bewunderungswürdiges wie antigeistiges Prinzip, welches bei Bereicherung des Klangwerts der Sprache den Sprachgeist verarmt, während das Schalten mit dem in einer Epoche gegebenen Sprachmaterial es als töricht erscheinen ließe, törig zu sagen, oder zu fodern, wo eben dies zu lassen der Geist fordern müßte, auch wenn es weniger schön wäre. Wahrscheinlich ist es mehr als ein Kuriosum, daß der Titel eines herrlichen Gedichts im „Neuen Reich" nicht die törige sondern „Die törichte Pilgerin" heißt. George hatte wohl das sichere Gefühl, daß dem Archaismus unwägbare Grenzen gesetzt sind, besonders im Titel. Vom Blickpunkt der „Schönheit" aus wäre vielleicht die deutsche Sprache, vergleicht man sie mit anderen Sprachen, wenig beispielhaft, während gerade in der Überwindung des „häßlichen" Materials durch den Geist ihre ungeheuren Möglichkeiten liegen, welche glücklichere Sprachen wie das Französische trotz aller eigenen Vollkommenheit nicht einmal ahnen können. Dies und nur dies

war die große Entdeckung, die Karl Kraus im Verlauf seines geistigen Lebens gemacht und entfaltet hat.
Die tragende Metapher der zitierten Strophe ist aber nicht „törig“ sondern „befahren“, wo der Klang des Fahrens so stark ist, daß es einer starken Kraft der Reflexion bedarf, um zu erkennen, daß das Wort gar nicht in dieser Bedeutung gemeint sein kann. Es handelt sich vielmehr um ein schwaches Verbum, das mit dem englischen to fear zusammenhängt wie mit dem deutschen „Gefahr“; es bedeutet „befürchten“ und kommt bei Jean Paul vor, wie auch in einer Calderon-Übersetzung von Gries, wo es nicht im Reim steht. Dies ist also ein Fall, wo der Archaismus dem Wort einen Reiz gibt, den es ursprünglich nicht hatte und welcher durch den Klangwert im Reime verstärkt wird. Von dieser Art gibt es bei George viele Archaismen, deren Sprachwert der gleiche sein dürfte wie der der Fremdwörter bei Rilke, wenn sie im Reim stehen, es ist ein ästhetischer Wert, in dem der eigentliche Wert des Wortes sich zu verflüchtigen Gefahr läuft. Dieser bricht erst dort durch, wo es dem Dichter gelingt, die ästhetische Reizschicht zu durchbrechen, wie es den Fremdwörtern bei Heine als Ausdruck für eine reale, für eine deutsch-französische Sprachwelt mindestens im Prinzip eigen ist. Paradoxerweise ist gerade Heine manchmal puristisch, und zwar in der überzeugendsten Art, wie etwa in jenem „Gott *Amur*“ aus dem letzten Gedicht „Für die Mouche“.
Bei George ist dieser Sachverhalt um so schwerer zu erkennen, als der ästhetische Reiz sich durch einen magischen verstärkt. In dem schönen Jagdgedicht „Die Jagd hat sich verzogen“ aus dem „Jahr der Seele“, wo die Jagd wahrscheinlich eine symbolische Bedeutung hat, lautet die letzte Strophe:

> Nur still! schon dringt er näher.
> Dir schien verirrter späher
> Im widerschall der hiefe
> Dass jene stimme riefe.

„Hiefe“ ist nach Grimm die alte gute Form für „Hift“, volksethymologisch „Hüft“, aber das Hifthorn hat mit der Hüfte nichts zu tun, sondern nur mit dem Laut, den die Jäger blasen, und ertönt schon bei Schiller in Maria Stuart, und es dürfte kaum einen Deutschen geben, der die bessere Form ohne ein Wörterbuch verstehen könnte. Der

Klang des Wortes „Hiefe“ ist vokalisch reiner und stärker und die Strophe an sich so schön, daß dem Geheimnisvollen des Vorgangs das Geheimnisvolle dieses Lautbilds suggestiv entspricht: dazu ist der Gebrauch des Wortes geistiger als der von „befahren“, wo der Leser nicht an „fahren“ denken darf und doch den Klang davon im Ohr hat. Das Prinzipielle bleibt problematisch, aber der Einzelfall bedeutet eine hohe Stufe der Sprachgestaltung. In dem rätselhaft starken Gedicht „Die Becher“ aus dem „Neuen Reich“ lauten die Anfangsverse so:

Sieh hier den becher golds
Voll von funkelndem wein –
Jedes hat einen schlurf!

Dieser „schlurf“, auf den der „wurf“ der Würfel reimt, ist nach Grimm selten und kommt nur in *niederer* Rede vor; George erhöht sie. Der Ausdruck entspricht einer archaischen Symbolwelt zwischen Wein und Würfel, zwischen göttlichem Schicksal und dämonischer Entscheidung. Es ist möglich, daß das Schlürfen der Qualität des Weines besonders gerecht wird, aber so sehr hört George als Dichter mit den Ohren der Vergangenheit, daß ihn der Mißeindruck bei der Wortwahl nicht beeinflußt, wenn er einen starken männlichen Reim braucht. Stark ist der Reim ohne Zweifel, aber kraft eines anderen, und höheren, Sprachprinzips würde ein anderer Dichter eine solche Strophe und selbst das Gedicht preisgeben. Neben „befahren“, welches nur einmal vorkommt, steht faktitiv „schweigen“, ein Verbum, das die heutige Sprache nur oder wieder in „totschweigen“ kennt oder in Verbindungen wie „verschweigen“ oder „beschweigen“. Es kommt mehrfach vor, in dem Anfangsvers des schönen Gedichts aus den „Pilgerfahrten“: „Schweige die klage“, in den „Gräbern in Speier“ aus den „Zeitgedichten“ des „Siebenten Ringes“, wo es von Heinrich IV. heißt: „Doch wer ihn wegen sack und asche höhnte,/Den schweigt er stolz“, zuletzt im „Neuen Reich“, in jenem düsteren Zwiegespräch „Victor-Adalbert“ nämlich aus den „Sprüchen an die Toten“, wo zwei junge Menschen, erotisch aneinander gebunden, im Weltkrieg, genauer: im Kampf gemeinsam Selbstmord begehen, um sich dem kommenden Verfall zu entziehen, indem der eine den anderen überredet, welchen kein „götterwink“ lenkt, sondern nur die Liebe zu dem Freunde. Das sachlich Undiskutierbare dieses Geschehens in Georges Auffassung und Darstellung ist eben das Archaische: die Tyrannenmörder Harmodics und Aristogeiton werden heute, um zu „blühen wie die ewigen sterne“, zu Selbstmördern, welche den Krieg bejahen aber den Zerfall verneinen. Der Selbstmord des Einen, der nur diese Möglichkeit des radikalen Protestes gegen den Krieg hätte, würde nach Georges heroischer Auffassung ohne Wahrnehmung des moralischen Problems als zersetzend empfunden werden; denn die Forderung, auch im „zerfall“ natürlich und sittlich zu *leben*, wird von ihm nicht mehr als für allein vorbildlich gehalten. Das Verkehrte dieser Weltbetrachtung wird so zwingend durchgeführt, daß die große Sprache fast über das Dämonische hinwegtäuscht, besonders dort, wo der Ungeweihte und nur Gehorchende dem Träger der Weihe vergebens vorhält:

Gemahnt ich dich wen all du weinend lässest
Und triffst – wie tief – durch ein unfassbar tun:
So schweigte mich dein wuchtigeres wort.

Der letzte Vers ist das genaue sprachliche Abbild von dem geistigen Übergewicht des Freundes, und das als Archaismus ungebräuchliche Wort „schweigte“ wirkt als schwaches Imperfekt eines transitiven Verbums stärker als die umständliche Sprachform „schweigen machen“. George bevorzugt sonst eher die starken Formen, wie in dem Gedicht „Wellen“ aus dem „Siebenten Ring“ die starke einsilbige Form „jug“ statt der schwachen zweisilbigen „jagte“. Hier liegt die Wirkung gerade darin, daß das Faktitive des Schweigens in der Verteilung auf zwei Silben sich stärker erstreckt. Weniger geglückt ist der Archaismus in den Versen aus dem „Stern des Bundes“:

Nun probt nach sinn- und klangnetz zum Gestirnt
Das grössre wunderwerk der endlichkeit!

Hier ist kein entscheidender Grund erkennbar, warum das von dem Althochdeutschen abgeleitete „Gestirnt“ überzeugender wirkt als das heutige „Gestirn“. Dagegen ist „tucht“, worauf „wucht“ reimt – „So weit eröffne sich geheime kunde,/Dass vollzahl mehr gilt als der teile tucht“ –, in einem anderen Gedicht aus dem „Stern des Bundes“, wo der Gedanke des Kreises geistig gerechtfertigt werden soll, von hoher Wirkung, denn dieses Wort hält ausdrucksreich die Mitte

zwischen der Tugend und der Tüchtigkeit, es ist in seiner einsilbigen Konzentration sehr stark.
Es kommt nun nicht darauf an, alle Archaismen durchzugehen, die bei George vorkommen; philologische Vollständigkeit wird nicht angestrebt, es soll nur das Prinzipielle des Verfahrens ins Licht gerückt werden. Von besonderem Interesse sind aber Archaismen dort, wo ihre Funktion darin besteht, das Magische von Georges Welt sprachlich zu erhärten. Borchardt sagt in seiner Kritik des „Siebenten Ringes“: „Gedichte wie ‚Sonnenwendzug‘ und ‚Hexenreihen‘ haben gerade durch ihre äußerste Brüchigkeit und richtig verstanden Häßlichkeit bei der Größe, die sie trotzdem nicht verleugnen, ein Interesse, das über Gefallen und Mißfallen hoch erhaben ist“. Dazu heißt es dann noch in einer Anmerkung: „So ist der Versuch, in ‚Hexenreihen‘ das Schauerliche malerisch zu gestalten, bei einem großen wirren Worthaufen stehen geblieben“. Aber dieser wirre Worthaufen ist eben ein magischer, und darum finden sich in diesen sechs Strophen sechs Archaismen, während sich in „Sonnenwendzug“ keiner findet. Der Unterschied dürfte daher kommen, daß dieses Gedicht ungereimt ist und jenes gereimt und daß dort mit einer Ausnahme alle Archaismen im Reim stehen, um das Beschwörende hervorzubringen, wie es die Hexen von ihrem positiven Erleben des Negativen mitteilen; der Drud in dem späten Dialog „Der Mensch und der Drud“ aus dem „Neuen Reich“ spricht das Positive des Zaubers positiv aus. Beide haben auf verschiedenen Stufen der Erkenntnis Unrecht, aber beide drücken dieses Unrecht in einer sehr starken Sprache aus, auch wenn es nicht die höchste wäre. Es bleibt unklar, ob die „Geschlechter falschen spanes“, als die die Hexen sich bezeichnen, von Gespenstern abhängen oder – nach dem niederdeutschen „Spane“ – von einer falschen Brustwarze, aber ihre Augen sind „glau“, sie sehen scharf in der Nacht, wie in Wilhelm Buschs entzükkender Allegorie auf den Humor der Kater „mit Krallen scharf, wie Augen gluh“ (= glau) auf den Vogel starrt, der keine Zeit verlieren und „noch ein bißchen quinquilieren“ will, weil ihn doch der Kater frißt. Wie die Hexen „was lebend ist und tot“ an sich ziehen, entsprechen den Sternentiefen, aus denen es fliegt, die Erden„riefen“, aus denen es taucht, und das sind niederdeutsch kleine Rinnen in Holz oder Stein oder altnordisch Ritzen. Die letzte Strophe lautet:

Euch stach man nie den star.
Ihr wandelt blöd und dumpf
Wir feiern fest am sumpf
Am wasen der kafiller . .
Im giftigen fosforschiller
Sehn wir das wesen klar.

Dies ist keineswegs wirr, wie Borchardt will, sondern eben dieses Wirre möchte sich als Wahrheit mitteilen. Hier wird der falsche Zauber vom wahren abgegrenzt, durch welchen zwar das „Leben", das nach Nietzsche der Gegenpol der Wahrheit ist, „wach" bleibt, wie der Drud verkündet, aber nicht diese. Dennoch ist dieser „Wasen der kafiller" als Ort der letzten magischen Gesunkenheit alles Menschlichen und der Hexen, die nur hier zuständig sind, von dämonischer Wucht und Wirkung. „wasen" ist gleichbedeutend mit dem jüngeren „Rasen", welcher im 14. Jahrhundert aus dem niederdeutschen „wrase" sich entwickelt. Die engere Bedeutung ist der trostlose Ort, wo der Abdecker den toten Tieren das Fell abzieht, und dieser heißt mit einer Bezeichnung aus dem Rotwelsch der „kafiller". Das Wort kommt, wahrscheinlich auf dem Umweg über die Gaunersprache, aus dem Hebräischen.
Dieses Gedicht enthält aber auch in der ersten Strophe den „Fug", welcher neben „Denkbild" und „Ewe" zu einem der magischen Zentralbegriffe des Dichters sich entwickelt. Goethe sagt: „So entschlossen wir uns, über die deutsche Sprache und über den Fug und Unfug, welchen sie sich jetzt muß gefallen lassen, ein Wort mitzusprechen". Bei Voss heißt es: „daß wo herrischer Trotz dunkelte, Licht und Fug/Und allsegnende Freiheit siegt". Schlegel läßt Lear bei Cordelias Leiche sagen: „Wohl hab ich Fug zu weinen, doch dies Herz/Soll eh in hunderttausend Scherben splittern,/bevor ich weine". In dem schönen Sterbelied des Herzogs Anton Ulrich von Braunschweig steht der Vers: „Ich hab es endlich guten Fug". Aus diesen Beispielen erhellt, daß das Wort, das mit Fug und Recht hätte sollen erhalten bleiben, aber nur noch in dieser formelhaften Wendung erhalten ist, im „Unfug" eine lebendige Bedeutung angenommen hat, deren negative Schärfe ehedem, wie aus dem Goetheschen Satz hervorgeht, abgeschwächt war, da sie den sanfteren Fug wenigstens durchschimmern ließ, wovon heute nicht mehr die Rede sein kann. Statt des Fugs

gibt es die steife Befugnis, aber auch die Fügung (die in sprachlichen Zusammenhängen oft bei Karl Kraus vorkommt) macht ihn anklingen. Nimmt man dazu das Gefüge, so sind die sprachlichen Grundlagen gegeben, auf denen das magische Machtwort des Georgeschen Fugs sich aufbaut, welcher an entscheidenden Stellen vorkommt, aber auch stereotyp gebraucht wird. Das Gedicht aus dem „Stern des Bundes", das lehrt, den Feind innen zu erschaffen, falls er nicht von außen komme, beginnt mit den Worten: „So will der fug". Wirklich kommt das Wort vor dem „Siebenten Ring" kaum vor, und nicht zufällig beginnt das Gedicht auf Holbein „Wahrzeichen" aus dem „Teppich des Lebens" mit den Worten: „So ist bei uns das Loos". Das ist die gleiche Formel, nur daß sie aus einer antiken Welt der Schönheit noch nicht übersetzt ist in den „Fug" einer mehr germanischen Welt des Zaubers, obwohl doch bereits ein deutscher Künstler gefeiert wird. Aber daß diesen Fug ein Moment des Schicksalhaften umwittert, wird ganz deutlich. Im „Stern des Bundes" wird der „fug von scholle und gesteinter tenne" beschworen. Hier klingt das Gefügte mit, und zu dieser Stelle gehören die Worte aus der Rede des Drud:

> Die erden die in dumpfer urnacht atmen
> Verwesen nimmer, sind sie je gefügt
> Zergehn sie wenn ein glied dem ring entfällt.

Das dunkle „je" scheint darauf hinzudeuten, daß in dem metaphysischen Bereich, wo der Drud Existenz hat, ihm die Aufgabe zufällt, die dumpfe Urnacht der Erde durch das Fügende, das Zusammenfügende seines Zaubers bewohnbar zu machen, während die Tätigkeit des Menschen sprengend ist: ein Glied entfällt dem Ring – der sich hier unzweideutig als magisches Symbol erweist –, und der Zusammenhang des Ganzen ist an *allen* Stellen durchbrochen. Es kann aber der Fug auch das Unabwendbare eines Schicksals darstellen, das der Geist möchte ungeschehen machen, wie in dem Gedicht „Hyperion" aus dem „Neuen Reich" Hyperions Klage auf den Untergang der griechischen Kultur:

Weh! ruft der tausende schrei:
dass dies musst untergehn!
Dass nach dem furchtbaren fug
leben am leben erstirbt!
Weh! auf des Syrers gebot
stürzte die lichtwelt in nacht.

Der Untergang der Antike, der Aufgang des Christentums sind durch einen *Fug* verknüpft, kraft dessen Leben am Leben ersterben müsse. Möglich ist noch die Klage, aber das Christentum muß George als gleichwertiges Leben anerkennen, er kann es als mythischer Mensch nur bekämpfen, indem er es als geheimes Fortleben der Antike bejaht, und nur Nietzsches radikale Abwendung vom Mythos kann das Unmögliche wagen: den weltgeschichtlichen Fug zu durchbrechen und dem Christentum den offenen Kampf anzusagen. Er hat nicht durchschaut, daß dieser Kampf, wenn er gegen den Mythos im Namen der Vernunft erfolgt wäre, würde gegenstandslos gewesen sein. Da er aber auch gegen die Vernunft und gegen die Wahrheit gerichtet war, so blieb ihm in Händen nur jenes Nichts, von dem er die Menschheit erlösen wollte, allerdings nach einer Anstrengung des Geistes, der George als ein Dichter überhoben war. Dagegen legte dieser in dem „Gespräch des Herrn mit dem römischen Hauptmann" aus dem „Neuen Reich" mit einer fragwürdigen Gelassenheit sein eigenes Bekenntnis *für* das Christentum nieder. Das Zweideutige dieses Bekenntnisses verrät sich darin, daß an jeder Stelle dieses einheitlichen Ganzen, wo der Gedanke mächtig Ja denkt, die Sprache noch mächtiger Nein sagt und die Welt des Geistes und der Wahrheit dem biologischen Schein der Wahrheit zum Opfer fällt: der „Herr" weist im Namen der Wahrheit, die er nicht nennt, ohne zu erhärten, daß er sie besitzt, den Gläubigen ab, der sie anzunehmen bereit wäre. Dieses Gedicht ist im Ausdruck ganz nüchtern, um so seltsamer wirkt es, daß sich gerade hierhin ein Archaismus verirrt hat, als nämlich der Hauptmann die Frage stellt:

Du predigst nie den Weisen sondern ärmstem leut
Den fischern zöllnern für dein licht zu unbelehrt?

Dieses „leut" ist ein Kollektivsingular für „Volk", der sich nach Grimm in Bayern und Österreich im Dialekt noch heute findet, und

doch überzeugt diese partielle Lebendigkeit eines Wortes nicht, bei dem die Unangemessenheit des Volks für diesen Zusammenhang richtig gefühlt sein mag, wenn zugleich die armen Leute sprachlich wie sachlich anklingen, aber mit ihnen würde die Sprache die Sache der Armut vielleicht deutlicher vertreten, als es George erwünscht gewesen wäre. Er blieb im übrigen einem Fuge treu, desssen Sprengung durch die Vernunft er ablehnte; er wollte und konnte nicht erkennen, daß nur auf dem Wege der Vernunft einmal der Mensch in echtem Stehen auf dem Boden einer gerechten Ordnung den Drud belehren könnte.
Innerhalb der bedingten aber schönen Sphäre des Dichters ist schöner als der schroffe Anspruch jenes Fugs das Reimpaar, das den „Liedern" des „Neuen Reichs" als Motto voransteht:

Was ich noch sinne und was ich noch füge
Was ich noch liebe trägt die gleichen züge

Das ist von hoher Einfachheit der Aussage, und dazu bleibt das Fügen der Sprache werktreuer als der Fug. Am schönsten freilich ist der Anfang von „Burg Falkenstein" aus dem „Neuen Reich":

Zur bewaldeten kuppe
    stieg ich an neben dir
Wo auf rauh-gradem eckturm
    sich der rundturm erhebt
Und aus verwitterter fuge
    ein lebendiger baum.

Der lebendige Baum entspringt der Fuge als einem neuen Wort; die Kraft der Sprache macht es zu einem alten. Sie bietet für Archaismus keinen Raum mehr. Sie zeigt, wo *sie* will, welch ein Dichter George wäre, wenn er nicht mehr hätte sein wollen, und welch ein Dichter er ist, wo er sich bescheidet.

DIE FIBEL

> *... da Hofmannsthals Stimme sich unversehens auf einem Gedicht der „Fibel" niederließ und die Kühlung der frühesten Georgeschen Dichtung zum ersten und zum letzten Male aus der Ferne mich anwehte.*
>
> Walter Benjamin

Borchardt schreibt über diese Sammlung, die George 1901 herausgegeben und später als ersten Band in die Gesamtausgabe seiner Werke aufgenommen hat, die folgenden Sätze:

> Der Knabe schreibt Verse, die der Mann bereits sehr schnell veröffentlicht hat, in einer Auswahl, die nur den Sinn gehabt haben kann zu zeigen, daß kein Einfluß, keine Lektüre, kein deutscher Lieblingsdichter auf seine Spiele gewirkt hat, dieser Nachweis ist ihm gelungen. Das Kind, das diese nüchternen und tonlosen Zeilen gereimt hat, scheint in einem Vacuum ohne jedes Erbe zu leben und seine Sprache fast zu schreiben, um sich erst in ihr zu üben wie in einer fremden. Einzelnes klingt wie die französischen Verse, die russische Kinder machen, und „Romanzen" aus französischen Lesebüchern können noch am ehesten als Formwelt hinter manchen der leeren und dünnen aber ganz phantasielosen, verständigen und correcten kleinen Apologe (= Lehrfabeln) gestanden haben.

Diese Sätze stehen in dem Aufsatz zu Georges sechzigstem Geburtstag „Die Gestalt Georges", in welchem Borchardt, an Deutschland völlig verzweifelt, zu verschweigen scheint, was ein Leben lang Gegenstand seiner wahrhaft herstellenden Kritik gewesen ist, ja dieses Verschwiegene sogar positiv deutet. Daher kommt es, daß er die Frage überhaupt nicht stellt, wie ein Dichter nicht als ein alter sondern als ein noch junger Mann auf der Vorhöhe seines Lebens seine eigenen, in Vorwort und Geleitversen ausdrücklich als unreif zugestandenen Verse publizieren könne. Dieser Willensakt, der in der Geschichte der Dichtkunst ohne Beispiel sein dürfte, läßt sich zweifach betrachten. Deutet er auf ein ungeheures Selbstgefühl, indem der

Dreiunddreißigjährige es wagt, das Interesse seines Publikums für seine tastenden Anfänge in Anspruch zu nehmen, so gibt andererseits das vollzogene Faktum wirklich einen Einblick, und zwar einen solchen, wie ihn die späteren Schöpfungen gerade in ihrem Kunstwert versagen, denn sie sind schon zu der vom Dichter gewollten Gestalt verschlossen. Diese Verse dagegen lassen ahnen, was er hätte werden können, denn sie sind offen wie die frühe Natur eines Menschen, in welche eben der Geist fährt, und zeigen darum mehrere Wege, deren einen der Dichter später gegangen ist.
Borchardt unterliegt geradezu – oder er gibt sich den Anschein, als wenn er es täte – Georges späterer Selbststilisierung, wenn er den Nachdruck darauf legt, daß diese Gedichte an keine Vorbilder in der deutschen Dichtung anknüpfen. Das ist auf weite Strecken richtig, und doch ist mindestens der Einfluß Heines nachweisbar. Auch die Kritik der Tonlosigkeit ist richtig, aber diese Tonlosigkeit drückt sich doch aus, und gerade das Fehlen des eigenen Tones erlaubt es, den Blick auf den Stoff und auf die Motive zu richten und so Aufschlüsse zu empfangen, die erst im Absehen von dem erreichten Kunstwert möglich sind. Es mag sich dabei zeigen, daß gerade die Liebe hier als formende Kraft durchsichtig wird.
Wenn es am Ende von „Erster Frühlingstag“ heißt:

Heut ist mein erster lenzestag.
Gierig trinkt seine wonnen ein herz
Das starker regungen bar
zu kleinen lieben sich zwingt
Und nach einer grossen vergebens ringt,

so zielt der Gegensatz zwischen einer kleinen Liebe, die vorhanden und einer großen, die ersehnt wird, hinter der stellenweise gerade sprachlich „starken“ Ehrlichkeit des Bekenntnisses auf jenen Stilisierungs- und Interpretationsprozeß, der etwa Verwey sagen läßt, daß der Wille zu Georges entscheidendem Erlebnis schon *vor* der Begegnung mit Maximilian Kronberger da war. Der Bann der petrarcistischen Konvention, kraft dessen der heroische Dichter auf eine heroische Geliebte müsse bezogen sein, scheint nachzuwirken. Nicht ohne Grund findet sich schon in der ersten Ausgabe der „Fibel“ die Übersetzung eines Sonetts von Petrarca, während eine besondere Abteilung „Übersetzungen“ erst für die Gesamtausgabe hinzugefügt wurde. Im Gegensatz zu jenem Bekenntnis ist das folgende, im Buch vorher gedruckte und vielleicht auch zeitlich frühere Gedicht nicht nur von starker Subjektivität, sondern auch in einem besonderen Grade offen:

Sei stolzer als die prunkenden pfauen
Sei tückischer als der schlangen brut
Sei launischer als alle frauen
Nichts edel sei an dir und nichts gut:

Warst du es nicht die im jungen herzen
Zuerst die glühende liebe entfacht
Zuerst es belehrt über freuden und schmerzen
Zuerst ihm gezeigt eine irdische macht?

Warst du es nicht vor der ich gezittert
Der ich vor niemandem bebend stand?
Hast du nicht ein leben versüsst und verbittert
Und lange gelenkt mit der schwachen hand?

Bring mir nur leid und ewiges grämen
Nichts edel sei an dir und nichts gut!
Darf ich mich schelten muss ich mich schämen
Wenn immer noch flackert die alte glut?

Dies ist ein Jugendgedicht, von einer Direktheit der Aussage, wie sie George sich später verboten hat, und im Mittelpunkt steht die Liebe in der Form des Kampfes. Dieses Motiv steht in einer geraden Folge von Catull über einige starke Gedichte von Daumer zu Borchardt. Der Riesenschrei des Catull kann nie verhallen, und der sanfte Mörike, der ihn im Herzen seines Herzens erlebte, hat ihn so übersetzt: „Hassen und lieben zugleich muß ich. – Wie das? – Wenn ich's wüßte? Aber ich fühl's, und das Herz möchte zerreißen in mir". Oder wie es in „Stunden mit Borchardt" von Hugo Schäfer[1]) heißt, noch leidenschaftlicher: „Hassen und lieben zugleich, und warum, so magst du mich fragen,/Weiß nicht, aber ich fühl's innen und bricht mir das Herz". Das Original – besonders das ungeheure excrucior am Schluß – erreichen rechtmäßig beide nicht. Immer wieder wird die Not den

---

[1]) In: Die literarische Welt II 15, 1926.

Menschen zwingen, den Schrei des Catull zu variieren. George hätte ihn auch später hören können, als er Shakespeares Sonnette übersetzte, denn die Größe des Genius wurzelt ganz in dem hoffnungslosen Kampf zwischen den Fehlern eines Jünglings und den Makeln der Schwarzen Dame, aber da war er schon entschieden und sah nur „die weltschaffende kraft der übergeschlechtlichen liebe", wie es in dem Vorwort zu seiner Übersetzung heißt. Diese übergeschlechtliche Liebe ließ keinen Kampf mehr zu, in dem die Liebe gerade wegen der Fehler des Geliebten gerechtfertigt wäre: Fehlerlosigkeit ist der Stolz und das Stigma dieser Liebe. In diesem Jugendgedicht aber zerbricht das Selbstbewußtsein, dem *Unwert* der Geliebten sieht die Liebe in die Augen, sich beugend vor dem Stolz des Pfauen, welcher eigentlich die Eitelkeit ist, an der die Liebe hängt, und frei strömt der Dank aus. Zu diesem Gedicht in einer tiefen Beziehung steht das Gedicht „Wechsel" aus den „Zeichnungen in Grau":

Ich sah sie zum erstenmal . . sie gefiel mir nicht:
Es ist an ihr nichts schönes
Als ihre schwarzen schwarzen haare.
Mein mund berührte sie flüchtig eines tags
Und sehr gefielen mir ihre haare
Und auch ihre hand . .
Es ist an ihr nichts schönes
Als ihre haare – ja – und ihre feine hand.
Ich drückte sie etwas wärmer eines tags
Und sehr gefiel mir ihre hand
Und auch ihr mund.
Heute ist nichts mehr an ihr
Was mir nicht sehr gefiele
Was ich nicht glühend anbetete.

Dieses Gedicht endet mit jener völligen Unterwerfung, die das wahre Vorrecht des jugendlichen Eros ist, der keine „kleinen lieben" kennt sondern nur die glühende Leidenschaft. Diese rückhaltlose Hingabe gibt dem Dichter den Mut, seinen Zustand wahr zu erfahren und auszusprechen. Die lässige Freiheit der sprachlichen Aussage ist so unvergleichlich wie die durchgeführte Figur der sich steigernden Wiederholung, ein Stilmittel, das George hier meisterhaft verwendet, wenn er auch größere Gedichte gemacht hat als dieses.

Die zwölf unter dem Titel „Von einer Reise“ vereinigten Gedichte enthalten stellenweise schon den eigenen Ton, dessen Vorhandensein Borchardt bestreitet und den der Dichter, wo er wahrhaft er selbst ist, herrlich entfaltet und ausgeprägt hat. Das Gedicht „Die Schmiede“ lautet:

> Horch! derselbe laut wie jahrelang
> mich quälte im morgendämmern:
> Geglühten eisens zischender klang
> Und wuchtiges hauen und hämmern.
>
> Wie konnte mir jeder dröhnende hieb
> Die morgenstunde verbittern!
> Er höhnte dass unterm joch ich noch blieb
> In zürnen bald bald in zittern.
>
> Und kläglich und schmerzlich rief es dann
> So oft man da drüben geschmiedet:
> Jezt hat einen neuen nagel man
> In das zwangskleid der seele genietet!
>
> Wie! hat mich von neuem ein widrig loos
> In trüben gewässern geentert?
> O nein derselbe ton ist es bloss
> Doch zeit und ort sind verändert!
>
> Weckt heut mich des eisens und amboß streit
> So weiss ich dem schmiede verzeihung.
> Er mahnt mich nicht mehr an die finstere zeit
> Er schmiedet zum heil zur befreiung.

Das Gedicht, das unverkennbar den Heineschen Liedrhythmus übernimmt, ist dreifach bemerkenswert: es knüpft mit Offenheit im Eingang an einen realen Vorgang an, es zeigt im Fortschreiten den Übergang von der Realität zu der symbolischen Ausdeutung, es bedient sich der überwundenen Realität, um die Symbole gleichsam dicht zu machen. Es wäre auch dann ein Zeugnis jugendlichen Ringens um sich selbst, wenn es nur aus den beiden ersten und der letzten Strophe bestände, aber das Neue in diesem Ringen zeigen gerade die dritte und die vierte Strophe, welche in überanstrengten Metaphern die lyrische Stimmung durchbrechen, und doch bezeugen nur sie, wie der Dichter bei dem Übergang aus der Realität ins Symbol – welcher auch bei Hauptmann und Dehmel nachweisbar ist – nicht stehen bleibt, wie vielmehr ein Letztes hinzutritt. Die an sich ungeschickten Reime dann–man und geentert–verändert, widerlegen nicht, sie bestätigen vielmehr die Durchsichtigkeit der sprachlichen Arbeit: das Motiv der Schmiede überträgt sich auf die Bemühung um den richtigen Ausdruck; man sieht die Lücken eines Künstlers, der sein Handwerk noch nicht kann, und man sieht das Ganze, dem seine Bemühung dient. Der neue Nagel, den man in das „zwangskleid der seele genietet" hat, ist als Bild und als Vorgang im Bild roh und original zugleich. Es ist unmöglich, den Hauch der Seele, unmöglich ist es, ein Kleid, das Zwangskleid der Seele, mit einem Nagel zu nieten, und doch ist *das Ganze* richtig oder zeigt mindestens die Richtung des Weges, an dessen Ziel das Richtige erscheinen könnte. Da aber die „trüben gewässer" halb der Wirklichkeit und halb der Seele angehören, so drückt der durch das Loos geenterte Mensch in einem falschen Bilde unvergleichbar richtig eine Schwermut aus, von welcher er sich in den nächsten Versen befreit. Die Schwermut erzeugt aus sich selbst, aus der Selbstversunkenheit der Trauer erzeugt sie ihr „loos". Es ist aber dieses Versagen des Bildes nicht nur ein Zeugnis jugendlicher Ungeschicklichkeit, sondern gleichzeitig das Paradigma für die sprachliche Unausgeglichenheit, die auch später nachwirken wird. Die Erfahrung der Realität – welche die späteren, und größeren, ja selbst die großen Gedichte gleichsam verschlucken – geht über in ihre symbolische Verwandlung und diese wiederum in einen sprachlichen Realismus, der eine andere Realität spiegelt, als von welcher George ausgeht und wie jeder Dichter ausgehen muß. Diese andere Realität ist gleichsam da und nicht da, aus dem Schein ins Wesen vorstoßend, aus dem Wesen in den Schein zurückfallend. Die neue Welt, die der erschaffenden Kraft der Sprache selbst sich zu verdanken behauptet, wird von dieser getrübt, da ihr die höhere Kraft nicht mitgegeben wurde, durch die eigene Verdunkelung jene Welt erst eigentlich zu erhellen. Dies ist der tiefe Grund dafür, daß mit dem geistigen Wachstum des Dichters der Realismus seiner Sprache immer großartiger und die Gewähr für die Realität der erschaffenen Welt immer undeutlicher wird. Von seinem Loos geentert und magisch befreit, so wandelt George durch die Welt, der Meisterschaft nahe, strahlender Künder eines Höheren, der er selbst ist.

Aber wie immer Georges maßloser Anspruch auf objektive Gültigkeit seiner Existenz die Kritik aufruft, um seine Kraft in die Grenzen zu weisen, die sie selbst dämonisch aufhebt, – das Dichterische, das sie behauptet, ist unbestreitbar. Man möchte die Problematik eher in das Dichterische selbst verweisen als sie gerade diesem Menschen vorhalten, der es so einmalig darlebt. Schon in dem Zyklus der „Reise" ist es da, als der Dichter zwanzig Jahre alt war, und wie die Reise immer der Ort der hohen Verwandlung ist, in der der Raum als Zeit erfahren wird, die das Werden der Seele ausdrückt, so auch hier. In zwei Gedichten dieser Sammlung, in „Seefahrt" und „Unser Herd" entfaltet sich das Dichterische in einer Freiheit, der nur noch die Beschränkung der einmaligen Kunstgestalt zuwachsen muß, um ein Buch wie „Das Jahr der Seele" hervorzubringen.
So spricht in „Seefahrt" der jugendliche Dichter:

Ich fuhr mit den freunden über den see
Der abend neigte sich
In dicken flocken flog der schnee
Und langsam unser nachen
Die dunkle flut durchstrich.

Die nebel verhüllten rings das land
Kein schein vom himmel schaut
Und von dörfern am strand
Erklingen die ave-glocken
Mit traurig gedämpftem laut.

Die küste beendet unsren lauf
Wir landen und steigen aus
Wir gehen zum kleinen ort hinauf . .
Kein mensch lässt sich erblicken
Und stumm steht jedes haus.

Wir kommen an der kirche vorbei
Die türe verschloss nicht ganz –
Es tönte darinnen wie litanei . .
Wir treten ein in der frommen kreise
Die mütter beten den rosenkranz.

Die freunde lachen – wir eilen fort.
Die zeit ist um! das dunkel droht!
Doch mich verlezt ihr spottend wort
Bin ich auch nicht viel besser selber –
Ich steige sinnend in das boot.

Wir erinnern uns einer anderen „Seefahrt". Herrlich gibt sich der junge Goethe, in mythischem Vertrauen, dem Schicksal hin, vor dem die Verantwortung versinkt. Das Besondere in Georges Seefahrt läßt sich darin sehen, daß er, der später nur noch in den Formen des Mythos spricht, von diesem noch frei ist und daß darum sein Herz hier wie eine ernste Glocke der Wahrheit erklingt. Wirklich und genau und doch wie durch „nebel" werden die Dinge gesehen, die diese Reise so erschließt wie den Menschen, der sie macht, vor allem in der letzten Strophe. Nie wieder liegt Georges Seele dank der Sprache und trotz der Sprache so offen da. Unerhört ist die Bewegung in der einfachen Aussage, daß die Zeit „um" ist und daß das Dunkel „droht". Unerhört ist der Vers „Bin ich auch nicht viel besser selber", und noch das Auslassen des Reimes, welches in jeder Strophe einmal wiederkehrt, erweist sich als ein tiefsinniges Mittel prosaischer Treue. Unerhört ist dieses „Ich steige sinnend in das boot", wo die Ohnmacht der Jugend und der Wille, ihrer Herr zu werden, plastisch, beinahe statuarisch sich verewigen, kaum anders als in dem späteren Gedicht „Fahrt – Ende" aus dem „Teppich des Lebens" jenes: „Und stand ein jüngling herrisch an der säule", nur daß dort der Vers in der Mitte steht und hier der Schluß selbst ist, der vorletzte Schluß der jugendlichen Unwissenheit, nur daß dort die Moral schon den Rückzug angetreten hat und hier die Wahrheit sinnt. Die Besonderheit der Strophe und des Gedichts läßt sich aber noch von einem anderen Ausgangspunkt aus verstehen. In dem zweiten der beiden „Die Führer" überschriebenen Gedichte aus dem „Siebenten Ring" lauten die beiden letzten Strophen:

In einem garten war ein fest im gang,
Sie sangen – viele weiber sangen mit
Doch war ihr lied und lachen ohne klang.

Und Einer ging und warf das Haupt empor
Und stand dann betend wo vorm abendtor,
Der war ein jüngling noch und trug den kranz.

Hier ist die Entscheidung bereits gefallen und das Mittel, der Gemeinschaft sich zu versichern, in der Absonderung des Bekränzten gefunden. Der sich selbst mythisch gewordene Dichter könnte nicht mehr erkennen, daß die „freunde" seines Jugendgedichts zu der natürlichen Menschenwelt gehören, von deren Spott im Wege der eigenen moralischen Verwerfung sich abzuwenden die größere Sicherheit gewährt, ihr auf einer höheren Stufe der Besinnung beider zu harmonischem Ausgleich der Kräfte zu begegnen. Worüber der Jüngling „sinnt", als er in das Boot steigt, wird nicht gesagt. Für einen Augenblick blitzt, festgehalten in der Sprache, die Hoffnung auf, daß es die Wahrheit sei, welcher der echte Weg folgen könnte, offen zu dem Ziele, das George am Ende verschmäht hat: des Einklangs mit der *alten* Menschheit statt eines Bildes von dem *Neuen* Reich. Diesen Einklang spiegelt noch „Unser Herd":

Der Abend dunkelt . . im grossen kamin
Flackert ein lautes feuer
Die dichten rauchwolken aufwärts ziehn
An dem geschwärzten gemäuer.

Die flamme schlägt um den dicken block
Und häufige funken stieben
Aus drübergelegtem reiserflock
Von dem glühenden hauche getrieben.

An ketten ein kessel herunterfällt
Drin siedet die brodelnde suppe
Indes in der ecke friedlich gesellt
Sich lagert der haustiere gruppe.

Die wände sind behangen ganz
Mit töpfen löffeln und pfannen
Hoch oben prangen in goldnem glanz
die kupfernen deckel und kannen.

Der fink im bauer piepend singt
Im matten lichtes-scheine
Und aus der kammer ein lied erklingt:
Die mutter wiegt ihre kleine.

Das düstere Interieur, Zug für Zug gesehen und in bestimmtestem Ausdruck dargestellt, in Versen, die eine Liedform übernehmen, welche sie durch die schon vorhandene Stärke der eigenen Sprache sprengen, erhellt sich am Schluß im Übergang von Gemäuer, Herd, Hausrat und Tieren zum Menschen mit wundersamer Eindringlichkeit, und wo sonst käme bei George die Idee des Mütterlichen so anschaulich zu ihrem Recht? Der letzte Vers könnte bei Claudius stehen; wenigstens einmal steht er bei George, den der strengste Vatergeist gemeinhin beherrscht, welchen seine matriarchalischen Vorstellungen nur ergänzen, nicht aufheben, wie denn Sabine Lepsius berichtet, daß Georges Mutter es sich verwehrt habe, ihre Kinder zu küssen.

Mythische Motive finden sich in diesen Gedichten kaum, es sei denn in der schönen Strophe aus dem Gedicht „Erster Frühlingstag“:

Es schwand der duftige traum . .
Ich ward in den norden entrückt
Wo grade der kampf begann
Des jugendlich schönen gottes
Mit dem alten finsteren mann.

Um so vielsagender ist „Ikarus“, als das einzige Gedicht der Fibel, das ein mythisches Motiv variiert:

Du flogst zu hoch auf jenen leichten flügeln
Die das geschick dir gab – aus erdenwegen . .
Doch konntest du des herzens trieb nicht zügeln
Du flogst zu hoch dem feuerball entgegen.

Längst warst du von der erde weggeflogen
Da lösten sich vom heissen sonnenkuss
Die schwingen und in wilde meereswogen
Sankst du hinab – nun hilf dir Ikarus!

Ob George zu dieser Zeit Baudelaire schon gekannt hat, ist nicht sicher. Hier ist keine Spur von einer Nachwirkung des Gedichts „Plaintes d'un Icare" zu spüren. In Georges Übersetzung heißt es in den beiden Schlußstrophen:

Ich wollte des ungeheuern
Mitte finden und schluss,
Ich fühle wie unter feuern
Mein flügel zerfallen muss.

Und den liebe zum Schönen verbrennt –
Es wird nicht einmal ihm die ehre
Dass die ihn begrabende leere
Mit seinem namen man nennt.

Die „feuer" sind im Original das Auge des Feuers (l'oeil du feu), und der Abgrund (= l'abîme), welchen George mit „leere" wiedergibt, ist Pascals Abîme, in dem Baudelaire die Beziehung auf Gott wegläßt. Dies ist die Anbetung der Schönheit, mit der Trauer im Herzen, ihrer nie teilhaftig zu werden.

Die erste Strophe lautet:

Die dirnen mit ihren buben
Sind aufgelegt glücklich und satt . .
Und ich – meine arme sind matt
Die sie in wolken sich gruben.

Diese Dirnen und Buben könnten als ländliche Jugend betrachtet werden, was dem ganzen Gedicht den Charakter idyllischer Harmlosigkeit gäbe. Gemeint sind aber: „les amants des prostituées". Die Prostitution ist die Schönheit der Ersatzwelt. So wird die zweite Strophe:

Die unvergleichlichen sterne
Die glänzend am himmelsgrund stehn
Lassen die augen nur ferne
Sonnen-erinnrungen sehn

ihres idealisierenden Scheins entkleidet. Das Gedicht endet mit Tod, dem furchtbaren Tod dessen, der sich aus der Ersatzwelt, in der er als Gespenst lebt, in die wahre, von ihm selbst zerstörte Welt zurücksehnt. Der Versuch, die Erfüllung dieser Sehnsucht mit luziferischem Trotz zu erzwingen, scheitert, und genau genommen bleibt von der Realität nichts übrig als die Galane der Prostituierten. Sogar der

Wunsch, dem Abgrund, in dem er den Tod findet, seinen Namen zu geben, bleibt ihm versagt. Aber die Folie des Mythos behält Baudelaire bei, und es ist erstaunlich, daß der jugendliche George in seiner Darstellung des Ikarus-Motivs den Mythos geradezu gesprengt hat, denn die vier letzten Worte gehören nicht mehr zum Mythos. Sie sind vielmehr die Zugabe der Erkenntnis seiner selbst. Dies ist geradezu das Programm eines Durchbruchs in die Realität, wo die Identität von Wille und Moral den Menschen zu dem Höchsten befähigt: ein Zeugnis jugendlicher Reife, welche einen größeren Dicher in Aussicht stellt, als dem Vollgereiften die zweideutige Gunst des Schicksals erlaubt hat. Die höchste Stufe der Reife würde die Fähigkeit ausdrücken, die Moral in den Mythos einzubauen. Es ist daher unrichtig, daß Borchardt George den neben Schiller sittlichsten aller deutschen Dichter nennt, es ist aber richtig, daß es Stellen bei ihm gibt, nach denen er es hätte werden können.
Die „Zeichnungen in Grau“ – deren neunte die Gesamtausgabe zum ersten Mal veröffentlicht – stellen den Übergang vom Kinde zum Jüngling dar und lassen die letzten Reste von Dilettantismus hinter sich. Eros und Sexus, Wesen und Schein, Mythos und Wirklichkeit sind in großartigem Chaos ineinander verstrickt, und der Ausdruck ist nicht, wie Borchardt will, „tonlos“ sondern eher lautlos, als die Stimme der ringenden Wahrheit. Eine Entscheidung in solchem Chaos ist kaum zu erwarten, es sei denn als Übergang zu neuer Verwirrung, wie sie wirklich die „Legenden“ bedeuten. Der Titel ist dem malerischen Impressionismus entnommen. Wie in ihm die Gegenstände in die Farben verschwimmen, so nimmt die Zeichnung des Dichters die Farben zurück, um die Gegenstände ins Licht zu rükken; die Kunst zeigt sich hier in der Kraft des Dichters, das Sagen auf Umrisse zu beschränken. Der junge Hofmannsthal wäre eines solchen Verfahrens unfähig gewesen, da sein Wille seinem Sprachdrang eingebettet war, nicht zu kämpfen sondern auszudrücken, und der schwerere Kampf begann später. Georges Verse sind noch nicht Gedicht und nicht mehr Prosa, sein Wille zögert und scheint später in der Poesie, mit Dantes „fren dell'arte“, dem Zügel der Kunst[1]) in der Hand, des Kampfes überhoben. Hier aber drückt der Kampf sich noch aus, in sechs von den neun Gedichten, in verschiedener Form

[1]) Purgatorio XXXIII 141

und mit verschiedenem Ausgang. Das Gedicht „Friede" enthält die Stille des Abends als Zwischenreich zwischen Denken und Beten in unheimlicher Deutlichkeit, besonders in den Schlußversen:

Der abend ist eingetreten – stille.
Ich bin für mich und ungestört.
Nun bieten sich mir reichlich die stunden
Doch steh ich da magnetisch gebannt
Die augen heftend nach der lampe
Die draussen unbestimmt zurückstrahlt
Im dunklen spiegel der nacht.
Ich will nicht mehr denken . . ich kann nicht mehr:
Ich möchte nur meine kniee beugen
Gar nichts denken – beinah beten.

Der Dichter ist in einem Zustand, in dem er „beinah" beten möchte: das Wort schließt einen Menschen auf. Hier ist alles in der Schwebe des Unheils, das auch das Heil werden könnte. Das Gedicht „Das Bild" teilt einen nächtlichen Alb mit. Das Bild, das der Gegenstand des Gedichts ist, wird undeutlich benannt aber deutlich von „larven" unterschieden, die den Dichter erregen:

Heute streift ich es unter vielen . .
Im augenblick hat es so tief mich bewegt
Von sehnen durchbohrt mich verlassen.

Dieses „durchbohrt" kommt als lyrische Metapher bei George noch einmal vor, auf jener Stufe, wo der Realismus der Sprache die Sache beglaubigen soll, in dem vierten der Gedichte „Auf das Leben und den Tod Maximins" aus dem „Siebenten Ring". Dort heißt es:

Als schon dein fuss nach den sternen sich sezte
Hat noch ein unterer strahl dich durchbohrt

In „Priester", dem auf „Das Bild" folgenden Gedicht, wo der Titel die Wahl läßt zwischen den Priestern der Lust und dem, der diese Lust als Priester richtet, werden zwei Buhler beschrieben und verworfen. Aber hier gibt es zwei Einschränkungen, denn es sind:

Priester die selber zum opfer sich bringen
Ohne klugen rückhalt sich liefern
Den orgien die zerstören und töten!

Die Orgien werden verneint, wo sie töten, anstatt Leben zu schaffen. Dies deutet der „kluge rückhalt“ an, der zweideutig nicht nur den Verworfenen sondern auch dem Verwerfenden gilt, denn wie jene ohne ihn glücklich so ist dieser mit ihm seiner höheren Einsicht nicht froh. Gefährlich ist der Schluß:

Doch sind sie gerechtfertigt beide
Denn sie haben ja beide noch
Jugendlich haltung und gang . .
Unter IHREN langen augenbrauen
Brennen noch ungestillte Wünsche
Um SEINE lippen zuckt noch
Das lächeln der seligen.

Hier wird Sehnsucht laut – bis zur graphischen Deutlichkeit der Wahl durch die großen Buchstaben – nach dem eben verworfenen Laster, das in den vorhergehenden Versen so beschrieben wurde:

Ihre stirnen spiegel der begierden!
Mit jener unleugbaren hässlichkeit
Die des lasters majestät ist.

Sollten aber diese Verse nicht eher von dem sprechen, was sie meinen, nämlich von der unleugbaren Majestät, die des Lasters Häßlichkeit und eigentlich Schönheit ist? Denn im nächsten Gedicht, zu welchem das „Gift der Nacht“ wird, rast er ihr entgegen:

Ich kehre wieder. Die nahe glocke
Mit ihren am längsten hallenden schlägen
Entlässt den alten tag.
Müde sink ich zurück doch ohne schlaf –
Träumend allein.
Und ich sehe mich wieder als knaben
Der die strafe nicht kennt
Für wilde gelüste
Der hässliche falten nicht kennt
Und augen von finsterem glanz . .
Mit dem unberührten sammt
Kindlicher wangen noch!

Knabe über das alter hinaus
Seltsam bewahrt
In frische und jugend
Durch der kerzen dampf
Und des weihrauchs duft!
Und so wollt ich finden
Die weise Lasterreiche
Mit zerstörenden künsten:

Wollte mit offenen armen
In mein unheil rennen
Wie ein rasender lieben
Mich ganz verderben
Und bald des todes sein.

Der Zwanzigjährige stellt die Lebensstufe der Jugend mit Rückerinnerung an die Kindheit dar. Im reimlosen Rhythmus ähnlich, wenn auch in der prosaischen Kunstform des reifen Alters, sagt der Dichter im ersten der Hyperion-Gedichte aus dem „Neuen Reich“:

So wie sich sondert des sohns
Ahnender stolz von geschwistern
Späterer heirat
Selbst unter freundlichen spielen
Innerlich fern und versichert
Besseren vaters.

Aber hier nimmt er die unzerstörbare Sicherheit des Lebensgrundes zum Sprungbrett, um sich in die weibliche Feuchte der Welt zu stürzen, zerstörender Liebesglut sicher. In „Wechsel“ wird die Macht des Weiblichen mit gelassener Kunst des Sagens bejaht, in „Einer Sklavin“, einem Gedicht, das mit erwogener Absicht dem „Wechsel“ folgt, die Lebensform zwischen dem Herrschenden und der Nichtgeliebten aber Nötigen in einer Art begründet, die auf Kommendes vordeutet:

Da nun das göttliche ziel verschwindet
Und des augenblicks flamme
Ein bild von lehm verklärt:
Da lebhafte schatten von schönem
Lang gesammelt und bewahrt
Das einst verworfene opfer fordern:
Werd ich ihr sagen: schweig!
Damit nicht süsser ruf und widerruf
Der rede sich entweihe!
Dass nicht törichte niedre worte
Aus künstlichem himmel mich reissen
Zur abwesenheit des heiligen
Den ekel fügen ich werde sagen:
Öffne nie den mund
Ausser für küsse und seufzer . .
Schweig so wie ich schweigen werde.

Zum ersten Mal wirkt zwischen Mensch und Mensch das „göttliche ziel" mit, zum ersten Male bestimmt das magische Schweigen das Maß der Rede. Das göttliche Ziel ist da in der Form des Verschwindens, so wird das Weib zur Sklavin, und das Schweigen verweist das gelebte Leben in die Sphäre dienender Erwartung: „damit nicht süsser ruf und widerruf/Der rede sich entweihe". Sei hier das Zwiegespräch gemeint, das dem Dichter begegnet, oder das einfache Menschenwort von Mund zu Mund – das Höchste wird bewußt entwertet, damit der Wille das Höhere durchsetzt und in seinem künstlichen Himmel bleibt, um den „lebhaften" Schatten des Schönen Gestalt zu geben, in einem gemessenen Beiwort übrigens, das in starkem Gegensatz steht zu der Jugend des Sprechenden und dem Nichtsein der Gestalt einen so starken Ausdruck gibt, daß dieser sie rechtmäßig ersetzt. Auf dieser Höhe auch nur des Bedeutens steht weder das letzte Gedicht „In der Galerie" noch das zweite, das unter dem Titel „Gelbe Rose" eine orientalisch üppige und schwüle Erinnerung an eine Frau entsprechend wiedergeben mag, ohne doch dem Leser das an dieser Erinnerung Wesentliche zu vermitteln. Dagegen nimmt das Gedicht „Ein Sonnenaufgang" eine Sonderstellung ein:

Vor kurzem entzündete sich
Auf dunklem ofen des Himmels
Nach kalter winternacht
Die neue Sonne.
Nun zeigt sie sich im ersten leuchten
Sie schimmert still.
Mit den wolken die sie umflattern
Die ihren glanz widerspiegeln
Erhellt sie spärlich
Die morgendämmerung.
Schnell verstärkt sie sich
Und die farbigen vorhänge
Die ihr zu nah kommen
Erfasst und sengt sie.
Darauf erfüllt sich
Die ganze luft mit grauem
Undurchdringlichem rauch.
Es wächst und wächst wärme und licht
Bis endlich alles – wolken und nebel
In unendlicher feuersbrunst
Lohend verschlungen werden
Und ohne fremde nahrung
Durch eigene kraft allein
Die flammende scheibe strahlt.

Hier wird ein Naturmotiv, das größte, das es neben dem des Untergangs der Sonne geben mag, hier wird der Sonnenaufgang ohne jeden Willen zum mythischen Bilde, welches nahe läge, ja geboten wäre, Zug um Zug beschrieben. Der dunkle Ofen des Himmels ist als das die Sonne Entzündende eine starke Vorstellung, aber wie wenig der Dichter auf das Mythische zielt, zeigt die Möglichkeit, die Wolken als farbige Vorhänge zu sehen und im Äther sich wie in einem Zimmer zu verhalten. Ein schrofferer Gegensatz zu der Naturvergötterung eines Shelley oder eines Christian Wagner ist nicht denkbar. Gerade darum sind diese Vorhänge ein Fingerzeig dafür, daß hier die Sonne gar nicht im Äther sondern wirklich in einem Zimmer aufgeht: die drei letzten Verse sind Sinn und Ziel des Gedichts. Es geht nicht um das Lebendige, das die Sonnengewalt hervorbringt, wie etwa der ägyptische Dichter jenes erhabenen Sonnengesangs die Sonne als die „Amme im Mutterleib“ anruft, es geht um die losgelöste, um die souveräne Schöpfungssubstanz, welche in die Hand zu fassen das Ziel des von der Sonne losgelösten Menschen ist, der mit der Kraft seines Geistes eben dies will, in einem Zimmer, es geht um George. Der Gedanke des Gedichts ist von dämonischer Größe, und die letzten Verse lassen sich geradezu als der Versuch eines Sonnenraubes bezeichnen, wie das Prosastück „Der redende Kopf“ aus „Tage und Taten“ als das prosaische Gegenstück nicht zufällig in einem Zimmer spielt und den Versuch darstellt, Sprache im Wege der Gewalt hervorzubringen.

Die drei „Legenden“ stellen den Übergang Georges zu einer kultischen Welt dar. Es sind erzählende Gedichte, die ein klares Bild geben von dem Vorgang, wie einen Menschen das Bewußtsein von seiner eigenen Bedeutung in einem solchen Grade bannt, daß die unbewußten Gewalten des Lebens, welchen die Hauchkraft der Seele entspringt, ihre Macht an den Geist abgeben; dieser zerstört das heilige Chaos, indem er die Erschaffung eines Kosmos auf nichts stützt als die Bürgschaft der eigenen Person. In der ersten Legende wird unter dem Titel „Erkenntnis“ die Liebe in den Kult einbezogen. Es heißt zwar noch:

Willig in diese einsamkeit
Die von wonnen übergossen
Und durch fehldinge heilig ist:
Zog sie mit dir vereinigt aus
Ohne orakel und fluchesgeleit.

Nie wieder hat George die Möglichkeit der echten Liebe so gestreift wie hier in der Möglichkeit, das Heilige der Geliebten in ihren Fehlern zu sehen, aber schon ist es zu spät zu jenem Dank, kraft dessen der Liebende es ablehnt, des Unwerts der Geliebten sich zu schämen. Er verwirft sie:

Ich war verbrecher vom augenblick an
Da ich zum verein an die seite ihr trat
Mit einer schandtat kauft ich die lösung.
Ach endlich glaubte sie mich besiegt
Geheilt von dem übel das sie am meisten
Zerquälen musste . . so wonne-erfüllt
Bedünkten sie die umarmungen echt
Die tierische zuckungen übersüssten
Die liebeseingabe sie geglaubt.

Die jugendlich rührende Ungeschicklichkeit dieser Verse hat das Verdienst, das Bekenntnis durchscheinen zu machen. Mit der Verwerfung des Sexus beginnt nicht der Eros, welcher des Sexus sich bedient wie der Adler des Baumes, um sich in die Höhe zu stoßen, sondern hier beginnt jene „übergeschlechtliche Liebe", die den Sexus überspringend den Eros als Mittel verwendet, um die eigene Person ins Vollkommene zu steigern und dieses Vollkommene mit einer „weltschaffenden Kraft" gleichzusetzen.
Die zweite Legende heißt „Frühlingswende" und beginnt so:

Von keinem windeszug bebt der hain.
In der frühe fiel leiser regen . .
Nun rinnt der blätter feuchte zu tropfen
Und tränkt die erde in kleinen pausen.
Die sonne versucht mit feinen strahlen
Der eichen dichtes dach zu durchdringen
Ob sie verdächtige sümpfe spähe
Bekränzte rinder die mählich verenden
Seitenpfade gleitend von blut
Und ob der göttlichen fordrung genüge
Der flammenden herde steigender rauch.

Diese Verse, wie grausam sie auch sein mögen, sind, gesteigert bis zu dem starken Schluß – wo vielleicht der Herd und die Herde ineinander verfließen – so stark wie der Herrscher- und Richteranspruch, der der Sonne zugeschrieben wird. Diese erstrahlt über einer kultischen Welt:

Ein greis in priesterlichem ornate
Erscheint im hain . . . der Alleingeborene
In stolzer gewande beschwerlicher würde
Befolgt ihn am arme knabenhaft folgsam.

Hier fällt das seltsame Wort von dem „Alleingeborenen", in welchem der Anspruch auf eine geistige Erstgeburt als Durchbruch durch die Familie sein dämonisches Recht fordert, und wenn dieser Purismus wirklich von unigenitus käme, so würde er seltsame Perspektiven eröffnen; hier auch erreicht ein französisches suivre, als transitives Verbum dem deutschen „folgen" untergeschoben, die Gleichzeitigkeit des Folgens und des Gehorchens. Ein Dienstverhältnis setzt sich durch, das zum Ausgangspunkt des späteren Herrschaftsverhältnisses wird.[1] Nun wird, nach der Aufnahme des Jünglings in die Gemeinschaft, das androgyne Ideal der Frau als „Hehre in männerrüstung" in den Kultus einbezogen. Nun wird ihm nahegelegt, der „reizenden sklavin" sich zu bedienen, nun tritt ihm „die dunkel vom vater verheissene" als letzte Verführung entgegen. Aber vor jener wie vor dieser, vor der erlaubten Prostitution wie vor der geforderten Ehe flieht er in die Natur, zuletzt vor dem Männergelage, und diese Legende schließt mit den Versen:

Im wasser inmitten der blassgrünen algen
Und schwanker zum ufer getriebener blumen
Erblickt er nur immer sein eigenes bild.

Der Mythos von Narziss ist für Georges Welt konstitutiv, in einem verborgenen Sinne zwar, denn ein so deutlicher Hinweis wie hier findet sich nur noch einmal, in dem „Zwiegespräch im Schilfe" aus den „Büchern der Hirten", erst in ihm wird sein Weltbild durchsichtig. Bei Paul Valéry dagegen steht der Mythos von Narziss darum im Mittelpunkt, weil bei ihm durch rücksichtslose Erkenntnis die gesamte Welt sich auf das Ich einschränkt, welches als Narziss gleichmäßig nach Schönheit und Erkenntnis strebt.
Die dritte Legende mit dem Titel „Der Schüler" führt zum ersten Male den Begriff der Schule ein, welcher Georges Denken nicht mehr verlassen hat. Aber dieser Begriff erscheint am Anfang und am Ende seiner Laufbahn in einem seltsamen Hin und Her der Bewertung.

---

[1]) Siehe Wolters: Herrschaft und Dienst.

Der Schüler rebelliert gegen die Schule. Er entdeckt „den spiegel glänzenden metalls/Vor dem ich meines eigenen leibs geheimnis/ Und anderer zuerst bedenken lernte". Eine Reise bringt die Entscheidung. Voran gehen die beiden Verse:

Ich gab nicht acht auf blühen und auf welken . .
Ein tiefer freund des denkens fühlt das kaum.

Der zweite Vers läßt trotz seiner kindlichen Formulierung die Annahme zu, daß George bis zum Beginn seiner Laufbahn wirklich *gedacht* hat. Natürlich tat er es auch später und sogar in einem starken Maße, aber dieses Denken hatte keinen Platz mehr in der Theorie, es sei denn einen negativen. Schon in dem ersten Gedicht der „Hymnen" findet sich die Stelle von „starkem urduft ohne denkerstörung", an welchem der Dichter sich betäuben solle, um die „Herrin" zu beschwören. In der Legende heißt es weiter:

Doch dort in andrer luft in andrem land
Entdeckt ich als ein andres fluss und flur.
Ich sah die hellen und die bleichen himmel
Die wälder gaukelten mir bilder vor
Und aus dem duft der morgendlichen wiesen
Aus ferne winkenden gekrönten mauern
Und aus der menschen schritten und gebaren
Und ihrer sänge rätselvollem sehnen
Erhoben sich mir unbekannte welten.

Diese unbekannten Welten sind –: die Welt. Sie wird dem Dichter wenn auch noch so undeutlich als eine Verstrickung von Gesellschaft, historischer und lebendiger Natur offenbar. Aber schon die Schlußverse lauten:

Doch es treibt mich auf
Der alten toten weisheit zu entraten
Bis ich die lebende erkannt: der leiber
Der blumen und der wolken und der wellen.

Nichts ist geblieben als die lebendige Natur, und sie ist der Maßstab der Weisheit, der Mensch ist als „Leib" gefährlich in dieses Lebendige einbezogen. Man sollte nun denken, daß George, der von Buch zu Buch stärker auf Wissen und Weisheit prätendiert, auf der hohen Stufe sprachlichen Vermögens, die er erreicht, die kindliche Verwerfung des Denkens rückgängig gemacht habe, wie Goethe im Divan im schroffsten Gegensatz zu dem Titanismus seiner Jugend durch die tiefsinnigste Reflexion die Poesie *nicht* durchbrochen hat. George hat jene Verwerfung im Gegenteil gesteigert und bestätigt. Das Gedicht aus dem „Stern des Bundes", das eine seiner folgerichtigsten aber problematischsten Äußerungen ist, lautet:

Ich liess mich von den schulen krönen
Sie hielten wert mich ihrer würden . .
Die zeit der einfalt ist nicht mehr.
Dann kam der anfang echter lehre:
In kenntnis kennen dass sie feil –
Ein weiser ist nur wer vom gott aus weiss.
Durchs heilige feld komm ich geschritten
Mit dir dem heiligen ziele zu . .
Im einklang fühl ich keim und welke
Mein leben seh ich als ein glück.

Der Krönung durch die Schulen folgt der „anfang echter lehre", und die Erkenntnis, „dass sie feil", wird durch die merkwürdige Verdeutlichung jenes „in kenntnis kennen" ganz stark unterstrichen. Das Wissen, das die Schulen vermitteln, wird ersetzt durch das Wissen *„vom gott aus"*, welches in seiner sprachlichen Fassung der journalisierten Umgangssprache näher steht als der Gott erlauben sollte. Keim und Welke sind im Einklang, indem das Denken damals wie später als besiegt erscheint, ein Mensch sich durch den Gott vertreten läßt und sein Wissen mit keinem Menschen teilen will und noch die Mitteilung in einer Sprache zurücknimmt, die dem Geheimnis dämonisch treu bleibt, anstatt daß sie es, dem Dämon untreu, im Namen der Wahrheit mutig durchbräche. In einem anderen Gedicht aus dem „Stern des Bundes" hat er den Grund hierfür bezeichnet:

Keiner der wahre weisheit sah verriet:
Die menschen griffe lähmendes entsetzen
Den mutigsten vereiste blut und same
Sie brächen nieder wenn vor ihrem blick
Das Andre grausam schreckhaft sich erhübe.

Tritt auch die Bedeutung dieses „Andren" mit seinem großen Anfangsbuchstaben in dem kleinen Druck der Umgebung noch schreckhafter hervor, es wäre immerhin auf den Versuch angekommen ...
Der wahre Zusammenhang der „Fibel" mit dem späteren Werk liegt darin, daß George den in ihr angelegten sittlichen Kampf zuerst durch die Gestaltung und später durch das geheime Wissen ersetzt hat, das kein Denken erfordert. Der Einklang von Keim und Welke als diktatorische Postulierung des „Meisters", der den Tag weiß, an dem die „Rune" offenbar wird, ihn aber nicht sagt, ist nicht einmal antik, denn gerade der antike Mensch wußte tief um den Zusammenhang von Glück und Hybris. Daß „das reinste Glück der Welt/Schon eine Ahnung von Weh enthält", hat der gleiche Goethe gesagt, der ahnte, was es mit dem Glück auf sich habe, wenn er im Alter das „Selbstgefühl" gerade auf dem Bekenntnis begründet, „Daß er manche Lust und Pein/Trägt als Er und eigen", und wenn er in noch höherem Alter Faust durch die *Sorge* das Letzte sagen läßt, was ein Mensch vor dem Tode gestehen kann.

ALGABAL

Fausts zweideutige Übersetzung der Schriftworte – daß im Anfang die Tat war – ist insofern richtig, als die Tat hier zu einem mystischen Terminus wird, der das Wort einbeschließt. Der vorsinnende Prometheus in der „Pandora", der die Tat als „des wahren Mannes echte Feier" preist, spricht im Namen des praktischen Genius der Menschheit, ihn ergänzt der der Schönheit nachsinnende Epimetheus, und beide begründen die polare Grundlage der Welt. Fichtes Tathandlung, durch die das Ich sich vom Nicht-Ich scheidet, ist eine Setzung, die bei Novalis schon „eine Machthandlung, einen schnellen Entschluß" rechtfertigt, wenn der Mensch nicht mehr weiter kann. So vollzieht sich der Übergang von der Mystik zur Magie, wie man denn den Idealismus des Novalis als „magisch" bezeichnet hat, ohne von der Gefahr dieser Entwicklung sich Rechenschaft zu geben. Später erschlägt Nietzsche das polare All der Metaphysik, relativiert Tun und Denken, obwohl er die Vernunft dem Mythos vorzieht, und baut auf den Trümmern den Übermenschen, in welchem eine richtige

Konzeption von der Höherentwicklung der Menschheit sich auf falschen biologischen Argumenten begründet, und bricht die Bahn für George, dessen Vorstellungen von Tat und Täter und Töter jeden metaphysischen Zusammenhang sprengen und darum in der nächsten Nähe des Mordes wurzeln. Der junge König Ludwig II. von Bayern starb 1886, als George achtzehn Jahre alt war. Er war geisteskrank. In Maximilian Hardens „Köpfen" II steht ein aus der „Zukunft" übernommener Aufsatz über ihn. Er ist schwülstig geschrieben, aber die Fakten, die er enthält, sind fürchterlich. Dieser König hat auf Deutschland und die Welt mythisch gewirkt.[1] Georges „Algabal" erscheint 1891 in Paris, in einer Ausgabe von hundert Exemplaren. Die erste öffentliche Ausgabe erscheint 1892. Sie enthält die Widmung:

Aufschrift

DEM GEDÄCHTNIS LUDWIGS DES ZWEITEN

ALS MEINE JUGEND MEIN LEBEN HOB IN SOLCH EIN LICHT
KAM SIE ERSTAUNEND DEINEM NAH UND LIEBTE DICH.
NUN RUFT EIN HEIL DIR ÜBERS GRAB HINAUS ALGABAL
DEIN JÜNGRER BRUDER O VERHÖHNTER DULDERKÖNIG

Die mythische Gleichsetzung ist unverkennbar.
Das Buch „Algabal" ist das wichtigste Dokument für das Verständnis von Georges Jugend. Es ist weder damit abzutun, daß es, wie Borchardt in der „Rede über Hofmannsthal" will, „das äußerlichste seiner Bücher" sei, „mit seinen absichtlichen Betäubungen, seiner hoffnungslosen Überladenheit, seinem französisch unruhigen Gefallen am Absonderlichen und Entlegenen, am kalt Verzerrten, Schwachen, Entkräfteten und Bösen", noch daß es, wie Georg Lucács will, faschistisch sei und damit erledigt. Die dichterische Kraft ist schon so groß, daß sie die Anwendung eines politischen Maßstabs nicht mehr zuläßt, um den künstlerischen Ernst zu bagatellisieren, und Borchardts ästhetische Kritik, welche wahrscheinlich zutrifft, aber den Inhalt nicht ernst nimmt, bagatellisiert wiederum die kulturpolitische, die politische Bedeutung des Buches. Die Aufgabe der Kritik

---

[1]) Die Nachwirkung ist sogar bei Karl Kraus zu spüren. In „Sprüche und Widersprüche" (1. Aufl. 1909) steht: „Was für ein Freund der Geselligkeit war doch der bayrische König, der allein im Theater saß! Ich würde auch selbst spielen".

müßte vielmehr sein, den moralischen Unwert des Ästhetischen bloßzulegen und zu fragen, ob der Dichter über Klang und Farbe bei solcher Darstellung eines verwesenden Charakters hinausgekommen sei. Dieser römische Kaiser, in dem sich höchste Machtvollkommenheit und äußerste Grausamkeit mischen, vermag seine Taten nicht mehr zu unterscheiden. Das Buch enthält die Darstellung von nicht weniger als vier Morden. Algabal tötet seinen Sklaven wegen seiner Hingabe, seinen Bruder wegen plötzlicher Entfremdung, den gesamten Hofstaat durch Rosen, die von oben auf ein Fest herniederfallen, und „Kinder", die sich unter einem Feigenbaum „vermählen", durch seinen Giftring, um ihnen das Erwachen nach der Empfindung des höchsten Glückes zu ersparen. In einem Gedicht stehen zwei Aussagen, die psychisch zu erklären suchen, was in diesem Menschen vorgeht. Es handelt sich um das Gedicht mit dem wunderbaren Anfangsvers „O mutter meiner mutter und Erlauchte", welchen Hofmannsthal in „Ödipus und die Sphinx" als „O Mutter meines Königs und Erlauchte" Jokaste zu Antiope sagen läßt, und selbst Theodor Haecker kann diesem Vers seine Bewunderung nicht versagen, in einem Zusammenhang, der *gegen* George gerichtet ist, denn in seinem Essay „Über Francis Thompson und Sprachkunst" (1925) schreibt er: „Aber er ist ein Dichter. Vor mehr als zwanzig Jahren habe ich die Verse gelesen: O mutter meiner Mutter und Erlauchte/ wie mich so ernster worte folge stört. Und ich konnte sie nicht vergessen, denn sie sind schön". Die dritte Strophe lautet:

> Nicht ohnmacht rät mir ab von eurem handeln,
> Ich habe euren handels wahn erfasst,
> O lass mich ungerühmt und ungehasst
> Und frei in den bedingten bahnen wandeln.

Diese Strophe spricht, als Freiheit und Bedingung, die Abwendung von der gegebenen Welt aus, ohne daß auch nur angedeutet wäre, welchem Ziele Freiheit und Bedingung Algabals dienen sollen. Da dieses Ziel noch nicht vorhanden ist, wohl aber die vollkommene Einsamkeit, kann es nur der Mord sein, der Mord an dem Bruder, dessen Blut der kaiserliche Mörder auf der Marmortreppe mit leisem Raffen der Purpurschleppe versickern sieht. Etwas wie eine Begründung wird angegeben: „Und wolle nicht den bruder mir entfremden/ – Erkannt ich doch im schlaf dein augenmerk? –/Du fesselst eifrig ihn an blödes werk,/Dein zwang verkleidet ihn mit sklavenhemden". Diese Begründung, was immer sie „Richtiges" meinen könnte, ist bare Unvernunft. Eine Erklärung für das Versagen der Erkenntnis liegt in der fünften sprachlich überaus starken Strophe des Gedichts:

Sieh ich bin zart wie eine apfelblüte
Und friedenfroher denn ein neues lamm,
Doch liegen eisen stein und feuerschwamm
Gefährlich in erschüttertem gemüte.

Das Gefährliche eines solchen Zustands, in dem Macht und Einsamkeit sich wechselweise steigern, wie die Schwermut des Tyrannen in den spanischen und deutschen Dramen des Barock es gebietet, wird hier bis in die letzte Konsequenz dargelebt. Ernst Robert Curtius schreibt in dem Aufsatz „George, Hofmannsthal, Calderon": „Aber schon von Frankreich aus hatte sich George im Spätsommer 1889 nach Spanien gewandt. Dort überkam ihn, wie sein Biograph [Wolters] sagt, das seltsame Gefühl des Wiedersehens mit einer längst entschwundenen Heimat: das Andenken an eine längst entschwundene Herrschaft wuchs mit jedem Schritte, den er in das unbekannte Land tat, und verdichtete sich im ‚Inselgarten' von Aranjuez zu jenem deutlichen Wiedererkennen, das später in den ‚Pilgerfahrten' und ‚Hängenden Gärten' dichterische Gestalt gewann". Und vor allem im „Algabal"! Was George von Spanien empfangen hat, scheinen „gewaltige Bilder von königlicher Einsamkeit und unnahbarer Größe" gewesen zu sein – „also eine neue stärkere Resonanz für die Gestalt des Algabal, wie sie ihm damals sich formte". Genau dies ist, dichterisch verwandelt, die Idee der Diktatur, denn spanische Rhythmen kommen bei George nicht vor, es sei denn man wolle gewisse trochäische Rhythmen im „Stern des Bundes" („Ja du bist ein gott der frühe") dazu rechnen, während Hofmannsthal von „Der Kaiser und die Hexe" an für sein ganzes Leben vom spanischen Lust- und Trauerspiel sich befruchten läßt, bis zu den frühen trochäischen Anfängen des „Turm", welche dann spät, aus *anderen* Gründen, in die Prosa münden. Daß George den deutschen Faschismus geistig vorbereitet habe, kann mit Gründen so bestritten wie bewiesen werden. Wichtiger ist die Feststellung, daß er weder im Leben noch in der Kunst Algabals Zustand je überwunden hat, er hat ihn nur immer gewaltiger ausgesprochen, geistig und künstlerisch. Dafür zeugt sei-

ne spätere Tatidee, dafür zeugt seine Äußerung zu Curtius: „Algabal ist ein revolutionäres Buch: Hören Sie diesen Satz von Plato: ‚Die musischen Ordnungen ändern sich nur mit den staatlichen'; Algabal und der Siebente Ring – das ist dieselbe Substanz nur auf eine geringere Fläche verbreitet".
Innerhalb des Georgeschen Kreises um die Jahrhundertwende spielten sich geistige Kämpfe ab, die von Friedrich Wolters in seinem schon innerhalb des Kreises teilweise bekämpften Buch an der Oberfläche dargestellt sind. Man erfährt immerhin, daß Klages und Schuler nach dem großen Täter schrieen und daß sie diesen eine Zeitlang in George verkörpert sahen. Als aber der Dichter, vor die Entscheidung zwischen Tat und Kunst gestellt, sich für diese entschied, da würden Klages und Schuler sogar „Mordpläne" – gegen Wolfskehl – realisiert haben, wenn sie nicht doch schon zu tief in die herrschenden Normen des Rechts verstrickt gewesen wären. Diese Entscheidung spricht für Georges Überlegenheit über diejenigen, denen er intellektuell vielleicht nicht gewachsen war, von denen er aber ahnen mochte, daß auch ihre Erkenntnis zu ohnmächtig war, als daß sie noch in die Welt hätte eingreifen können. Dennoch hat der Täter auch in Georges Poesie seinen festen Platz und läßt erkennen, was Klages und Schuler gewollt haben, aber mit den Mitteln der Poesie auszudrücken unfähig waren. Der Täter wird hier aus einem strafrechtlichen Begriff, zu welchem eine bestimmte Tat gehört, die gegen das Gesetz verstößt, zu einem Begriff, zu dem nur ein inneres Objekt gehört: der Täter ist derjenige, der die Tat tut, er hat schon rein begrifflich eine Tendenz, in seiner letzten Möglichkeit zu gipfeln, in der des Mörders; die Tat ist eine solche, die sich der Gewalt bedient, ohne den Sinn des durch die Tat angestrebten Zieles anders als ästhetisch bezeichnen zu können. Das Gedicht „Der Täter" aus dem „Teppich des Lebens" ist hierfür besonders charakteristisch. Es schildert mit großer Kunst die friedliche Abenddämmerung, die ein Mensch genießt, der am nächsten Morgen eben jene Tat tun wird, die ihm die Geringschätzung seiner Freunde, die in seinen Augen verständnislose und ungerechte, zuzieht:

Denn auch ihr freunde redet morgen: so schwand
Ein ganzes leben voll hoffnung und ehre hienieden . .
Wie wiegt mich heute so mild das entschlummernde land
Wie fühl ich sanft um mich des abends frieden!

In so trügerische Harmonie klingt ein Gedicht aus, in dem es eine Strophe früher heißt:

> Wer niemals am bruder den fleck für den dolchstoss bemass
> Wie leicht ist sein leben und wie dünn das gedachte
> Dem der von des schierlings betäubenden körnern nicht ass!
> O wüsstet ihr wie ich euch alle ein wenig verachte!

Der „dolchstoß" ist natürlich nicht oder noch nicht ernst gemeint, nicht so ernst wie im „Stern des Bundes" der Vers „Ihr sollt den dolch im lorbeerstrausse tragen", wo er auf die „nahe wal" bezogen ist. Aber er deutet auf ein bedrohtes Innenleben, das jederzeit sich mörderisch entladen könnte und einen ästhetischen Anarchismus begründet, der in dem schon einmal zitierten Jahrhundertspruch der „Tafeln" des „Siebenten Ringes":

> Der mann! die tat! so lechzen volk und hoher rat,
> Hofft nicht auf einen der an euren tischen ass!
> Vielleicht wer jahrlang unter euren mördern sass,
> In euren zellen schlief: steht auf und tut die tat

zu einer Vorhersage sich steigert, die ein Kommender bestätigt hat, ohne daß sich sagen ließe, George habe diesen Täter und diesen Töter gemeint. Aber selbst die ungewollte Vorhersage ist fragwürdig. In dem „Brand des „Tempels" aus dem „Neuen Reich" erfindet George einen barbarischen Eroberer, den er in der dramatischen Szene nicht auftreten sondern nur von den Priestern des Tempels beschreiben läßt. Er ist Algabals Gegenbild und doch durch geheime Fäden mit ihm verknüpft: die Gewalt hat er mit ihm gemeinsam, aber ihm wächst ein „Sinn" zu, dessen Gefahr auf einer höheren Stufe der Erkenntnis der Dichter nicht zu erkennen vermag; er hat keinen Standpunkt außerhalb des Mythos, um diesen zu durchschauen. Der Eroberer zerstört den Tempel, die in ihm verkörperte Gewalt will neuen Sinn schaffen, um den alten zu retten; die Schwermut ist geschwunden, die Gewalt geblieben. Das Thema des Gedichts sind die Antworten, die der Eroberer jenen gibt, die um Erhaltung des Tempels flehen, zuletzt der „jungen Fürstin", welcher er sagt:

‚Der hoheit ziemt
Vor jeder schwachheit milde aber nie
Wenn sinn dabei verlezt wird. So ists hier.
Soll ich euch um *den* preis gewogen sein?
Was heut mich umbiegt wird mich morgen brechen.‘

Sie scheidet als ein „ungewürdigter besitz“ aus der Welt, der Tempel brennt, und Sinn und Gewalt stehen geradezu friedlich nebeneinander, weil dies der Mythos will, so an einen Träumer erinnernd, der im Schlafe träumt, er sei erwacht. So, wie in diesem Gedicht, sieht es von oben aus.
Von unten gesehen, ist der spätere Eroberer, wie schon in jener „Tafel“ des „Siebenten Ringes“, der Verbrecher, welcher in dem späten Gedicht „Der Gehenkte“ im „Neuen Reich“ zum mythischen Befreier umgedeutet wird. Georges dämonische Phantasie stellt sich einen „Frager“ vor, der einen Gehenkten vom Galgen schneidet, um den Preis, daß jener ihm rede. Das Bekenntnis des Gehenkten stellt die Korrelation dar zwischen einer auf Macht erblühten Gemeinschaft und dem Verbrecher, der diese Gemeinschaft erschüttern will, um eine neue wiederum auf die gleiche Macht zu stützen. Die Funktion der Schönheit in diesem Machtzusammenhang kommt in dem Vers „So strahlen kann sie nur wenn ich so fehle!“, nämlich die Schönheit, zu großem Ausdruck. Noch größer ist die Voraussage des Schlußes:

Als man den hals mir in die schlinge steckte
Sah schadenfroh ich den triumf voraus:
Als sieger dring ich einst in euer hirn
Ich der verscharrte . . und in eurem samen
Wirk ich als held auf den man lieder singt
Als gott . . und eh ihrs euch versahet, biege
Ich diesen starren balken um zum rad.

Aber auch hier erlaubt die Hörigkeit vor dem Mythos nicht den geringsten Fingerzeig über den Rechtsausweis des Erreichten, wenn es denn geschähe, und Balken und Rad gehören der gleichen Art der Gewalt an. Die sittliche Tat entspringt nur aus der Verbindung der Idee des Guten mit der Idee der Vernunft, indem beide gegenseitig ihre Kräfte steigern. Selbst die Gewalt erhielte ein anderes Vorzeichen, wie denn Walter Benjamin im Anfang seiner Laufbahn in dem

Aufsatz „Zur Kritik der Gewalt“ die „mythische“ Gewalt von jener will unterschieden wissen, die er die „göttliche“ nennt und kraft welcher ihm, *theoretisch,* sogar ein „gerechter“ Krieg als denkbar erschienen ist. Die Tatidee Georges erkennt nur die mythische Gewalt an. Sie hat ihm eine mythisch große Sprache, aber keine schweigende Klarheit der Vernunft erlaubt, die sich als umschaffendes Wort des Geistes offenbart hätte. Nur wo er dem lyrischen Hauch vertraut, ist es anders, und selbst im „Algabal“ steht wenigstens ein makelloses Gedicht:

Fern ist mir das blumenalter
Wo die zähre noch genuss.
Starb im reif der sommerfalter
Dem ein atem schon ein kuss?
Der auf gras und klee und garbe
Und in reiche gärten flog,
Einen hauch von duft und farbe
Rasch aus allen blüten sog?
Dem die nacht ein gut erteilte
Das er tags umsonst erspäht,
Den sie mit der hoffnung heilte
Dass ihn doch die tulpe lädt.
Kommt er wieder mit der meisen
Mit der lerchen erstem ton?
Wird er neu den juni preisen
Schläft er oder starb er schon?

Es ist sehr schwer, ein so reines Gedicht in einen Zusammenhang mit jenem Monstrum von römischem Soldatenkaiser zu bringen, über das man heute alles Nötige in dem die grauenhaftesten Fakten umdeutenden Buch von Antonin Artaud „Heliogabale ou l'anarchiste couronné (1934) nachlesen kann, in einem Buch, das um so beweiskräftiger ist, als es keinerlei Kenntnis von George und Schuler verrät und mit gänzlich anderen Begründungen und Zielsetzungen dem gleichen Energiekult wie George zustrebt. Den eigentlichen Aufschluß über die *politische* Intention des „Algabal“ gibt die Widmung an den bayrischen König. Das Bedenkliche an ihr ist nicht das Traumspiel eines jugendlichen Dichters sondern der *nationale* Zug, der in eine so fürchterliche Figur wie den historischen Heliogabal hineininterpretiert wird.[1])

[1]) Wenn es denn stimmt! Claude David behauptet, daß der *wirkliche* Heliogabal ein anderer und zwar ein *guter* Kaiser sei (S. 75) und daß George durch Mommsen Kenntnis von dem christlichen Zerrbild gehabt habe, vor allem aber durch den Bericht des Aelius Lampridius, von dem 1884 eine lateinische Übersetzung erschienen war. Ich glaube, daß die *wirkliche* Quelle Georges Johannes Scherr war, aus dem die gesamte Generation ihren Geschichtspessimismus genommen hat, so Klages wie Theodor Lessing, und noch bei Karl Kraus gibt es Spuren dieser Lektüre. Im ersten Band der „Menschlichen Tragikomödie", die 1884 in der dritten Auflage erschienen war, steht der Aufsatz „Elagabal". Er ist grob, einprägsam und mit Kenntnis der Quellen geschrieben. Hier hat George vieles von dem, was er brauchte, gefunden. In dem berühmten Gedicht von dem Lyder, der sich dem Kaiser zum Opfer bringt – „Ich sterbe gern weil mein gebieter schrak" – und dessen Name dann in den abendlichen Weinpokal eingegraben wurde, steht der Vers „Er trug ein kleid aus blauer serer-seide". Die „Serer" sind die Syrer, und bei Scherr lesen wir (S. 103): „Er zuerst trug in Rom ganze Anzüge von reiner Seide, welcher Stoff damals noch so kostbar, daß er buchstäblich mit Gold aufgewogen wurde". Ebenda lesen wir: „Heute wandelte ihn die Laune an, zehntausend Ratten oder zehntausend Marder oder zehntausend Katzen auf *einem* Haufen sehen zu wollen, morgen befahl er, ihm tausend Pfund Spinnengewebe zu bringen". George redigiert, er läßt weg und vereinfacht, aber das Wort „zehntausend" ist das corpus delicti, wenn er im „Siebenten Ring" in der ersten Strophe der „Tafel" „Stadtufer" schreibt, obwohl sie nach Morwitz nichts mehr mit Algabal zu tun hat, sondern alles mit der Weidendammer Brücke in Berlin: „Wer kann dies wirrsal sehn mit andren sinnen –/Getrab der vielen räder füsse hufe –/Als jener Kaiser der zehntausend spinnen/Zusammen bringen ließ in einer kufe . . ." Jene furchtbare Ballade „Becher am boden" mit den Versen „Aller ende/Ende das fest!" endet: „Auf die schleusen!/Und aus reusen/Regnen rosen,/Güsse flüsse/Die begraben". Bei Scherr lesen wir (S. 104): „Dann schob sich plötzlich die Decke des Speisesaals auseinander, ein nichtendenwollender Wolkenbruch von Rosen, Violen und Lilien fiel aus der Öffnung herab und erstickte die eingeschlossenen Schmausenden unter seiner duftenden Wucht". Das sehr starke Gedicht „Am markte sah ich erst die würdevolle" mit dem Vers „Ich riß die priesterin von dem altar" und den Schlußversen „Ich sandte sie zurück zu ihrem herde,/Sie hatte wie die anderen ein mal" geht auf drei Stellen bei Scherr zurück (S. 99f.): 1) „Das Bild der jungfräulichen Göttin, welches der Sage nach Aeneas mit aus Troja gebracht hatte, wurde demzufolge mit Gewalt aus dem Heiligtum der Vesta geholt und in den Baalstempel gebracht. Aber der üppige syrische Gott fand keinen Geschmack an der ernsten hellenischen Göttin, worauf Elagabal die übel zusammengefügte Ehe wieder trennte" . . 2) „Elagabal vermählte sich . . zuerst mit einer Jungfrau aus dem erlauchten Geschlechte der Kornelier. Er gab dieser seiner Gemahlin den Titel Sebaste (Majestät), verstieß sie aber bald wieder wegen eines Muttermals an ihrem Leibe, wie es hieß". 3) „Die Vestapriesterin Aquileja Severa wurde dem Heiligtum der Göttin gewaltsam entrissen und ins kaiserliche Brautbett gezwungen". Die Namensdeutung von Elagabal in einer Fußnote (S. 95f.) ist wichtig: „Ela ist identisch mit dem hebräischen El, Eljon, Elohim, dem arabischen Elah, Ausdruck des semitischen Gottesbegriffs. Gabal bedeutet formen, schaffen, zeugen. Elagabal ist demnach der formende, schaffende, zeugende Gott. Da aber Gabal oder Gebal auch Berg bedeutet, so kann man Elagabal auch mit ‚Berggott' verdeutschen, und Baal verdiente bekanntlich so zu heißen, da er vorzugsweise auf Höhen verehrt wurde".

SCHWARZE MAGIE: DER REDENDE KOPF

Von allen Prosastücken in „Tage und Taten" ist „Der redende Kopf" das am weitesten reichende. So lautet der Traum:

> Man hatte mir eine thönerne maske gegeben und an meiner zimmerwand aufgehängt. Ich lud meine freunde ein damit sie sähen wie ich den kopf zum reden brächte. Vernehmlich hiess ich ihn den namen dessen zu sagen auf den ich deutete und als er schwieg versuchte ich mit dem finger seine lippen zu spalten. Darauf verzog er sein gesicht und biss in meinen finger. Laut und mit äusserster anspannung wiederholte ich den befehl indem ich auf einen anderen deutete. Da nannt er den namen. Wir verliessen alle entsezt das zimmer und ich wusste dass ich es nie mehr betreten würde.

Es ist kaum zu glauben, daß das ein *junger* Mensch geschrieben hat. Mit ungeheurer Folgerichtigkeit setzt hier Georges gesammelte Energie alles ein und gewinnt. Was dargestellt wird, hebt alle Dichtung auf, und da es am Anfang einer großen dichterischen Laufbahn steht, mag am Ende lange vor dem Tode das Schweigen stehen. Man sehe bei Boehringer die vielen Photos, die George von sich machen ließ. Sie haben alle oder fast alle diesen verfinsterten Zug von Energie. Nur kurz vor dem Tode gibt es eines, auf dem nichts anderes wahrzunehmen ist als ein Greis. Man traut seinen Augen nicht, wenn man bei Morwitz den Satz liest: „Das ist ein Experiment in schicksalsmäßig verbotener schwarzer Magie, deren Unterschied zur erlaubten weißen der Dichter bisweilen im Gespräch hervorgehoben hat". Ich möchte glauben, daß auch die weiße Magie verboten ist. Wie sagt Faust „im höchsten Alter", als der Mangel, die Schuld und die Not ihm den Tod ankündigen? Er sagt: „Könnt' ich Magie von meinem Pfad entfernen,/Die Zaubersprüche ganz und gar verlernen,/Ständ' ich, Natur! vor dir ein Mann allein,/Da wärs der Mühe wert, ein Mensch zu sein". Und als die Sorge behauptet, „am rechten Ort" zu sein, da sagt er „erst ergrimmt, dann besänftigt für sich": „Nimm dich in Acht, und sprich kein Zauberwort". Nachdem nun Morwitz diese seltsame Begebenheit mehr umschrieben als kommentiert hat, schreibt er wiederum dies: „Die Vermessenheit eines magischen Vorgehens äußerer Art ist dem Dichter stets fremd gewesen, er hat

nicht geglaubt, daß es jemals die gewollten Folgen hervorbringen könnte, vielmehr eher nicht beabsichtigt, höchst unangenehme Begleiterscheinungen“. Das klingt sehr ungeschickt, beinahe komisch und zeigt, daß Morwitz diesem düsteren Phänomen nur literarisch gegenüberstand, ohne persönliche Erfahrungen, wenn es die überhaupt gibt. Hinter Georges Erfahrungen, nicht mit der schwarzen Magie, welche auf Des Esseintes zurückgehen dürfte, den traurigen Helden in Huysmans' Roman „A rebours“, steht –: der Wille, um mit ihm die Welt zu beherrschen. Was in diesem Prosastück berichtet wird, ist ein erster Durchbruch. Man versteht, daß alle „entsetzt“ waren und daß der Dichter wußte, daß er das Zimmer „nie mehr betreten würde“. Aber die Welt wird er betreten, gepanzert in solche Kraft des Willens!
Die gleiche Kraft des Willens, positiv und negativ ausgedrückt und mit Namen genannt, steht in „Die Barke“. Der „Redende Kopf“ ist der letzte der fünf „Träume“, die „Barke“ der erste:

> Unsere barke tauchte und hob sich ächzend mitten auf dem meer in nässendem sturm. Ich war am steuer hielt es mit krampfender hand meine zähne standen fest auf der unterlippe und mein wille kämpfte gegen das wetter. So trieben wir ein stück selber still im rasenden lärm. Da aber erschlaffte der frost meine finger mein wille lahmte sodaß ich losliess. Und die barke sank und die wellen schlugen drüber und wir werden alle sterben.

Unvergleichlich ist das Bild von den Zähnen, die „fest auf der unterlippe“ standen. Morwitz schreibt: „er spürt körperlich und geistig die Nähe des Todes seiner selbst und aller Schiffsinsassen, erlebt aber das Sterben nicht im Traum“. Es ist fraglich, ob er das von George *Gemeinte* verstanden hat: es geht nicht auf das Sterben sondern auf die *plötzliche* Vorhersage des Sterbens, weil sein Wille erlahmt. Im letzten Satz ist die Vorhersage kausal mit dem Bericht verknüpft. Diese „Träume“ haben vom Traum die erbarmungslose antilogische Wahrheit. Es sind Wahrträume. Diese sind schwarz. Morwitz schreibt: „Es sind in Wahrheit Angstträume mit negativem Ausgang, so daß sie nicht in Versgebilde eingehen konnten“. Es sind viel eher Angstträume der Wahrheit. Das könnte darauf hindeuten, warum George so bedeutende Gedichte von Baudelaire wie „Le possédé“ und „Une charogne“, die wie aus Angstträumen entsprungen sind, *nicht* übersetzt hat. Es bleibt aber in der Schwebe, denn er hat in dieser frühen Zeit noch nicht die Prosa vom Gedicht ausgeschlossen, wie sie von Baudelaire, Louis Bertrand und Mallarmé nie ausgeschlossen wurde, und wirklich haben die „Tage und Taten", besonders die unter diesem Titel vereinigten Prosastücke, den stärksten Gedichtcharakter. Sie sind aber ganz ohne Wirkung auf Georges dichterische Umgebung geblieben, eine späte, nicht ganz unmögliche Nachwirkung auf Kafka ausgenommen. Der Vers in dem „Vorspiel" (XV) zum „Teppich des Lebens" „Und gold die farbe aller träume hiess" ist weit entfernt von der durch und durch schwarzen Farbe *dieser* Träume. Die Poesie mag es ihm danken, die Abkehr von der Prosa ist ein Verlust.

GEHEIMES: DER STERN DES BUNDES

Niemand wird leugnen können, daß der „Stern des Bundes" den Eindruck eines Geheimbuchs macht. Dennoch hat der Kreis des Dichters immer das mehr oder weniger deutliche Bestreben gezeigt, dies zwar zu bestätigen, aber auch und oft mit behaupteter höchster Zustimmung: zu deuten. Wenn aber Edith Landmann den Dichter nach dem Sinn bestimmter Gedichte fragte, so fällt auf, daß er gelegentlich ganz ungeniert sagt, da müsse er sich erst einmal besinnen, oder daß er auch eine dem Anschein nach ziemlich sinnlose Antwort geben kann. Frager und Befragter bedenken eben nicht, daß im allgemeinen bei diesem Spiel kaum etwas herauskommen kann, daß nämlich die Antwort nur in einem unabhängigen Medium hervortritt. Genau dies ist –: die Kritik. Was sich der Kunst anvertraut, ist nicht geheim: es spricht schön; die Schönheit teilt den Sinn mit. Es gibt nun ein seltsames Dokument, das diesen Zusammenhang beleuchtet, das ist die Vorrede zu dem unveränderten Wortlaut, 1928, des „Stern des Bundes" in der Gesamt-Ausgabe. Die erste öffentliche Ausgabe erschien im Januar 1914. Im November 1913 ist eine Vorausgabe „von zehn stücken auf Japan-Papier ohne titel und verlagsangabe" erschienen, welche ganz den Eindruck eines Geheimbuchs machte. Prousts Monsieur Swann spielt mit dem Gedanken, die Zeitungen auf Japanpapier zu drucken und auf dem Zeitungspapier die „Pensées" von Pascal. Wirklich sind diese ein Geheimbuch, das vor dem

Tode des Autors kaum jemand gesehen hat, ganz zu schweigen von dem berühmten „Memorial", das man nach seinem Tode eingenäht in seinem Rock fand.
Georges Vorrede besteht aus achtzehn Zeilen konzentrierter Prosa. So beginnt sie:

> Um dies werk witterte ein missverständnis je erklärlicher desto unrichtiger: der dichter habe statt der entrückenden ferne sich auf das vordergründige geschehen eingelassen ja ein brevier fast volksgültiger art schaffen wollen . . besonders für die jugend auf den Kampf-feldern.

Das „missverständnis" besteht darin, daß das Buch im Laufe von sieben Monaten so *gewirkt* hat, wie der Dichter *nicht* wollte. Dies ist die Erklärung:

> Nun ist der verlauf aber so: der Stern des Bundes war zuerst gedacht für die freunde des engern bezirks und nur die erwägung dass ein verborgen-halten von einmal ausgesprochenem heut kaum mehr möglich ist hat die öffentlichkeit vorgezogen als den sichersten schutz.

Warum bietet die Öffentlichkeit „den sichersten schutz"? Wenn man will, daß ein Buch nicht mißverstanden werde, bietet die Öffentlichkeit gar keinen Schutz. Wohl aber besteht die Möglichkeit, daß es durch Mißverständnisse hindurch verstanden wird. Es gibt in den Gesprächen mit Edith Landmann halb scherzhafte Äußerungen, wo George das Mißverstehen als ein Mittel des Erfolges geradezu geschürt wissen will. Es bleibt dennoch ein Punkt, wo die Öffentlichkeit und das Geheimnis eine Verbindung eingehen, die er auf einem Umweg könnte gemeint haben: der versteckte Brief bei Poe wird von der Pariser Polizei nicht gefunden, weil er auf dem Tisch liegt und mit Händen zu greifen ist; die Anarchisten bei Chesterton in "The Man who was Thursday", die mit systematischen Bombenattentaten arbeiten, sind nicht greifbar, weil sie ihre Sitzungen in dem belebtesten Lokal der Londoner City abhalten. So auch George, um ein Geheimbuch zu schützen, das keines ist. Oder ist es doch eines? Es bleibt ungewiß. Auf jeden Fall glaubte Ernst Glöckner an eine „Geheimlehre". Er schreibt am 1.6.1916 in seinem Tagebuch: „Noch nie hatte er (George) mir so alles von seinem Leben und von der Geheimlehre gesprochen. Was für ein Mensch!" Der Schluß von Georges Vorrede lautet:

> Dann haben die sofort nach erscheinen sich überstürzenden weltereignisse die gemüter auch der weiteren schichten empfänglich gemacht für ein buch das noch jahrelang ein geheimbuch hätte bleiben können.

Sicher ist, daß die Empfänglichkeit „auch der weiteren schichten" nach sieben Monaten einsetzt, zumal der „jugend auf den Kampf-feldern", für die nach Georges eigener Aussage das Buch nicht geschrieben wurde. Ein Buch, „das noch jahrelang ein geheimbuch hätte bleiben können", ist alles nur Denkbare, dunkel, hell – verständlich, unverständlich – verfehlt, gelungen – problematisch, groß, aber es ist kein Geheimbuch, eher ein durchgestaltetes grundsätzlich verständliches und doch geheimnisvolles Buch, mit großen und weniger großen, auch geringeren Gedichten. Für ein solches Buch ist Georges Absicht nur noch von relativem Interesse gegenüber der geistig-sprachlichen Deutung und der kritischen Durchdringung, die ihm als einem Kunstwerk zukommt.

Gedichte

MORGENSCHAUER

In den „Liedern von Traum und Tod“ aus dem „Teppich des Lebens“ steht dieses Gedicht:

> Lässt solch ein schmerz sich nieten
> Und solch ein hauch und solch ein licht?
> Der morgen sich gebieten,
> Der fremd und selig in uns bricht?
>
> Wie durch die seele zogen
> Die pfade – dann durch das gefild.
> Gelinde düfte sogen
> Dann gossen sie sich schnell und wild.
>
> Trüb wie durch tränen schwimmen
> Der baum, das haus das uns empfängt.
> Ein weisses festtag-glimmen
> Der kirschenzweig der überhängt
>
> Ein rauschendes geflitter
> Entzückt und quält – macht schwer und frei.
> Ein schwanken süss und bitter
> Ein singen sonder melodei. .

Ist dies ein Lied? Kein Zweifel, es klingt, aber schon im ersten Vers muß der Leser zusammenzucken. Einen Schmerz „nieten“, das könnte sogar richtig sein, und es würde selbst dann nicht in ein Lied gehören. Das Wort erfüllt die Ohren mit einem unangemessenen Geräusch, wie ein Handwerker, wenn er Teile zusammennietet. Dabei spürt man, daß George hier lange nachgedacht hat, um das richtige Wort zu finden, er hat es vielleicht gefunden, aber das leichte Lied ist dahin. H. Stefan Schultz hat das Gedicht gedeutet. Er widerlegt zunächst Morwitz, der von dem „Gefühl eines unheilbaren (nicht zu nietenden) Schmerzes“ spricht, mit dem Satz: „Der Schmerz wäre

also reparaturbedürftig“. Und dann auch der „Hauch“ und das „Licht“?! Es streift schon ans Komische, und doch mag George dies gemeint haben. So ist der Schmerz auch nicht, wie Morwitz will, vorweg „unheilbar“, sondern vorhanden zugleich mit solch einem Hauch und solch einem Licht. Der Dichter will nicht lügen: gleichsam ungeschützt durch das Absehen von seinem Schmerz tritt er in die Schönheit des Morgens ein, der Morgen soll sich „gebieten“ lassen, denn er ist zwar „selig“ aber auch „fremd“, wie er in uns „bricht“, geradezu Gewalt anwendet, welche noch im Sieg der vierfüßigen Jamben über die dreifüßigen mitklingt. Die Pfade sind nicht da, nur in der Seele, „dann“ zogen sie „durch das gefild“. Schultz möchte in „Gelinde düfte sogen“ das objektlose Verbum verständlich machen, indem er das zu „gossen“ gehörende „sich“ auch zu „sogen“ rechnet, schrickt aber mit Recht vor solcher „schulmeisterlichen Logik“ zurück, indem er schreibt: „Ein absolutes ‚sogen‘ ist wirksamer. Es liegt etwas vom bewußtlos Absorbierenden darin, was gut zum Thema des Gedichtes, dem plötzlichen Einbrechen von Gesichten und Empfindungen paßt“. In der dritten Strophe verhindert wieder der Schmerz das Sehen dessen, was der Dichter in dem „baum“, in dem „haus das uns empfängt“, in dem weissen „festtagglimmen“, in dem „kirschenzweig, der überhängt“ doch genau sieht, freilich nicht so genau wie in jenem echten Lied aus dem „Siebenten Ring“, den „kirschenflor“, den zwei im „morgen-taun“ schauen. Hier ist alles unbestimmt zwischen Schmerz und Freude, und dieses Unbestimmte ist die Konklusion der Schlußstrophe.
Schultz zitiert ausführlich, ohne sich mit ihr zu decken, eine Deutung des Gedichts von Bernhard Böschenstein in der Neuen Zürcher Zeitung vom 7.7.1968 zu Georges 100. Geburtstag. Dieser interpretiert das Gedicht als ein „gelungenes Gedicht“, und es heißt, „das geglückte Gedicht sei.. absichtslos und begnüge sich damit, seinen eigenen Raum auszufüllen“. Dem mag man so zustimmen wie die Absichtslosigkeit bestreiten. Für solche Absichtslosigkeit werden viel zu viel Worte gemacht, selbst gehaltvolle. Dann heißt es weiter: „Bedingung für das Gelingen eines modernen Gedichtes ist nach Böschenstein ‚Haben und Nicht-haben zugleich‘ “So sieht er in der Gleichzeitigkeit entgegengesetzter Empfindungen oder in den entgegengesetzten Bewegungen der Düfte in der zweiten Strophe einen Vorzug des Gedichts. Dann kommt ein Zitat:

Die Sprache bemächtigt sich eines Zustandes, der ihre Tauglichkeit als Instrument bezweifelt. Jede Aussage wird um ihre negative Ergänzung bereichert. Setzung und Zurücknahme machen die Zerbrechlichkeit des Instruments sichtbar, aber auch die des Augenblicks, der es in Bewegung versetzt hat. Ein solches Gedicht hat vor allem dies zu sagen: Ich bin meine eigene Möglichkeit und Unmöglichkeit in einem. Die Hervorbringung wird durch das Gesagte in einen permanenten Zweifel versetzt, der der Sprache die Dimension hinzuerfindet, deren sie bedarf, um wahr zu sein: das Sprachlose, das mit der Sprache verschmilzt.

Aber das Wesen jedes gelungenen Gedichts besteht darin, die handwerkliche Tätigkeit, das Nieten, die Anstrengung verschwinden zu machen, damit es als ein *leichtes* Gebilde ebenso unmöglich wie möglich erscheine, wie etwa als ein hohes Beispiel Goethes „Selige Sehnsucht". Schultz tadelt im Anfang seines Aufsatzes eine vorhandene englische Übersetzung der ersten Strophe des Gedichts als fehlerhaft und schlägt eine andere „sinngemäße" vor:

Can such grief be demanded
And breath and brightness such as this?
The morning be commanded
That brings us strange and sudden bliss?

Er will nicht sagen, daß diese Übersetzung den Sprachwert des deutschen Originals englisch entsprechend wiedergebe, aber er will sagen, daß in „demanded" der sprachliche Doppelsinn von „nieten" mindestens angedeutet sei: daß nämlich „nieten" nicht nur die heutige Bedeutung habe sondern mit „nietliche" zusammenhängt und daß dieses, nach Grimm, auf ein reflexives „sich nieten" zurückgeht, das von niet=Lust kommt und die Grundbedeutung „verlangen" hat, welche noch in „niedlich" nachwirkt. Das Problem liegt nicht darin, ob es dieses Verbum einmal gegeben habe oder nicht, sondern in der Setzung eines Doppelsinns durch George, von dem nur der heutige Sinn realisiert werden kann, selbst von dem sprachlich fortgeschrittensten Leser. Dies ist also weniger ein Archaismus als ein durchgesetzter Doppelsinn, der nicht wirkt, im Gegensatz etwa zu dem ergreifend schönen Doppelsinn in den Schlußzeilen des ersten Gedichts „im Jahr der Seele": „Und auch was übrig blieb von grünem leben/ *Verwinde* leicht im herbstlichen gesicht".

Schultz hält auch die letzte Strophe für nicht gelungen. Er schreibt: „Selbst ‚Ein singen sonder melodei ..‘ ist für das Ohr ebenso schwankend, flitternd und schwimmend wie die sichtbaren Dinge für das Auge waren: es fehlt die Umriß gebende Form der Melodie“. Hier kommt der Autor dem „gemeinten“ Gedanken ganz nah, ohne ihn deutlich zu fassen: in dem Gegensatz von „Melodei“ und „Melodie“. Wenn George wirklich *diesen* Gedanken ausdrücken wollte, hätte er „Melodie“ setzen müssen, denn was immer man gegen das Wort „Melodei“ an sich sagen mag, da es öfter in älteren Gedichten vorkommt, die den Volkston erzwingen wollen, es bedeutet eine *Verstärkung* des Tones: ein Singen *sonder* Melodei ist unmöglich, besonders wenn man an das berühmte Vorbild der Strophe denkt, das wahrscheinlich George in den Ohren klang. Ich weiß nicht, ob Heines Gedicht von der Lorelei, das zweite Gedicht der „Heimkehr“ aus dem „Buch der Lieder“, ein großes Gedicht ist, aber die vierte Strophe klingt:

> Sie kämmt es mit goldenem Kamme
> Und singt ein Lied dabei;
> Das hat eine wundersame
> Gewaltige Melodei.

Das klingt von einer Melodie, die als „Melodei“ eben ihr Gewaltiges wiedergeben soll. Bei George herrscht am Schluß Ebbe, darum paßt die „melodei“ nicht. Aber der Tiefstand des Gefühls, welcher von dem unausdrückbaren „Schmerz“ bewirkt wird, ist in den ersten drei Versen zu schönem Ausdruck gekommen, besonders in dem „schwanken süss und bitter“. Schultz findet „die uralte Form des Oxymoron, die Verbindung sich widersprechender Worte“ schon bei Sappho, eben die von Böschenstein erwähnte „Einheit des Bittersüßen“, nimmt aber nicht an, daß Böschenstein auch von Sappho behaupten wolle, sie habe damit „das Gesagte in einen permanenten Zweifel versetzt“. Solche Widersprüchlichkeiten zeigen vielmehr schon sehr früh, daß in der Poesie „logisch etwas nicht in Ordnung“ ist und daß gerade Verstöße gegen die Ordnung den Dichter zu seinen höchsten Leistungen förmlich stoßen, wie etwa Catull in seinem Distichon der Liebeszerrissenheit. Schultz schreibt hierzu: „Dichter gebrauchen das Mittel gern in affektgeladenen Gedichten. Catull

wunderte sich darüber, wie solche Widersprüche zu vereinen seien; erklären kann er sie nicht, er weiß bloß, daß es so ist".
Vollkommen schön ist „Blaue Stunde", das erste der „Lieder von Traum und Tod":

Sieh diese blaue stunde
Entschweben hinterm gartenzelt!
Sie brachte frohe funde
Für bleiche schwestern ein entgelt.

Erregt und gross und heiter
So eilt sie mit den wolken – sieh!
Ein opfer loher scheiter.
Sie sagt verglüht was sie verlieh.

Dass sie so schnell nicht zögen
So sinnen wir, nur ihr geweiht –
Spannt auch schon seine bögen
Ein dunkel reicher lustbarkeit.

Wie eine tiefe weise
Die uns gejubelt und gestöhnt
In neuem paradeise
Noch lockt und rührt wenn schon vertönt.

Hier ist „paradeise", die gleiche schallverstärkende Variation von „Paradiese", reiner Klang geworden, sinnlos und einzig schön.

EINE STROPHE

Das Gedicht „Nun lass mich rufen die verschneiten/Gefilde" im „Siebenten Ring" gehört zu den schönsten Gedichten, die George gemacht hat, und doch zeigt die zweite Strophe beispielhaft, was er als Künstler ist und was er nicht ist. Sie lautet:

Du kamst beim prunk des blumigen geschmeides,
Ich sah dich wieder bei der ersten mahd
Und unterm rauschen rötlichen getreides
Wand immer sich zu deinem haus mein pfad.

Dem Rauschen des rötlichen Getreides, das schön und stark im Wort ertönt, steht der Prunk des blumigen Geschmeides gegenüber, dessen Wesenlosigkeit der Rhythmus der *ganzen* Strophe zunächst verhüllt. Gegen den „prunk", der mehrmals bei George vorkommt, wäre noch am wenigsten zu sagen, da er immerhin die Mitte hält zwischen realer und metaphorischer Aussage und die Natur mit dem Kult verknüpft, ohne den Georges Poesie ihre Grundlage verlöre. Das „blumige geschmeide" aber ist eine leere Metapher, die der Unfähigkeit entspringt, die reine Entsprechung zu dem „rötlichen getreide" aus der Sprache zu schöpfen und in dichterischen Ausdruck nichts zu übersetzen als die prosaische Aussage: du kamst beim Prunk der Blumen, wenn der Dichter die Blumen selbst nicht für dichterisch ansehen sollte. Der Gedichtgedanke wäre in dem Satz beschlossen: du kamst, als die Blumen blühten, wie es denn in einem anderen Gedicht im „Siebenten Ring" auch wirklich heißt: „Dann gings *durch blumen hin* zum schönen ziele". Dieser einfachste, genaueste Ausdruck ist Claudius im „Mailied", einem allerdings reimlosen Gedicht, gelungen. Da heißt es:

O, wie schön, wie schön ist der Mai!
Gras und Blumen wachsen,
Bäume haben Blätter.

„Bäume haben Blätter" – das ist es! Dagegen George im „Vorspiel" (XV) zum „Teppich des Lebens": „Dies sind die wiesen mit geblümtem sammt". Zwar sind die Wiesen bei Namen genannt, aber die Blumen auf „geblümten sammt" herabgesetzt, welchen dann freilich die mächtige Antwort des Reimes vergessen macht: „Dir ruft die erde zu der ihr entstammt". Daß hier Kunstbegriffe der Epoche die Poesie zersetzen, hat Borchardt sehr früh gesehen. In seiner Kritik des „Siebenten Ringes" nennt er die Verse „Der halme schaukeln und den duft der bunten/Tupfen im morgendlichen strahl" in Hinsicht auf die pointillierenden „Tupfen" treffend „eine jedem rechtmäßigen Gefühl höchst widerliche Vermischung der lebendigen, organischen, atmenden und duftenden Welt mit dem, was das Atelier als caput mortuum bestenfalls davon behalten und wiedergeben kann, eine Vermengung des Lebens selber mit seiner ärmsten Reduktion". Es ist klar, daß in der betrachteten Strophe trotz des schön klingenden „geschmeides" und trotz der hohen Schönheit des „rötlichen getreides“ der Reim nicht die geglückte Deckung zweier Sphären darstellt. Er ist ein Schallreim. George selbst sagt in „Tage und Taten“:

> Reim ist bloss ein wortspiel wenn zwischen den durch den reim verbundenen worten keine innere verbindung besteht.

Dieser Auffassung des Reims könnte auch Karl Kraus zustimmen, obwohl er im Gegensatz zu George das „Wortspiel“ in einem ganz anders gemeinten Sinne bejaht. Lange vor beiden hat schon Friedrich von der Hagen den Reim in seiner Tiefe gesehen, wenn er in der Einleitung zu seiner Ausgabe der Minnesänger (1838) schreibt:

> Diese tiefe, zwar später entwickelte, jedoch ursprüngliche Bedeutsamkeit des Reimes, welche, als Stimme der Dichtkunst, überall die liebende Antwort (das Echo), den Abklang der Sehnsucht sucht und findet, und für die Wissenschaft die wahre Wortforschung begründet – zwischen welchen beiden das echte, schon in den Nibelungen wie bei Shakespeare, in der höchsten Leidenschaft, als letztes Wort sich einstellende *Wortspiel* mitten inne steht –, diese Bedeutsamkeit und tiefere Bedeutung des Reimes ist in der deutschen Sprache vermöge ihrer ursprünglichen Anlage vor allem heimisch und zur vollsten Entfaltung gelangt.

Genau so hat Faust, in jenem wunderbaren Zwiegespräch, Helena das Reimspiel gelehrt. Georges Bemühen, sich dem vollkommenen Reim zu nähern, wurde immer wieder mit seligem Gelingen belohnt, aber er rührt an seine Grenze, wo er sich *diesem* Wortspiel, wo er sich diesem *Wortspiel* versagt.[1])

---

[1]) Auch bei George findet sich einmal ein besonders schönes Wortspiel. In „Tage und Taten“ in der „Vorrede zu Maximin“ spricht er von ihm, mit seinem Namen spielend, als von dem „berger der goldenen krone“.

DER DÄMON: WENN ICH AUF DEINER BRÜCKE STEH

Diesem großen Gedicht aus dem „Siebenten Ring" läßt sich Dunkles ablesen:

‚Geh ich an deinem Haus vorbei
So send ich ein gebet hinauf
Als lägest du darinnen tot.'

Wenn ich auf deiner brücke steh
Sagt mir ein flüstern aus dem fluss:
Hier stieg vordem dein licht mir auf.

Und kommst du selber meines wegs
So haftet nicht mein aug und kehrt
Sich ohne schauder ohne gruss

Mit einem inneren neigen nur
Wie wir es pflegen zieht daher
Ein fremder auf dem lezten gang.

Das vielleicht von Maximilian Kronberger stammende Motto zu diesem „Lied" läßt sich – mindestens in der Beleuchtung, in der es George erschienen sein könnte – doppelt verstehen. Das Gefühl könnte das der Liebe sein, in dem Sinne, daß der stärkste Ausdruck der Liebe zu dem Menschen, der in diesem Hause wohnt, der des Gebets nach seinem Tode wäre. Die Möglichkeit, den Tod des geliebten Menschen sich vorzustellen, hebt allerdings die Liebe wieder auf. Das Gefühl könnte aber auch das des Hasses sein, mit welchem das Gebet nach dem Tode des Gehassten versöhnen soll. Was George ausdrückt, scheint die zweite Deutung nahezulegen, und diese könnte gerade in der ersten als der ostentativ gewollten sich die Dekkung suchen, wo der bis an die Grenze des Möglichen ausgedrückte Hass umschlüge in sein unausdrückbares Gegenteil: Liebe, die nicht mehr Sprache hat, sondern nur noch ein dämonisches Schweigen, das der höchsten Sprache nicht fähig wäre. Conrad Ferdinand Meyer sagt in dem tiefen Gedicht „Die tote Liebe": „So wandelt zwischen uns/Im Abendlicht/Unsre tote Liebe,/Die leise spricht./Sie weiß für

das Geheimnis/Ein heimlich Wort“... Hier wird das Bekenntnis gestorbener Liebe zwischen zwei Menschen in jedem Wort und in jeder Pause zwischen den Worten durch die Klage geheiligt.
Nun sind Georges Verse von so unvergleichbarer Eindringlichkeit des Sagens, daß es sehr wohl als möglich erschiene, das Gesagte darüber zu vergessen, aber gerade das Gesagte entscheidet über die Reinheit der Klage. In der echten Klage ist Sagen und Gesagtes eines, durchdringt sich zu einer Identität der Kunstgestalt, in der die Frage schlechterdings keinen Ort mehr hat. Die Klage ist die richtige Antwort des Menschen auf ein Unglück, das zu verstehen ihm nicht gegeben ist, und da ist kein Platz für Macht und Magie. Der Sprechende erinnert sich mit Fluß und Brücke des Lichts, das ihm von dem angesprochenen Menschen aufgestiegen ist. Käme er aber selbst, dieser Mensch, dann müßte er sich abwenden von ihm: wie von einem Toten. Dieser Tote – aus dem Bereich des Vergleichs – kann leben, er kann aber auch wirklich tot sein. Das dämonische Prinzip des Kampfes hebt die Grenze zwischen Tod und Leben auf, die die Ethik setzt. Dem „Toten“ und der Abwendung von ihm gilt das „innere neigen“, ohne Gruß oder Schauder, wie es üblich sei bei dem Anblick eines Zugs zum Grabe. Das Drohende der Situation muß darin gesehen werden, daß dieses Begräbnis mythisch aktiviert wird: von einem Fremden auf dem letzten Gang ist die Rede. Weiter kann die Abwendung von der Liebe nicht gehen als in dem Wagnis, das Fremde an einem unbekannten Toten zu benennen, anstatt ihm in echtem Schweigen sich gleichzustellen. Das innere Neigen wirkt beinahe wie Hohn, wenn das Gedicht in den unabweisbaren Eindruck ausklingt, daß hier ein Fremder zur Richtstätte geführt wird. Bedenkt man, daß dieser Fremde aus dem Bereich des Vergleichs, welcher in der Wirklichkeit des Gedichts ein Fremdgewordener wird, ein Lebender ist, so stellt das Gedicht als ganzes im Medium sprachlicher Vollkommenheit das Begräbnis eines Lebendigen dar, ohne Klage, bis zum Tode des Toten. Das erweist das Gedicht, das im Buch diesem Gedicht folgt und nicht ohne Zusammenhang mit ihm sein dürfte:

Darfst du bei nacht und bei tag
Fordern dein teil noch, du schatten,
All meinen freuden dich gatten,
Rauben von jedem ertrag?

Bringt noch dein saugen mir lust
Der du das erz aus mir schürftest,
Der du den wein aus mir schlürftest –
Schaudr ich noch froh beim verlust?

Ob ich nun satt deiner qual
Mit meinen spendungen karge?
Zwing ich dich nieder im sarge,
Treib ich ins herz dir den pfahl?

Es ist wohl am besten, dieses Gedicht *nicht* zu verstehen, in dem George das Letzte sagt, was zu sagen ihm weder das Schweigen verbietet noch die Sprache, die in diesem Schweigen Wurzel schlüge. Ungeheuerlich ist die letzte Strophe. Zehrgeister werden nach dem deutschen Volksglauben mit Pfählen bekämpft. Ein schwarzes Licht ergießt sich über den Fremden auf dem letzten Gang.
George sagt in „Tage und Taten":

> Tiefster eindruck, stärkstes empfinden sind noch keine bürgschaft für ein gutes gedicht. Beide müssen sich erst umsetzen in die klangliche stimmung die eine gewisse ruhe, ja freudigkeit erfordert. Das erklärt warum jedes gedicht unecht ist das schwärze bringt ohne jeden lichtstrahl. Etwas ähnliches meinte man wohl früher mit dem ‚idealischen'.

Der Lichtschein aber in *diesem* Gedicht, in beiden Gedichten, wie sie zusammengehören, ist im Gegensatz zu dem eigenen Maßstab Georges schwarz von der Schwärze, die er vielleicht verschleiert, denn wie jedes Geheimnis bei Goethe der Offenbarung zustrebt, so scheint bei ihm jedes Geheimnis sich der Offenbarung zu widersetzen.
Nach Boehringer sind beide Gedichte an Ida Coblenz gerichtet, die George in seiner Jugend geliebt hat. Wenigstens schreibt sie sich beide Gedichte zu. Es kam zum Bruch, sie heiratete Dehmel. Sie war Jüdin. Dies alles sind biographische Fakten, die für das Verständnis des Gedichts von peripherer Bedeutung sind. Boehringer berichtet *ein* Faktum, das von zentraler Bedeutung ist. Er hat Ida Coblenz nach Georges Tod kennengelernt und von ihr alles zum Geschenk erhalten, was sie an Andenken besaß. Sie kannte nicht „Tage und Taten"

und bat sich das Buch von ihm aus. Am nächsten Tag erklärte sie, daß das Prosastück „Ein letzer Brief" auf sie gehe. Es lautet:

> Du kannst ohne liebe lächeln, doch ich kann nur hassen. Viele menschen mag deine leichte anmut befriedigen, ich kann sie nicht in tausch nehmen für das wort das du hättest finden müssen und das mich hätte retten können. Du redetest einen ganzen sommer lang von den wolgeformten wolken von den rätselhaften geräuschen der wälder und den klängen der ländlichen flöte, aber für das eine wort bist du stumm geblieben. Was ist all deine schönheit all deine begeisterung wenn du dessen unkundig bist? nicht ein wort, minder als ein hauch, eine berührung! du hast gesehen, dass ich tag und nacht darauf wartete. Ich konnte es nicht sagen, ich konnte es nur in träumen ahnen, auch hätte ich es nicht sagen dürfen, da du es hättest finden müssen. So träume und handle auf deine weise —uns ist nichts mehr gemeinsam: wenn du mir nahe kommst so muß ich dich hassen und wenn ferne bist du mir fremd.

Die Prosa ist überaus stark, der letzte Satz wie ein Vorklang des Gedichts. Das Wort, „das du hättest finden müssen und das mich hätte retten können", zeigt, was hier versäumt wurde —: die Rettung.

LIEDER

Die ersten sechs Lieder, die in der Abteilung „Lieder" des „Siebenten Ringes" ausdrücklich als solche bezeichnet sind, gehören zu Georges größten Gedichten. Die Motive sind eben auf jenes Nichts eingeschränkt, an dem gerade der große Dichter produktiv wird; Sprache und Form deuten auf einen Gegenstand hin, an dem nichts eigene Bedeutung fordert und sie darum hat. Fast nichts. Der „Vorklang", welcher freilich nicht nur diesen Liedern sondern allen, auch den nicht eigentlich liedhaften Gedichten dieser Abteilung gelten mag, spannt das Ganze doch wieder in einen Willenszusammenhang ein, der offen das Problematische von Georges Person ausspricht: „Dass du schön bist/Regt den weltenlauf./Wenn du mein bist/-Zwing ich ihren lauf". Mag die Schönheit als der Mittelpunkt der Welt gelten, erst wo sie nicht mehr mit Besitz verknüpft ist, könnte die Liebe rein hervortreten, ohne gegen die Wahrheit zu verstoßen.

Shakespeare kämpft nicht zwischen einem moralisch zweideutigen Jüngling und einer antimoralisch Schwarzen Dame um den Besitz des Leibes, sondern um die Erhaltung der Schönheit, um das Unsterbliche an ihr, um ihre Idee.
In diesen sechs Liedern tritt das angeredete Du so rein in den Schatten seiner echten Existenz zurück, daß es herrlich da ist. Alle haben gemeinsam, daß sie ohne Strophenabteilung gedruckt sind. Das erste:

Dies ist ein lied
Für dich allein:
Von kindischem wähnen
Von frommen tränen..
Durch morgengärten klingt es
Ein leichtbeschwingtes.
Nur dir allein
Möcht es ein lied
Das rühre sein

entzieht sich der Analyse in der Einfachheit der Reime oder der Wiederholungen von Worten statt der Reime, in der Einfachheit des Gefühls, mit dem „rührend" falschen Konjunktiv als Inbegriff der Bescheidenheit, der hier kraft der Sprache zu einem richtigen wird. Ebenso das letzte:

Kreuz der strasse..
Wir sind am end.
Abend sank schon..
dies ist das end.
Kurzes wallen
Wen macht es müd?
Mir zu lang schon..
Der schmerz macht müd.
Hände lockten:
Was nahmst du nicht?
Seufzer stockten:
Vernahmst du nicht?
Meine strasse
Du ziehst sie nicht.
Tränen fallen
Du siehst sie nicht.

Dies ist eine halb ungereimte, halb durch Wiederholung der gleichen Endworte nichtgereimte *Monotonie* des Abschieds in vier Vierzeilern von zugleich volkstümlicher und persönlicher Kraft des Ausdrucks. Die vier Hauptgedichte, die folgen, sind zwölfzeilige Gebilde, in denen die kühne, in jedem Gedicht verschiedene Verschlingung der Reime den Versuch spiegelt, eine magische Einheit des Gefühlsumlaufs herzustellen.
Diese magische Einheit bewirkt, daß das Ganze als unantastbar erscheint, wie immer das Einzelne kritischer Prüfung standhält oder nicht standhält. Sie ist vorgebildet in einem merkwürdigen Gedicht aus dem „Buch der hängenden Gärten“:

Sprich nicht immer
Von dem laub,
Windes raub,
Vom zerschellen
Reifer quitten,
Von den tritten
Der vernichter
Spät im jahr.
Von dem zittern
Der libellen
In gewittern
Und der lichter
Deren flimmer
Wandelbar.

Hier hat die magische Einheit geradezu den Charakter einer Beschwörung, durch die das Dunkle im Leben der Natur gebannt werden soll. Der Punkt nach der achten Zeile setzt eine Pause, ohne diese dem Gedanken und dem Satz, geschweige dem Rhythmus aufzuerlegen; so werden die folgenden Verse noch beschwörender. Besonders auffallend ist der Umstand, daß der vorletzte Vers über so viele Verse hinweg mit dem ersten reimt. Die „Lieder“ haben nichts Beschwörendes, aber sie haben mit diesem Gedicht das Reimen über weite Räume von Klängen gemeinsam. Dazu kommt ihr Klang nicht vom Rhythmus oder vom Melos, sondern in einfachen Haupt- und wenigen Nebensätzen von der Kraft des Sagens, die durch die Reime tönend wird.

Will man die Kunstabsicht sich klarmachen, die diesen Gedichten innewohnt, so könnte man als Stilmuster etwa an Goethes „Über allen Gipfeln" denken. Der Unterschied freilich ist der, daß das rhythmisch-melodische System dieses Gedichts Goethe niemals eine Wiederholung erlaubte, die das Einmalige seiner Schöpfung hätte entwerten können[1]) während in Georges Liedern das gewollte Kunstprinzip die Wiederholung in der Variation einer Kunstform mindestens heimlich voraussetzt. Auch Goethes Gedicht läßt sich in Teile zerlegen, aber diese bewahren ihren qualitativen Eigenwert, selbst wenn es unter ihnen noch Unterschiede des höheren und höchsten Ranges geben sollte. Die Zerlegung von Georges Liedern in Teile führt zur Zerstörung der magischen Einheit und damit zum Sichtbarwerden der Elemente: sie geben den kritischen Maßstab, um diesen Liedern, ihrem Vollkommenen und etwa Unvollkommenen gerecht zu werden. In Goethes Gedicht ist nichts Magisches: das Gefühl ist einem Gedanken gleich; die Quelle beider ist die erleuchtete und schön erleuchtende Vernunft.
Das zweite Lied ließe sich so abtrennen:

Im windes-weben
War meine frage
Nur träumerei.

Nur lächeln war
Was du gegeben.
Aus nasser nacht
Ein glanz entfacht –

Nun drängt der mai,

Nun muss ich gar
Um dein aug und haar
Alle tage
In sehnen leben.

Man kann diese Abschnitte zunächst so lesen, als ständen sie gar nicht in einem Reimzusammenhang. Die ersten beiden sind ein ergreifender Dialog: die Träumerei fragt, das Lächeln antwortet.

[1]) Siehe Kraft: Über allen Gipfeln. In: Wort und Gedanke. Bern 1959. S. 323.

Dann kommt der Tau der Nacht, dann als starke Aussage das Drängen der Leidenschaft im Mai. Dieses führt zu der Gefühlskonklusion des Schlusses. Das Wundersame ist nun, wie diese Teile eben doch untereinander reimen, teils nah wie im dritten Abschnitt und in den ersten beiden Versen des fünften – die wiederum mit dem vierten Vers des Gedichts reimen, dessen „war" das gleiche Wort im zweiten aufnimmt und verstärkt–, teils ganz weit wie der vorletzte und der zweite Vers. Gerade dieser Reim stellt die magische Einheit her: das „Alle tage", das auf die „frage" antwortet, ist ein langer, alles Dazwischenliegende melodisch übertönender Schrei der Sehnsucht.
Adorno, in seiner „Rede über Lyrik und Gesellschaft", zitiert zur Illustrierung seiner Gedanken nicht nur „Auf einer Wanderung" von Mörike[1]) sondern auch dieses Gedicht, dessen Analyse sich über drei Seiten hinzieht. Eine Stelle ist besonders wichtig. Er zählt die vier letzten Verse zu dem „Unwiderstehlichsten.., was jemals der deutschen Lyrik beschieden war, [sie] sind wie ein Zitat",

> aber nicht aus einem anderen Dichter, sondern aus dem von der Sprache unwiederbringlich Versäumten: sie müßten dem Minnesang gelungen sein, wenn dieser, wenn eine Tradition der deutschen Sprache, fast möchte man sagen, wenn die deutsche Sprache selber gelungen wäre. Aus solchem Geist wollte dann Borchardt den Dante übertragen. Subtile Ohren haben an dem elliptischen „gar" sich gestoßen, das wohl an Stelle von „ganz und gar" und einigermaßen um des Reimes willen verwandt ist. Man mag solche Kritik ebenso zugestehen, wie daß das Wort, so wie es in den Vers verschlagen ward, überhaupt keinen rechten Sinn gibt. Aber die großen Kunstwerke sind jene, die an ihren fragwürdigsten Stellen Glück haben: so etwa . . . verhält es sich auch mit dem „gar", einem Goetheschen „Bodensatz des Absurden", mit dem die Sprache der subjektiven Intention entflieht, die das Wort herbeizog; wahrscheinlich ist es überhaupt erst dies „gar", das mit der Kraft eines déjà vu den Rang des Gedichts stiftet: durch das seine Sprachmelodie hinausreicht übers bloße Bedeuten.

---

[1]) S. 92. Abgedruckt mit einem Fehler! Die beiden Verse in der zweiten Strophe „Wie rauscht der Erlenbach, wie rauscht/Im Grund die Mühle!" sind in Wirklichkeit *ein* – großartiger – Vers.

Diese Sätze wie die vorhergehenden und die folgenden sind von besonderer Tiefe. Adorno läßt aber nicht merken, daß er sie durch die Worte „einigermaßen um des Reimes willen“ beinahe aufhebt, denn dieses „gar“ trägt in seiner Verfremdung zu einem vollkommenen Reim bei, den dann sogar Adorno selbst ahnt.
Das nächste Lied bietet das folgende Bild:

An baches ranft
Die einzigen frühen
Die hasel blühen.

Ein vogel pfeift
In kühler au.

Ein leuchten streift
Erwärmt uns sanft
Und zuckt und bleicht.

Das feld ist brach,
Der baum noch grau . .

Blumen streut vielleicht
Der lenz uns nach.

Jeder Abschnitt könnte ein Gedicht für sich sein. Alle mit Ausnahme des ersten sind ungereimt. Die Reimverschlingung umschließt aber nicht Anfang und Ende, eher die Mitte: der erste Vers reimt mit dem siebten, der fünfte mit dem zehnten. Der allein stehende Mittelsatz fehlt hier. Die übrigen Reime erstrecken sich auf einen kürzeren Raum. Die Verhältnisse sind harmonisch. Das Gedicht klagt nicht, es teilt verhaltenen Jubel mit. In Klang und Sinn ist es vollkommen. Traumhafte Fragmente schließen sich zu einem Gedicht zusammen, hinter dem der Dichter nicht auf seine Größe zeigt, sondern in dem er seine anonyme Seelenkraft ausdrückt. Nur ein leises „uns“ deutet darauf hin, daß nicht ein Mensch für sich selbst spricht, daß vielmehr zwei gemeinsam die Natur und die menschliche Gemeinschaft erfahren.
Der gleiche Ton erklingt in dem vierten Lied:

Im morgen-taun
Trittst du hervor
Den kirschenflor
Mit mir zu schaun,

Duft einzuziehn
Des rasenbeetes.

Fern fliegt der staub . .

Durch die natur
Noch nichts gediehn
Von frucht und laub –
Rings blüte nur . . .

Von süden weht es.

Hier entsteht der Eindruck, als ob die Herzenspracht des Dichters in dem wunderbaren Eingang sich ausgegeben hätte, welcher eine in sich geschlossene Strophe sein könnte. Der zweite Abschnitt gehört zwar inhaltlich noch zu diesem Eingang – und auch sprachlich, wenn nichts mehr folgen würde –, muß aber für sich gesehen werden, da er die Reimverschlingung des Restes einleitet. Fehlte der vierte Abschnitt, so wäre das Gedicht mit dem Schlußvers ein vollkommenes Abbild des mit der Kirschbaumblüte erwachenden Frühlings und der Sehnsucht nach dem Süden; denn dieser Abschnitt vermittelt zwar Schönheit, aber nicht jene Schönheit, die er anstrebt. Das steife „durch" lähmt. Es bleibt unklar, ob *durch* die Natur hin noch nichts gediehen ist oder ob die Natur noch nichts hat gedeihen lassen, und wenn jenes gemeint wäre, so hört das Ohr doch dieses, wie überhaupt ein dichterisches Wort seine eigentliche Intention nicht erfüllen kann, wenn logisch ein anderer Sinn mitschwingt, welcher vom Dichter nicht gewollt ist. Die Sprachkraft wird ferner gelähmt durch das schwache „nur" als Reimwort, welches gleichsam die drei Punkte braucht, die ihm folgen. Man findet dieses Reimwort gerade bei geringeren Dichtern, und George hat ihm nicht die Kraft des Reimes und des Wortes geben können, damit es, abgebraucht, zum ersten Mal ertöne, als sei es noch nie gebraucht worden.
Das fünfte Lied nähert sich im Bau dem zweiten:

Kahl reckt der baum
Im winterdunst
Sein frierend leben,

Lass deinen traum
Auf stiller reise
Vor ihm sich heben!

Er dehnt die arme –

Bedenk ihn oft
Mit dieser gunst

Dass er im harme
Dass er im eise
Noch frühling hofft!

Wie schön umschließt der Reim das ganze Gebilde, wenn dem Winterdunst am Anfang die Gunst des Traumes gegen Ende wie der stillen Reise das Eis antwortet, das durch die Hoffnung auf den Frühling zum Tauen gebracht wird! Wieder trennt der Mittelsatz – „Er dehnt die arme“ – das Gedicht in zwei Teile, die durch die Reimverschlingung zur Einheit sich zusammenfügen.
Dennoch ist in dem Gedicht ein Riß, indem der Gedanke jene Einheit aufhebt, die die Sprache erreicht hat. Die ersten sieben Verse sind das große Gedicht, welches durch das geringere der zweiten Hälfte zu einem Ganzen ergänzt wird, das in seiner Schönheit der vollkommneren Schönheit entbehrt. Der erste Teil ist im Blick auf die Natur etwas rein Angeschautes, im Blick auf den Menschen etwas rein Erfahrenes. Die Wendung liegt in den Zweigen, die zu „Armen“ werden. Dies ist ein Anthropomorphismus. Er liegt an sich aller Dichtung zugrunde, führt aber hier zu einem merkwürdigen Widerspruch. Der Baum leiht seine Arme von dem Menschen, der von ihm belehrt wird, daß Hoffnung auf Frühling ist. Woher weiß der Dichter, daß der Baum die Arme aus Hoffnung dehnt? Das sind Fragen, die den Leser, der sie stellte, in den Verdacht brächten, die Dinge so genau zu betrachten, wie aus Gründen ungestörten Genusses es nicht ratsam scheint. Dennoch könnte, wenn nichts folgte, jene Aussage, daß „er“ die Arme dehnt, geradezu bedeuten, daß „ich“ – oder du – sie dehne, und so ein Beispiel echter Vereinigung mit dem

Gegenstand sein, wie sie den großen lyrischen Augenblicken Christian Wagners selbstverständlich ist. Wenn dieser nämlich sagt: „Als ich im Wald mich erging,/Rosengeschling/Sich mir an die Kleider hing./O schlängest auch du/Zu meiner Seele Ruh/Um mich die Arme fester,/Du Rosenschwester'", so meint er buchstäblich, was er sagt, die ersehnte Vereinigung der Seele mit dem geliebten Du der „Rosenschwester".

Anderseits läßt sich nicht leugnen, daß George sich nicht mit den Dingen vereinigen will. Mit den Menschen vielleicht, wie die Vorrede im „Jahr der Seele" nahelegt, wo ich und du als die selbe Seele erklärt werden. Dennoch ist seine lyrische Haltung die der Distanz. Diese beruht darauf, daß im Mittelpunkt seiner Dichtung nicht die Natur steht sondern immer der Mensch in Beziehung auf den Menschen – ein *Fortschritt,* welcher freilich immer wieder sich selbst aufhebt, denn er ist nicht der gesellschaftliche Mensch, der auch allein auf Welt und Natur bezogen bliebe, sondern der magische Mensch, der Welt und Natur in die Hand fassen will, in seine lenkende Hand. Das Grauen, das Sabine Lepsius empfand, als sie mit George durch die Natur ging – durch die idyllische, denn im Hochgebirge war es anders –, kommt nicht daher, daß der Dichter der Natur fremd gewesen wäre, es kommt vielmehr daher, daß er ihr gefährlich war: er wollte ihr Gewalt antun, indem er sie in magischer Härte dem Maßstab des Menschen unterwarf und die unterworfene zum Maßstab des Menschen machte. Nur ganz leise in diesem Liede, wo der Traum als die menschlichste und liebevollste Form der Magie übrigbleibt, ohne die Problematik aufzuheben.

George redet in diesem Lied nicht sich selber, er redet den geliebten Menschen an. Aber die sprachliche Einheit wird durch jenes „Bedenk ihn oft/Mit dieser gunst" gestört, denn die Gunst, daß der Baum hoffend die Arme dehnt, scheint problematisch zu sein. Selbst wenn man sie als Übergang zu der Deutung eines Gleichnisses auffaßte, bringen diese Worte einen logischen Ton in das Ganze, für den die Hoffnung auf Frühling ein zu geringes Gewicht hat. Von den Liedern im „Neuen Reich" entspringen die schönsten einer noch höheren Kraft des Sagens als sie George hier erreicht und im Maße der noch spürbaren künstlerischen Bemühung auch zuweilen nicht oder fast nicht erreicht hat. Ein Gedicht wie das „Seelied“ ist konventionell und klassisch zugleich.[1])

SPRÜCHE AUS DEM „NEUEN REICH“

In den „Sprüchen an die Lebenden“ steht dieser:

> Wenn es dein geist von selbst nicht finde
> So wird es dir am tage licht
> Wo einen ich des eids entbinde
> Der vom befreiungstag dir spricht.
>
> Bleibt mein zweifel ein erkühnen:
> Kurze frist – bis er sich kläre . .
> Viel besitz ich ihn zu sühnen
> Nichts ist mein was dein nicht wäre.

Die erste – jambische – Strophe ist sprachlich sehr stark. Sachlich bezeugt sie ein aktives Eingreifen. Der Angesprochene wollte sich dem Anschein nach befreien, kraft des Eingreifens eines anderen, welcher auch im Bereich von Georges Herrschaft über jugendliche Seelen lebt, und diesen wird er des „Eids“ entbinden, dann wird ihm, dem Angesprochenen, ein Licht aufgehen, dann wird er finden, was er „von selbst“ nicht finden könnte. Aber gibt es im einfachen Leben zwischen Menschen einen Eid? Man schwört auf die Bibel, man schwört auf Gott. In dem gewalttätigen Gedicht „Der Eid“ aus dem „Siebenten Ring“ tönt es düster anders . . In der zweiten Strophe schlägt der Ton um, der Sprechton und der Sprachton des Gedichts, die Härte wird Weichheit, ein so flehender Gedankenstrich wie hier wird sich kaum anderswo bei George finden, der Jambus wird zum Trochäus, der Zweifel des Angesprochenen wird zum Zweifel des Sprechers, die Unsicherheit des anderen wird zur Hilfe des Einen. Es ist sprachlich und sachlich überzeugend. Dennoch bleibt selbst in dem bewundernden Leser ein „Zweifel“ haften, ja geradezu ein „Erkühnen“ des Zweifels, obwohl eben dieser Vers des Zweifels viel-

[1]) S. Interpretation des „Seelieds“ in: Kraft, Augenblicke der Dichtung, München 1964, S. 149. Ebenda (S. 147) „Herbstgesang“, das ist die Deutung des Gedichts „Durch die gärten lispeln zitternd“ aus dem „Stern des Bundes“.

leicht der größte des ganzen Gedichts ist. Die Bewegung geht von dem Angesprochenen zu dem Sprecher, welcher so großgeartet seinen Zweifel „sühnen“ will. Er will helfen mit sich selbst, mit allem, was er besitzt: „Nichts ist mein was dein nicht wäre“. Georges Gedicht ist ein schönes Zeugnis der Erziehung, wenn auch ein begrenztes. Es ist ein Monolog. Es enthält auch nicht den Keim eines Dialogs.

Der unmittelbar folgende Spruch, vielleicht an den Gleichen gerichtet, lautet:

Rätsel flimmern alt und neu
Heut von dir noch nicht gewusst
Doch die bald du wissen musst.
Neige dich davor in scheu!

Sieh drohend sie flehend die hand!
Du warst wie ich heute dich wollte . .
Bist morgen du noch der gesollte
Geliebter – welch fest und welch land!

Der Schluß von dem richtigen Verhalten des Geliebten, des Einzelnen, auf die Qualität des Landes ist groß gedacht, und doch wird hier auch ein Mensch zum Besitz des anderen, der ihn so „wollte“ und aus diesem Wollen den „Gesollten“ entwickelt, als dürfe das Gesetz in ihm liegen, in George, als müsse es nicht vielmehr aus einer anderen Richtung kommen, sei es aus dem Gesetz selbst, sei es aus der Gestalt, die es in dem jungen Menschen gefunden hat. Der trochäische Rhythmus schlägt in der zweiten Strophe mächtig in den daktylischen um, und doch fleht die Hand nicht nur, sie droht auch, sie vermag zu drohen, sie wird zu der drohenden Hand. Muß man die große Sprache preisgeben, die solche Drohung verantwortet? Die Antwort bleibt in der Schwebe.

Es gibt andere Sprüche, in denen die Bewegung auf den Dichter zugeht, so diesen:

J:

Du unversehrten leibs trankst bei mir mut
Dass nicht der geist zerbräch in dunst und flut . .
Nun halt ich dich geläutert und gesund
Und nehme kraft mir auf aus deinem grund.

Die ersten beiden Verse sind, den „unversehrten leib" ausgenommen, eher vage, aber die beiden letzten sind stark und schön. Wie hier dem unversehrten Leib der Reim der Gesundheit entnommen wird, das ist sprachlich vorbildlich: „gesund" und „grund" gehen den Reim der Gegenwirkung ein, die Kraft des Angesprochenen verstärkt die Kraft des Sprechenden. Dieser ist der Empfangende, nicht nur der Gebende. Dennoch ist diese „Kraft" nicht das richtige Wort für den dargestellten Vorgang: der Leser erwartet ein richtigeres, damit die hohe Intention sich erfülle. Es stellt sich nicht ein. Wenn der Dichter sich *öffnete,* käme es zu einer Steigerung durch die Einigung zweier Seelen. Das geschieht nicht. Gerade die Kraft verschließt beide gegeneinander, obwohl die Worte es anders – und völlig lauter – meinen.
Ein anderer Spruch lautet:

B:I

Nächtlich am tor gehn wir im gleichen tritte
Den einlass bringt nicht sehnsucht noch gewalt . .
Für dich Geliebter hab ich nur die bitte:
Bleib mit mir wach bis drin der ruf erschallt.

Die Schönheit dieses Spruches ist eine Schönheit des *ganzen* Umlaufs von Wort, Vers, Gedanke. Der zweite Vers ist dunkel. Die Sehnsucht nach dem Tode ist verständlich, die „gewalt" so sprengend, daß die Bitte um Hilfe einleuchtet. Klingt nicht aber auch mit, daß der „Jünger" *schlafen* könnte? Darum bittet der Dichter ihn nicht nur, daß er mit ihm wach bleibe, sondern die Bitte wird *für ihn* ausgesprochen. Der Antrieb ist edel, und doch ist die innige Bitte zugleich eine pädagogische Belehrung, das reine Ich-Du-Verhältnis gebrochen. Man könnte fragen, ob hier wirklich der Tod gemeint sei. Der erste Vers könnte eine reale Bedeutung haben, der zweite Vers und was folgt läßt nur eine symbolische Deutung zu. Wenn bei Kafka der Mann vor dem Tor steht und um Eintritt in das Gesetz bittet, so ist es klar, was gemeint ist, eben das Tor des Gesetzes. Hier ist beides gemeint, das natürliche Gehen vor dem Tor in der Nacht und das Warten auf den Ruf von drinnen. Die so nahe liegende Hindeutung auf den Tod bleibt unausgesprochen. Vielleicht darum ist das Gedicht so schön!
Für sich steht in den „Sprüchen an die Lebenden" dieser:

S . . .

,Gibt es nichts weiseres sommerlang' hast du gemurrt –
Als unerkannt ich mit den kecken schwimmern reden spann . . .
So hoff ich trifft mich nie das loos des sehers an der furt
Der an der knaben rätsel sich zu tode sann.

Der Titel geht nicht wie in fast allen anderen Sprüchen auf die angeredete Person, sondern auf den Ort, in dem die Begebenheit spielt. Das war in Schaffhausen, wo Gundolf eine Zeitlang lebte und über Johannes von Müller arbeitete. George und er gingen am Rheinufer entlang, wo der Dichter „unerkannt" sich in eine Unterhaltung mit den „kecken" Schwimmern einließ, zu Gundolfs Befremdung, da er dem Weisen weiseren Umgang wünschte. Wer aber ist der Seher an der Furt? Nach einer alten Legende hat Homer ein Orakel befragt, und es sagte ihm, er möge sich vor den Rätseln der Knaben in Acht nehmen. Dann seien ihm auf einer Insel Knaben begegnet, die vom Fischfang kamen. Er fragt sie, was sie bringen, und sie antworten: Was wir fingen, warfen wir weg; was wir nicht fingen, bringen wir mit. Dieses Rätsel konnte Homer nicht lösen, und vor Gram, daß er, der große Homer, es nicht lösen konnte, starb er. Die Lösung war aber –: Läuse. Bei Heraklit (Diels-Kranz Nr. 56) lesen wir: „Der Täuschung hingegeben sind die Menschen in der Erkenntnis der sichtbaren Dinge ähnlich wie Homer, der doch weiser war als die Hellenen allesamt. Denn auch jenen täuschten Jungen, die Läuse knickten, indem sie sprachen: alles was wir gesehen und gegriffen, das lassen wir da; was wir aber nicht gesehen und gegriffen, das bringen wir mit". Hier wird Homer als ein höchstes Beispiel in die Täuschung der Menschen vor der Erkenntnis der sichtbaren Dinge einbezogen, obwohl er doch ein Weiser war. Von seinem Tode sagt Heraklit nichts. Diese Überlieferung hat George sicherlich gekannt, besonders beeindruckt aber dürfte er sein durch den Abschnitt „Die Gefahr des Glücklichsten" in Nietzsches „Fröhlicher Wissenschaft", wo in dem ersten Teil der „Glücklichste" gepriesen wird. Diesen wird wohl George sich restlos zueigen gemacht haben, weniger was folgt: „. . Aber man verberge es sich nicht: mit diesem Glück Homer's in der Seele ist man auch das leidensfähigste Geschöpf unter der Sonne! . . . der kleine Mißmut und Ekel genügte am Ende, um Homer das Leben zu verleiden. Er hatte ein törichtes Rätselchen, das ihm junge

Fischer aufgaben, nicht zu raten vermocht! Ja, die kleinen Rätsel sind die Gefahr der Glücklichsten!" Dies dürfte für George die Quelle seines Gedichts sein. Es zeigt, wie er mit dieser Gefahr fertig wurde.

Im „Stern des Bundes" steht der Vers: „Mein leben seh ich als ein glück". Nicht daß George das Leiden verneint hätte! Im „Stern des Bundes" heißt es auch: „Schilt nicht dein leid/Du selber bist das leid."

Als magischer Mensch hohen Ranges macht er das Leid zu sich selbst. In dem Spruch „S...", soweit man den gemeinten Sinn verstehen kann, bezeugt sich Georges Weisheit dadurch, daß er im gegebenen Augenblick von ihr absieht und die Rätsel der Knaben schroff verwirft. Die Rätsel, die zum magischen Lebenskreis des Erziehers gehören, werden gebilligt; sie werden verworfen, wenn sie ausserhalb dieses Kreises Anspruch auf Lösung erheben.

Wie immer die Legende über Homer verstanden werden mag, ob sie das Tragische der Weisheit an ihrem höchsten Träger zeigen oder die Grenze der Weisheit an eben diesem ironisch bloßstellen will, – George, der das Rätsel, um dessen Auflösung die von ihm nicht autorisierte Jugend sich bemüht, den Läusen gleichsetzt, mag zwar „weiseres" darstellen, aber nicht die Weisheit. Das Gedicht enthält nur so viel an Schönheit, wie die Magie des Dichters hergibt. Wesentlich poetisch ist die Frage des Anfangs: ‚Gibt es nichts weiseres sommerlang'.

Aus dem Nachlaß stammt, wie Boehringer bemerkt, der Spruch, den er seinem Buch voransetzt:

Lang ist gang in gleicher spur:
Was ihr denkt und lernt und schafft ...
Doch des götterrings verhaft
Dauert Einen sommer nur!

Wenn es wirklich im Nachlaß nur das eine Gedicht gibt, so könnte es als der feierliche Abschied gelten. Im Zentrum des Gedichts steht „des götter-rings verhaft", wie es in der Handschrift in der Wiedergabe vor den Bildtafeln heißt. Alle Glieder des Rings sind ineinander verhaftet, es ist ein Haften, ein Verhaften, ein Verhaft, wie auch in „Burg Falkenstein" die Prägung „unseres gottes verspruch" überzeugend gebildet ist. Der Ring schließt sich. Von dem Geheimnis des

Ringes an, von dem der junge George dem noch jüngeren Hofmannsthal schreibt (S. 166), über den „Siebenten Ring“ bis zu diesem Abschiedsgedicht. Der „gang in gleicher spur“ ist der Gang des Lebens im Sinnen, im Lernen und im Schaffen. Das Schaffen ist hier eher das Vorwärtsbringen einer Arbeit als das Erschaffen des Neuen. Der Gang ist „lang“, und die Länge dieses Gangs wird im Binnenreim versiegelt. Ihm gegenüber steht des „götter-rings verhaft“. Er dauert „Einen sommer nur“, einen „Ewigen Augenblick“ wie Boehringer sagt. Das gelebte Leben kann nicht nach der Länge oder der Kürze der Zeit gemessen werden. Dann kommt der Tod. In der Ahnung des Todes ist dieses Vermächtnis geschrieben.

DAS LIED

Wie Heidegger in seiner Deutung Georges zu viel an Eigenem gibt, so einer, der ihm persönlich nahe stand, wie Georg Peter Landmann, eher zu wenig. Er schreibt in seinem dennoch vielfachen Aufschluß gebenden Buch:

> George hat die lapidare Form nicht weiter gepflegt, wieder biegt er ab. Zur rechten Zeit aufhören können, war einer seiner Leitsätze. Aber einen ganz neuen Ton hat der nun Fünfundvierzigjährige nicht mehr entwickelt. Seine Außerungen werden sparsamer und verwenden steigernd die früher vorhandenen Formen: das breit ausladende redende Gedicht wie Goethes letzte Nacht von 1908 [welche aber nicht Goethes letzte Nacht ist, sondern Goethes letzte Nacht in Italien], dialogische Gedichte wie der Mensch und der Drud von spätestens 1914, die kurze Anrede und das Lied mit dem Motto:
>
> Was ich noch sinne und was ich noch füge
> Was ich noch liebe trägt die gleichen züge.

Er meint die Abteilung „Das Lied“, nicht in ihr das Gedicht „Das Lied“. Weiter schreibt er:

> Als ich etwa 1927 für das Neue Reich als Druckvorlage die früher gedruckten Gedichte zusammengeschrieben hatte, war ich sehr erstaunt über die Frage, warum ich ‚Das Lied‘ weggelassen hätte. Das stand anonym in der neunten Folge von 1910, und ich hatte es nicht für Georgesch gehalten – es war so unscheinbar.

Es ist nicht nur „unscheinbar“ sondern gerade in seiner Unscheinbarkeit überaus schön:

Es fuhr ein knecht hinaus zum wald
Sein bart war noch nicht flück
Er lief sich irr im wunderwald
Er kam nicht mehr zurück.

Das ganze dorf zog nach ihm aus
Vom früh- zum abendrot
Doch fand man nirgends seine spur
Da gab man ihn für tot.

So flossen sieben jahr dahin
Und eines morgens stand
Auf einmal wieder er vorm dorf
Und ging zum brunnenrand.

Sie fragten wer er wär und sahn
Ihm fremd ins angesicht,
Der vater starb die mutter starb
Ein andrer kannt ihn nicht.

Vor tagen hab ich mich verirrt
Ich war im wunderwald
Dort kam ich recht zu einem fest
Doch heim trieb man mich bald.

Die leute tragen güldnes haar
Und eine haut wie schnee . .
So heissen sie dort sonn und mond
So berg und tal und und see.

Da lachten all: in dieser früh
Ist er nicht weines voll.
Sie gaben ihm das vieh zur hut
Und sagten er ist toll.

So trieb er täglich in das feld
Und sass auf einem stein
Und sang bis in die tiefe nacht
Und niemand sorgte sein.

Nur kinder horchten seinem lied
Und sassen oft zur seit . .
Sie sangen's als er lang schon tot
Bis in die spätste zeit.

Seltsam, daß Georg Peter Landmann nicht alles sagt, obwohl er es zweifellos weiß. Es steht nämlich noch mehr in der 9. Folge der Blätter für die Kunst von 1914, nämlich S. 139 dies:

> Wir bringen wie in der achten folge eine auswahl jüngerer dichter: das lezte gedicht und die lezte rede weil sie – obwohl den rahmen der Blätter etwas überschreitend – ein vielversuchtes und angepriesenes in der echtheit zu enthalten scheinen.

Dieses „lezte" Gedicht ist S. 152: „Das Lied". Also ist dieses Gedicht *nicht* von George. Aber im „Anhang" zum „Neuen Reich" steht: „Das 2. der lieder ist in der IX. . . . folge erschienen". Also *könnte* es von ihm sein. George ist im Wortlaut seiner Texte bis noch in die Interpunktion sehr genau und gibt am Schluß des Anhangs als „die einzige abweichung vom ersten druck" zwei Beispiele, die sich nicht auf dieses Gedicht beziehen. Das ist aber ungenau, denn die Interpunktion des Gedichts ist im Buch durchgehends vereinfacht worden. Was geht hier vor?
Helmut von den Steinen hat mir erzählt, zwei Gedichte im „Neuen Reich" seien nicht von George. Das eine – „Balduin" – nannte er und auch den Dichter: Friedrich Wolters. Es ist ein sehr starkes Gedicht, dessen kriegerischer Ton jede Friedensäußerung Georges mindestens einschränkt. Das zweite Gedicht, „eines der schönsten", wollte er mir nicht nennen und auch nicht den Dichter. Es kann nur „Das Lied" sein, welches George für sich selbst in Anspruch nimmt, denn der „Nachklang", zu dem wiederum Morwitz sich bekennt, ist nur das Ende eines dreiteiligen Gedichts von George: „An die Kinder des Meeres". Daß dieser sich mit einem fremden Gedicht deckt, ist nicht das Wesentliche. Das Wesentliche ist, daß er es aufnimmt, obwohl es zu lang sei, weil es „ein vielversuchtes und angepriesenes *in der echtheit* zu enthalten" scheine, will sagen: es ist ein Lied, ein Volkslied. Und doch hat er sich in der 7. Folge der Blätter für die Kunst unter dem Titel „Volk und Kunst" noch sehr skeptisch über Volkslieder ausgedrückt:

Volkslied: Lieder des 16. und 17. Jahrhunderts (von andern völkern richtig old songs vieilles chansons genannt) bei den Deutschen ein verworrener sammelbegriff. Entweder versteht man darunter gassenhauer die damals nicht anders entstanden sein werden als heute oder gedichte bekannter und unbekannter verfasser die oft durch leichte kompositionen in schwang kamen oder endlich solche lieder die ihren reiz aus der lückenhaftigkeit der überlieferung ziehen und dadurch ihre augenscheinliche plattheit verdecken.

In der „Gesamt-Vorrede zu „Deutsche Dichtung" (I, 1910) heißt es dagegen: „Daran [= an die drei erschienenen Bände: Jean Paul, Goethe, Das Jahrhundert Goethes] sollen sich fügen eine lese aus der mittelalterlichen blütezeit, so wie gewöhnlich volkslieder genannte verse älterer meist unbekannter verfasser". Jene Lese dürfte sich auf die hochdeutsche Wiedergabe mittelhochdeutscher Gedichte durch Friedrich Wolters beziehen. Wie dem sei, Georges Auffassung vom Volkslied hat sich vertieft. Wen er mit der Zuerkennung seiner eigenen Autorschaft ehren wollte, bleibt so offen wie die Frage, ob George doch selbst der Autor ist. Anderseits hat er sogar, in der 11. und 12. Folge der Blätter für die Kunst, in die Gedichte Wolfskehls, die wie alle Gedichte des Bandes ohne die Namen der einzelnen Dichter abgedruckt waren, eines eingeschoben – „Nova Apokalypsis" –, das von ihm selbst ist und sich dann überaus amüsiert, als eine Dissertation erschien, die den stilistischen Unterschied zwischen Wolfskehl und George an eben diesem Gedicht zeigte . . Hofmannsthal schreibt an George am 24. 7. 1902:

> Man sagte mir, Sie hätten von Goethes Gedichten alle fortgelassen, denen der Volkston anhaftet. Dies trifft ein Thema über das ich seit Monaten ohne rechtes Ergebnis nachdenke: das Verhältnis dieses Tones zum künstlerischen Ton in unserer Poesie, verglichen etwa mit der englischen. Auch mir erscheint der volksthümelnde Ton als eine der schlimmsten Verirrungen unserer Vorgänger: und doch wenn ich bedenke, wie ihn Goethe gleichsam als Hirtenpfeife brauchte, wenn ich Uhland, Mörike bedenke, werde ich schwankend und wünsche mir eine Belehrung von Ihnen.

George antwortet mit der Erklärung:

> . . . dass mich Ihre frage wegen des ‚volks-tons' etwas erstaunt. es giebt in jeder dichtung *alte weisen* unbekannter verfasser die weder durch ‚volk' noch ‚ton' irgendwie umschrieben sind. Einige davon erregen wunderbar, die meisten verdecken durch die verstümmelung der überlieferer ihre offenkundige albernheit. Wollten nun gar Spätere das nachahmen, so wäre es abgeschmackt und lächerlich.

Das ist ebenso positiv wie negativ. Dem hohen Lob, daß einige dieser Lieder wunderbar erregen, steht der Tadel gegenüber, daß die meisten durch falsche Überlieferung verstümmelt und verfälscht sind. In diesem Gedicht als einer Nachahmung des wahren Volkslieds will George nach seiner Aussage zeigen, wie etwas in der Echtheit beschaffen ist, was nur noch in der Verlogenheit gefällt. Er hat, um mit Hofmannsthal zu sprechen, nachgesungen und gleichzeitig ein originales Gedicht geschaffen.
Man sieht es schon an den halbgereimten Strophen, in denen er die Geschichte eines sieben Jahre lang in einem Wunderwald verirrten Knechtes erzählt, mit dem starken Reim flück-zurück im Anfang, wo er über das Luthersche „flügge" zurückgeht auf das mittelhochdeutsche „flücke", eine Nachahmung und Neubildung zugleich. Dazu reimt der „wunder*wald*" auf „wald". Daß das gleiche Wort reimt, ist bei George selten, die Steigerung vom Wald zum Wunderwald wirkt reimkräftig und stark. In dem Halbreim, welcher typisch ist für das geringgeschätzte Volkslied, verstärken sich die gereimten und die ungereimten Verse gegenseitig zu besonderer Wucht, so in der vierten Strophe. Der Knecht wird über allem, was er im Wunderwald gesehen und gehört hat oder gesehen und gehört haben will, närrisch oder gilt für närrisch. Man macht ihn zum Hirten für das Vieh. Der Narr singt bis in die Nacht, verlassen von allen. Nur die Kinder hören ihn, sie singen das Gehörte weiter, nach seinem Tode. Was da gesungen wird, wird nicht gesagt. Das Lied selbst wird gesungen, das Unsterbliche in ihm.
Es klingt in dem Ausgang des Gedichts etwas von den Sirenen an, über die George Edith Landmann berichtet (S. 171):

Ein Fischer erzählt, wie er sie gesehen hat, und wie schön sie sind, und kann sich nicht genug tun im Erzählen und wiederholt das mehrere Abende; eines Abends aber ist er ganz still und sagt kein Wort – da hatte er die Sirenen wirklich gesehen.

SCHIFFERLIED

Das „Schifferlied" aus der letzten Abteilung „Das Lied" im „Neuen Reich" wurde zuerst 1910 in der neunten Folge der Blätter für die Kunst gedruckt:

Schifferlied
Abschied Yvos von Jolanda

Du harrst umsonst.   Ist Der auch hin
Und schläft in ruh   wo keiner ihn
Entdecken wird –   mein blut ward kühl
Ich geh an bord   seh dich nicht mehr.

Als er erwürgt   zur klippe sank
Floh weit wie je   das nahe glück
Du ahnst wol viel   das lezte kaum . .
Wild lockt das meer   nie werd ich dein.

Ich weiss du weinst   wenn abends spät
Die botschaft kommt   ich sei schon fern –
Mein schiff mein freund –   bis sich beim werk
An fremdem strand   mein loos erfüllt.

Wir all sind bös   doch du bleib rein!
Bald klagst du sanft   und flichst den kranz
Fürs gnadenbild   am felsgestad
Und flehst um dein   und um mein heil.

Dieses „Lied", wenn es eines ist, ist ungeheuer expressiv, beinahe ein Brief und doch nahezu undurchdringbar. Man kann aufnehmen, was geschieht, aber warum es geschieht, hält der Dichter geheim. Das Geheimnis teilt sich gleichzeitig mit und nimmt sich zurück. Das

wird schon im Titel deutlich. Schifferlieder sind eine alte Gattung. Ob man in ihnen einen neuen Gehalt mitteilen kann, ist die Frage. Die altgermanische Zeilenbrechung, nachgeahmt auch in dem Gedicht „Das Weinen um Balder" von Ludwig Strauss, verstärkt das Alte und wirkt jeweils als eine schwere Pause für das offenbar Unerhörte des Vorgangs. Was vorgeht ist-: ein Mord. Und zwar durch Erwürgen! Umsonst harrt die Liebende, die sich mit dem Geliebten untrennbar verbunden glaubt. Das Gegenteil geschieht. Mit dem Anderen, der aus dem Weg geräumt ist, „floh weit wie je das nahe glück". „Ist Der auch hin", grausamer kann man es nicht sagen, es sei denn in der Fortsetzung vom Schlaf in Ruh. Der Vers „Du ahnst wol viel das lezte kaum . ." enthält die gewollte Undurchdringbarkeit des Geheimnisses. Durchschimmern könnte dennoch ein Sinn wie etwa dieser. Mag sie etwas von dem Morde ahnen, das Letzte bleibt ihr verborgen. Er flieht nicht nur wegen der begangenen Untat, auch die Leidenschaft, die ihn antrieb, ist geflohen: „mein blut ward kühl". Wild lockt ihn das Meer, ihn den Unstäten, den Flüchtigen, dessen einziger Freund das Schiff ist. „nie werd ich dein", es klingt wie ein Triumphschrei der Befreiung. Auf diese düstere Befreiung folgt in der letzten Strophe ein milderer Ton mit der Mahnung an die Verlassene, ihre Reinheit zu bewahren in dieser Welt der Bösen. Und er stellt sich vor, wie sie, wenn die Klage „sanft" geworden ist, „um dein und *mein* heil" flehen wird!
Dies aber soll keine Deutung sein, eher der Versuch einer möglichen Deutung, um in den großen Klang des Gesagten etwas wie Sinn zu bringen. Morwitz, dessen persönliche Nähe zu dem Dichter nicht immer das Verstehen der Gedichte fördert, trägt zum Verständnis dieses Gedichts bei, wenn er auf den akustischen Eindruck des wild bewegten Meeres hinweist und auf die Absicht des Dichters, diesen Eindruck durch den fremdländischen Klang der Namen zu verstärken. Immerhin hängt mit dem „Heiligen" Yvos der heutige französische Vorname Yves zusammen, und vielleicht hat auch der Vorname Jolanda eine persönliche Bedeutung. George liebte es, den Menschen seines näheren Umgangs fremdartige Namen zu geben. Er konnte, wenn er wollte, meisterhaft schweigen und zweideutig sprechen. Dunkel bleibt in dem dunklen Gedicht das „werk/An fremdem strand", eine Stelle, die Morwitz in seinem Kommentar übergeht. Was ist das für ein Werk, das an einem fremden Strand verrichtet wer-

den soll? Die Antwort liegt in der Überlegung, warum George diesen düsteren Stoff gewählt haben könnte. Er fühlte sich von Jugend an hingezogen zu der Sphäre des Gewaltmenschen, des „Täters", des „Mörders", der aufsteht und die „Tat" tut, wie es der dritte „Jahrhundertspruch" im „Siebenten Ring" so unzweideutig ausspricht.

Das „Schifferlied" ist ein großartiges Gedicht – gleichsam auf Widerruf. Es ist kein „Lied" sondern eine Ballade, in der ein reales Geschehen in den Mythos zurückgedrängt wird. Man könnte aber auch sagen, daß es die Großartigkeit der Sprache ist, die einen ans Banale grenzenden Inhalt verdeckt: der Sinngehalt kommt nicht zum Ausdruck. Das Gedicht zeigt in besonderem Grade die Schwierigkeit beim Verstehen von Gedichten, je tiefer man einzudringen bemüht ist.

DAS LICHT

Das drittletzte Gedicht aus dem „Neuen Reich" mit dem Titel „Das Licht" ist in seiner Deutlichkeit geheimnisvoll:

Wir sind in trauer wenn, uns minder günstig
Du dich zu andren, mehr beglückten, drehst
Wenn unser geist, nach anbetungen brünstig,
An abenden in deinem abglanz wes't.

Wir wären töricht, wollten wir dich hassen
Wenn oft dein strahl verderbendrohend sticht
Wir wären kinder, wollten wir dich fassen –
Da du für alle leuchtest, süsses Licht!

Es wirft zunächst die Frage auf, ob das Kunsturteil in jedem Fall aus dem Gedicht selbst zu begründen ist. Hier ist der Wortbestand im Vergleich zu den Gedichten anderer Dichter von gleichem Rang so einfach und die Kunstform so konventionell, daß die Vermutung mindestens theoretisch sinnvoll ist, das Gedicht hätte auch von einem geringeren Dichter sein können. Bei Erscheinen des „Neuen Reichs" schrieb Ernst Lissauer 1929 im Hannoverschen Kurier eine Besprechung, in der er diesen Standpunkt einnahm und wirklich das

„Seelied“ auf dem Niveau der schlechten Lyrik von 1890 sah. Abgesehen davon, daß dieser Standpunkt grotesk ist, ist er für eine theoretische Besinnung als Ausgangspunkt immerhin brauchbar. Wie den konsequenten Anhängern Georges im Positiven fehlt diesem Kritiker im Negativen selbst im bescheidensten Umfang der Wille zu einem kritischen Verhalten. Die Wertung des Gedichts nach sachlichen Kriterien ist so unerläßlich wie ohne Kenntnis des Autors unvollziehbar, und nur so, in dieser polaren Betrachtungsweise, kann die geschichtliche Funktion eines Künstlers in Einklang gebracht werden mit der Zulänglichkeit seiner Leistung, welche nur auf Grund sprachlicher und geistiger Prinzipien erkannt werden könnte. Der letzte Rechtsgrund, warum „Über allen Gipfeln“ ein so großes deutsches Gedicht ist, steckt in dem Faktum, daß es von Goethe ist, von welchem es etwas Einmaliges aussagt. Aber dieser Rechtsgrund kann nur wirksam in Erscheinung treten, wenn er mit und aus dem Gedicht erwiesen wird, wobei die Frage offen bleibt, ob ein bindender Beweis überhaupt zu führen ist, im Sinne des Novalis, wenn er sagt, jedes Gedicht habe eine apriorische Notwendigkeit, da zu sein. Die Anhänger Georges, vor allem Gundolf, setzen wie bei Goethe eine zentrale geistige und menschliche Persönlichkeit an, deren sämtliche sprachliche Ausstrahlungen positiv zu bewerten sind; die Aufgabe ist nur die, dieses Positive zu bestimmen, zu entfalten, darzustellen.

So einfach Georges Licht-Gedicht als ganzes sich gibt, unterschieden sind beide Strophen doch dadurch, daß die Einfachheit von der ersten zur zweiten Strophe wächst. Dieses Wachstum vollzieht sich in dem Maße, in dem der Sprecher des Gedichts sich im Sprechen reinigt. Daß in einem „wir“ einer für viele das scheidende Licht der Sonne anredet, ist nur darum kein Einwand gegen die Reinheit der Seele – die in der lyrischen Offenbarung nicht eigentlich als „ich“ zu den Erscheinungen des Kosmos „du“ sagt –, weil das „wir“ der zweiten Strophe ein anderes eher *wird* denn *ist* als in der ersten. Die erste Strophe enthält keine Attribute, dagegen einen so merkwürdigen Plural wie „Anbetungen“, welcher die seelischen Bedürfnisse dieser „wir“ mehr logisch als poetisch ausdrückt: „Anbetung“ wäre viel stärker. Der Abend ist die Tageszeit, in der unser Geist verlangend nach *Anbetung* im Abglanz des entschwundenen Lichtes „wes’t“; gemeint ist wohl, was das tiefe deutsche Wort „abwesend“, verglichen mit dem

französischen „absent“, so unbeholfen ausdrückt, im Abglanz des sinkenden Gestirns des eigenen Daseins sich bewußt werden, abwesend zur Stelle sein, anwesend. „An abenden“ ist eine seltsam lakonische Wendung, auf die man ungern verzichten möchte. Sie ist genau im Unwesentlichen, und an dieses Unwesentliche klammert sich die Ahnung des Wesens. Die Wendung kommt schon bei Jean Paul vor, im 70. Zykel des „Titan“!
Die zweite Strophe ist leicht und luftig; die Trauer der ersten ist besiegt. Der verderbendrohende Strahl widerlegt nicht das Licht als den Quell des Lebens; es „hassen“ hieße es preisgeben. Der Tod ist ausgeschaltet oder nur, wie Goethe in dem Hymnus auf die Natur sagt, der „Kunstgriff“ der Natur, „um viel Leben zu haben“. Auch zu „fassen“ ist das Licht nicht, und der es täte, sei es in dem Bemühen der Erkenntnis, sei es durch das Greifen mit der Hand, wie Kinder, gibt seine reine Lebensstufe auf; auf ihr ist der bei George so seltene Doppelsinn eines Wortes nur zugelassen, um einen negativen Sachverhalt abzulehnen, nicht um einen positiven zu bejahen. Dieses Positive entfaltet sich in dem letzten Vers als der Konklusion des logisch Letzten und ethisch Ganzen zu der höchsten Schönheit nicht nur des Verses „Da du für alle leuchtest süsses Licht“, sondern des Gedichts überhaupt, welches dieser und nur dieser Vers trägt. Während George es zu vermeiden sucht, den gleichen Reim zweimal zu verwenden – was nur bedingt richtig ist, denn der gleiche Reim in dem neuen Gedicht wäre ein anderer –, hat er Lieblingswendungen, die sich wiederholen. Das „süsse Licht“ als eine inhaltliche Aussage kommt mindestens dreimal vor. „Solang ich in dem süssen licht verweile“ heißt es in dem Gedicht aus dem „Stern des Bundes“, das mit den Worten beginnt: „Da schon Dein same den ich trug in fahr“. Eine der reinsten Strophen aus dem „Siebenten Ring“ lautet:

DIE angst nur ziemt: dass für die uns gewährte
Glückseligkeit wir keim und nähre speichern
Um andre – nie uns selber zu bereichern
Und süßes licht verblasst und sichre fährte.

Aber nur in diesem Gedicht wird das süße Licht angeredet. Es schließt die Welt auf, in der es *für alle* leuchtet. Der Sprung aus der aesthetischen Welt Georges, in der „wir“ das Vorrecht haben, der Schönheit gewahr zu werden, in die natürliche Welt, in der die Sonne

allen leuchtet, auch George, ist ein gewaltiger. Das Aesthetische wird im Ethischen komplett, das Gedicht vollkommen.
Auf byzantinischen Tongefäßen findet sich oft eine griechische Inschrift: Jesus, das Licht leuchtet allen. Sollte George, der der Archäologie und der Mythenforschung bewußtseinsmäßig nahestand, sowohl durch seine Freunde als durch sein eigenstes Bestreben, *dieses Licht* gemeint haben, dann würde allerdings dieses einfache und durchsichtige Gebilde als in eine völlig andere Sphäre geistiger Bedeutung transponiert erscheinen, das Licht könnte nicht Jesus sein, sondern ein „neuer Gott", und das Gedicht wäre ein wichtiger Beitrag für den Vorgang, daß die Erklärbarkeit eines Kunstwerks als ganze sich drohend verschließt, wenn die einfachsten Zeichen der Mitteilung plötzlich etwas anderes sagen, als sie zu sagen schienen und der Leser mit allem Recht der Logik und der Vernunft annehmen durfte. Das Gemeinte ist nicht mehr das Gemeinte. Mit dieser ihm zugewachsenen Bedeutung könnte ein Gedicht verstanden werden als das Muster einer esoterischen Mitteilung, von der der Leser nur die exoterische verstehen soll. In diesem Zusammenhang ist es auch wichtig, darauf hinzuweisen, daß in den beiden früheren Stellen, in denen das „süsse Licht" vorkommt, das Licht mit einem kleinen Anfangsbuchstaben gedruckt ist, hier mit einem großen.
In Robert Boehringers Buch „Ewiger Augenblick", das Gespräche Georges mit seinen Freunden wiedergibt, gibt es (S. 37f.) eine Unterhaltung über „Das Licht". Der Meister sagt: „Komm Heinz setz dich hier herüber zu mir". Darauf meint Ulrich: „Ich warne den Heinz. Heut ist er in gunst. Das waren wir auch einmal, aber morgen scheint die gnadensonne auf einen andern". Und Werner, anspielend auf das Gedicht: „Die meisterliche sonne sticht". Damit kommt Rudolf auf das eigentliche Thema: „Es gibt einen streit über Das Licht. Die einen sagen, das licht sei der Meister selbst, die andern, es sei die sonne". Daß ein solcher Unfug, kraft dessen George als „süsses Licht" angesprochen wäre, durch den Dichter selbst, von vernünftigen Menschen ernstgenommen werden könnte, ist kaum zu glauben. Immerhin sagt George 1919 zu Edith Landmann (S. 79): „Früher dachte ich: vor fünfzig, vor hundert Jahren würde mich niemand verstehen. *Das Licht pflegt ja aufzugehen, wenn ich mich zeige,* aber es dauert dann noch eine gute Weile". Die von mir gesperrten Worte verraten nichts Gutes. Nun fragt der Meister Rudolf: „Und was

sagst du?“ Dieser antwortet: „Ich denke, es ist beides“, und mit einem Hinweis auf das Convito, in dem Dante von der mehrfachen Bedeutung von Geschriebenem spricht, von dem wörtlichen Sinn, dem allegorischen, dem moralischen und dem anagogischen (= geheimsinnigem). Für den moralischen Sinn gibt Rudolf ein Beispiel aus Dante mit einem italienischen Zitat, das Otto auf die Frage des Meisters, ob er das übersetzen könne, so wiedergibt: „Daß wir in geheimen dingen nur wenige gefährten haben sollen“. Nun erhält Otto vom Meister die Mahnung: „Merk dir's“, sagt aber weiter: „ Aber die deutung des gedichts“. Jetzt sagt Heinz: „Wenn der Meister schreibt licht, so ist es licht und nichts anderes“. Das klingt plausibel, aber Ulrich scheint anderes für möglich zu halten: „Es könnte aber doch noch etwas anderes bedeuten, etwa daß der Meister sich von Heinz weg zu einem andern, mehr beglückten dreht“. Das wird von Heinz bestätigt: „Der Ulrich sagt so tiefe sachen“. Und nun sagt der Meister: „Der Ulrich sagt nicht tiefe sachen, er sagt versteckte sachen“. Das bedeutet, daß das Tiefe für George unkonkret, das Versteckte konkret ist. Wir müssen also damit rechnen, daß George etwas von dem *gemeint* hat, was hier vermutet wird. Etwas anderes ist die Frage, was das *Gedicht* gemeint hat. Es folgt noch ein neuer Gedanke. Werner: „Wenn das gedicht aber eine dritte bedeutung hätte, wenn weder der Meister noch die Sonne gemeint wäre“. Forder: „Oder alle drei. Der dichter lässt gern offen“. Rudolf: „Würde jeder von uns gesondert auch nur von einem gedicht aufschreiben, wie ers versteht, so kämen lauter verschiedene deutungen heraus“. Forder: „Aber nicht alle müssten falsch sein“. Nun sagt George abschließend:

> Auslegung kann falsch sein, aber auslegung muss sein. Einer meinte, was ich mir beim dichten alles denke, das wisse ich selber nicht. Dichter brauchen nicht alles sagen, was sie denken. Sie stellen dar, was eine gesamtheit der welt spiegelt. Wie das leben so ist,das weiss nur der liebe Gott, und ein bisschen der dichter. Der dichter sieht das bild und sagts, möglich dass ein anderer später noch mehr gedanken darin findet.

Die „mehr gedanken“ deuten auf die Idee der Kritik, welche die Theorie des Novalis und die Friedrich Schlegels in das Kunstwerk wollte hineingenommen wissen. Walter Benjamin hat eben dies in seiner Dissertation über die Idee der Kunstkritik in der deutschen

Romantik überzeugend gezeigt. Als Beitrag zur Erklärung von Gedichten ist diese fingierte Unterhaltung unschätzbar, da sie wirklich Gesprochenes festhält.
Morwitz spricht in seinem Kommentar von einer dritten Erklärung, deren Möglichkeit Boehringer andeutet: das „süsse Licht“ sei ein Freund, der sich von George abgewandt und einem „mehr beglückten“ zugewandt habe. So betrachtet wäre das Gedicht der Ausdruck eines reinen Gefühls der Liebe, frei von Wunsch nach Besitz und voll reifer Demut.

DAS WORT

Unter Georges Gedichten ist keines, das eine so starke Wirkung geübt hat wie jenes, das „Das Wort“ heißt und im „Neuen Reich“ in der letzten Abteilung „Das Lied“ steht:

Wunder von ferne oder traum
Bracht ich an meines landes saum

Und harrte bis die graue norn
Den namen fand in ihrem born –

Drauf konnt ichs greifen dicht und stark
Nun blüht und glänzt es durch die mark ...

Einst langt ich an nach guter fahrt
Mit einem kleinod reich und zart

Sie suchte lang und gab mir kund:
‚So schläft hier nichts auf tiefem grund‘

Worauf es meiner hand entrann
Und nie mein land den schatz gewann ...

So lernt ich traurig den verzicht:
Kein ding sei wo das wort gebricht.

Es besteht aus zweimal drei Reimpaaren und einem Reimpaar als Schluß. Die erste Hälfte ist traumklar, im Ausgang die Steigerung des „landes“ durch die „mark“ von höchster Schönheit, noch „fand“ im Anklang an „landes“ beinahe ein Reim. Die „mark“ erinnert an den großen Schluß des Gedichtes „Der Freund der Fluren“ aus dem

„Teppich des Lebens“: „Er schöpft und giesst mit einem kürbisnapfe/Er beugt sich oft die quecken auszuharken/Und üppig blühen unter seinem stapfe/Und reifend schwellen um ihn die gemarken“. Die „mark“ erinnert aber auch an die Schlußstrophe des Gedichts „Der Krieg“, wo es heißt: „Der kampf entschied sich schon auf sternen: Sieger/Bleibt wer das schutzbild birgt in seinen marken/Und Herr der zukunft wer sich wandeln kann“. Die zweite Hälfte berichtet von dem Gegenteil. Es ist die gleiche „Fahrt“, und was nun geschieht, es geschieht nach „guter“ Fahrt zu der gleichen „grauen norn“. Was unter gleichen Bedingungen versucht wurde, scheitert: die Norne findet den Namen für das „kleinod“ nicht, es entgleitet seiner Hand. Die Verse, in denen „hand“ und „land“ im Binnenreim versiegelt werden, sind gewaltig. Man denkt an jenen Spruch an einen Lebenden, dem der Dichter zuruft: „Geliebter – welch fest und welch land!“ Sie steigern aber auch des „landes saum“ über die „mark“ in das „land“, dem der „schatz“ entgeht. Dies und nur dies ist der Ausgang des Gedichts. Es folgt das fabula docet, und *daran* knüpft sich die Auslegung Heideggers, die das Gedicht so berühmt gemacht hat. Sie steht in dem Buch „Unterwegs zur Sprache“, in dem Kapitel „Das Wort“ aber auch schon in dem vorhergehenden Kapitel „Das Wesen der Sprache“. Beide Darstellungen bedienen sich, was „Das Wort“ angeht, der gleichen aber auch unterschiedlicher Argumente.

Es ließe sich nun sagen, daß Heideggers Energie des Denkens bewunderungswürdig ist, erschiene sie nicht gleichzeitig als unadäquat im Hinblick auf das Denkergebnis. Dafür sprechen zwei Gründe, einmal das wie manische Verfahren, das durch immer wiederholte Zitierung der letzten beiden Verse – ich zähle zehnmal in „Das Wort“ und neunmal in „Das Wesen der Sprache“ – das Denken von Station zu Station einüben will. Der zweite Grund ist sein Denkstil überhaupt, welcher die jeweils eingeführten Begriffe aus der etymologischen Bedeutung der Worte entwickelt, in denen sie hervortreten. Das bedeutet, daß sein Denken über Sprache ausschließlich rückgewandt und daß er an der *heutigen* Sprache gänzlich uninteressiert ist. Es zeigt sich an kleinen Dingen. Er beruft sich darauf, daß etwa das Wort „einst“ die sprachliche Urbedeutung „einmal“ hat und nicht die heutige Bedeutung: vor langer Zeit. Das ist richtig aber für das Gedicht unerheblich. Ferner beruft er sich darauf, daß in dem ersten Gedicht der Abteilung „Das Lied" im „Neuen Reich", welches keinen Titel hat, nur ein einziges Wort groß geschrieben ist, in dem Vers nämlich „Ins schlummernde dickicht der Sage" eben die „Sage" und schreibt dazu: „Stefan George pflegt alle Wörter klein zu schreiben, ausgenommen diejenigen, mit denen die Verszeilen beginnen. Doch in diesem Gedicht findet sich ein einziges großgeschriebenes Wort, fast in der Mitte des Gedichtes am Ende der mittleren Strophe". Das klingt so, als wenn der Dichter immer klein schreibe, nur hier *einmal* groß. Er schreibt aber *oft* groß, so Eigennamen und Worte, die er hervorheben oder deren antimetrische Betonung er durchsetzen will. Und aus dem Wort „Sage" wird nun ein exzentrischer Schluß gezogen: „Der Dichter hätte dieses Wort als Überschrift wählen können mit dem verborgenen Anklang, daß die Sage als die Mär des Märchengartens von der Herkunft des Wortes Kunde gibt". Der von George gemeinte Sinn ist also nach Heideggers Deutung nicht der bekannte, der sich mit dem Wort „Sage" verknüpft, sondern ein anderer, der die Schlußverse des Gedichts „Das Wort" erhellen soll. Die Hinweise bei Morwitz auf einen Personennamen tragen oft nichts bei zum Verständnis des Gedichts. Hier ist es erhellend, daß George bei der ersten Strophe „Welch ein kühn-leichter schritt/wandert durchs eigenste reich/Des märchengartens der ahnin?" an den jungen Hans Anton denkt, als dieser in sein Leben trat, er ruft die Sage herauf, die in der nächsten Strophe genannt wird. Woran denkt nun Heidegger? Er will, daß „Sage", gebildet wie „Trage", gleich „Sprache" sei, ja er zieht diesen Sinn vor. Das Buch enthält auch das Kapitel „Aus einem Gespräch von der Sprache zwischen einem Japaner und einem Fragenden", das ist Heidegger. Das Gespräch fand 1953/54 statt mit dem Professor Tazuka von der Universität Tokio. Da sagt der Japaner, das japanische Wort für Sprache sei „Koto ba" und es bedeute, 'Blütenblätter, die aus Koto stammen'. Nun sagt Heidegger: „Das ist ein wundersames und darum unausdenkbares Wort. Es nennt anders als das, was die metaphysisch verstandenen Namen: Sprache, γλῶσσα, lingua, langue und langage vorstellen. Ich gebrauche seit langem nur ungern das Wort ‚Sprache', wenn ich ihrem Wesen nachdenke". Und auf das Drängen des Japaners kommt er widerwillig mit dem Wort heraus: „Das Wort, die ‚Sage'. „Er meint: „das Sagen und sein Gesagtes und das zu-Sagende". Das geht noch weiter bis ins Mystische hinein, dessen Unverstehbarkeit verstärkt wird durch das *Japanische* dieser Mystik, das ja selbst Heidegger nur andeutungsweise versteht. In „Der Weg zur Sprache" wird dies, ausgehend von Wilhelm von Humboldt, weiter und weiter entwickelt. Es mag nun bedeuten, was es bedeuten mag, mit Georges Text hat es kaum etwas zu tun, es sei denn daß es diesen in erstaunlicher Weise vergewaltigt, wie der Denker ja auch Hölderlin vergewaltigt hat. Der Umstand, daß bei Heideggers wirklicher Denkkraft immer noch Wichtiges herauskommt, kann hier nicht entscheidend sein. Die Frage ist vielmehr die, ob er, frei von aller Reflexion, für Poesie aufnahmefähig ist, ganz abgesehen davon daß der Hinweis darauf, daß das Gedicht das Denken nicht ausschließt sondern einbezieht, völlig berechtigt ist. Es könnten Zweifel auftauchen.

Daß er Georges Gedicht „Der Krieg" eine „Ode" nennt, ist merkwürdig genug, denn es ist alles, nur keine Ode, zu welcher ein Lehrgedicht schwerlich werden kann. Gewichtiger ist, daß seine Deutungen die Gedichte, denen er sich nähert, schwer machen, statt daß sie ihn leicht machen, so daß er fähig wäre, manches *nicht* zu sagen, um des Gedichtes willen. So sieht er George auf der Höhe Hölderlins und merkt nicht, daß er beiden Unrecht tut, wie schon George Hölderlin Unrecht getan hat, wenn auch schöpferisches. Mit Recht schreibt Heidegger: „Beides wirkte damals auf uns Studenten wie ein Erdbeben". Er meint die Pindar-Übertragungen und die späten Hymnen. Der nächste Satz lautet: „Stefan George selbst, der Norbert von Hellingrath auf Hölderlin gewiesen, empfing wiederum durch die . . Erstausgaben . . entscheidende Stöße". Der nächste Satz ist erstaunlich: „Seitdem nähert sich Stefan Georges Dichtung mehr und mehr dem Gesang". Dagegen kann man sagen, daß George zwischen dem, was kein Gesang ist, wohl aber Zauberspruch, Lehrgedicht, Zeitausdeutung von jeher *Lieder* gemacht hat, so auch im „Neuen Reich". Dazu schreibt Heidegger in „Das Wesen der Sprache": „Das Lied wird gesungen, nicht nachträglich, sondern: Im Singen fängt das Lied an, Lied zu sein. Der Dichter des Liedes ist der Sänger. Dichtung ist Gesang". Das soll für George gelten, es gilt aber eher für Hölderlin. Es ist schwer zu entwirren. „Hölderlin liebt nach dem Vorbild der Alten den Namen 'Gesang' für die Dichtung." Nicht ohne Rührung liest man am Ende von „Das Wort": „Wir hören das Gedicht. Wir werden jetzt noch nachdenklicher im Hinblick auf die Möglichkeit, daß wir uns im Hören um so leichter verhören, je einfacher das Gedicht in der Weise des Liedes singt".

Das trifft täuschend genau auf das Gedicht „Das Wort" zu. Es singt „einfach „in der Weise des Liedes", aber es ist kein Lied. Nicht etwa darum, weil es einen balladesken Ton hat, denn die „Törichte Pilgerin" ist als eine durchgeführte Ballade ein unvergleichbar schönes Lied. Es ist kein Lied, weil es handlungsmäßig in einen positiven und einen negativen Vorgang von je drei Reimpaaren und einer Zusammenfassung des Ganzen in einem Reimpaar am Ende den inneren und äußeren Aufbau eines Sonetts hat, und wenn es diese Form des Sonetts mit unverschlungenen Reimen (a-a) bei Dante und Petrarca wie ihren Nachfolgern durch die Dichtung hin nicht gibt, so gibt es doch *ein* Vorbild für sie, das ist das 126. Sonett von Shakespeare vor den Sonetten an die Schwarze Dame. Es hat aber nur zwölf Verse, die letzten beiden fehlen. Dazu gibt es in der Ausgabe der Sonnets von Israel Gollantz, welche George sehr gut benutzt haben könnte, die Anmerkung: „This short poem is of six rhymed couplets; it was evidently not intended to pass as an ordinary sonnet, tho' after the last line an omission of two lines is marked in the quarto by two pairs of parentheses. It is the envoy, the conclusion of one series of sonnets". Der Charakter dieses unvollständigen Sonnetts als Vorbild könnte sogar zu der Annahme führen, daß George die beiden letzten Verse *später* hinzugefügt hat, um das Sonett komplett zu machen. Beachtenswert ist, daß er 1904 in den Blättern für die Kunst unter dem Titel „Vorlaute Wahrheit" geschrieben hat:

> Manchmal kommt es dass in einem volk weisheiten dämmern für die das neue wort und die neue geste noch nicht ausgebildet sind. Das sind dann in der tiefe gewühlte erze die nicht ans licht gefördert werden können.

Das ist der Rahmen, den das Gedicht ausfüllt: es ist ein Lehrgedicht, dem ein Sonett entspricht. Das Gedicht ist wahrscheinlich nicht spät. Eckhard Heftfrich weist in seinem Buch „Stefan George" darauf hin, daß „Wunder von ferne oder traum", der Anfang von „Das Wort", teilweise vorkommt in dem Zeitgedicht „Franken" aus dem „Siebenten Ring", der 1907 erschienen ist: „Mag traum und ferne uns als speise stärken -/Luft die wir atmen bringt nur der Lebendige".

Hier ist also das Gedicht räumlich und zeitlich verwurzelt, „am schlimmsten kreuzweg meiner fahrt" zwischen Frankreich und Deutschland, und des „landes saum" dürfte der Rhein sein . . Vom Rhein aus entdeckt der Dichter Deutschland mit seinen Gemarken und scheitert. Das Gedicht könnte zum Überschuß der Gedichte des „Siebenten Ringes" gehören, eines Buches, dessen sieben Abteilungen nach der Siebenzahl angeordnet sind, ohne den Gedanken nahezulegen, daß nur so viele Gedichte gemacht wären, wie sie der Siebenzahl entsprechen, und da findet sich in der Abteilung „Gezeiten" das Gedicht „Der Spiegel", das mitten zwischen tief persönlichen Gedichten steht:

Zu eines wassers blumenlosem tiegel
Muss ich nach jeder meiner fahrten wanken.
Schon immer führte ich zu diesem spiegel
All meine träume wünsche und gedanken
Auf dass sie endlich sich darin erkennten –
Sie aber sahen stets sich blass und nächtig:
‚Wir sind es nicht' so sprachen sie bedächtig
Und weinten wenn sie sich vom spiegel trennten.

Auf einmal fühlt ich durch die bitternisse
Und alter schatten schmerzliches vermodern
Das glück in vollem glanze mich umschweben.
Mir däuchte dass sein arm mich trunknen wiegte,
Dass ich den stern von seinem haupte risse
Und dann gelöst mich ihm zu füssen schmiegte.
Ich habe endlich ganz in wildem lodern
Emporgeglüht und ganz mich hingegeben.

Ihr träume wünsche kommt jezt froh zum teiche!
Wie ihr euch tief hinab zum spiegel bücket!
Ihr glaubt nicht dass das bild euch endlich gleiche?
Ist er vielleicht gefurcht von welker pflanze,
Gestört von späten jahres wolkentanze?
Wie ihr euch ängstlich aneinander drücket!
Ihr weint nicht mehr doch sagt ihr trüb und schlicht
Wie sonst: ‚wir sind es nicht! wir sind es nicht!'

Das ist ein starkes Gedicht von drei Strophen, die nicht gleichmäßig gereimt sind, und eine Erfahrung des Glücks, welche vielleicht doch persönlich gemeint ist, umgeben von zweimaligem Versagen beim Blick in einen Teich. Das Motiv des Gedichts „Das Wort" klingt an, das Scheitern ist das gleiche. Die Gleichheit der beiden Abschlußverse als Ton des Verzichts ist nicht zu überhören, ohne daß hier die geringste Problematik des Wortes, inhaltlich, oder des Ausdrucks, sprachlich, erkennbar wäre.
Es bleibt nun die Frage, ob die letzten beiden Verse wirklich der Envoy sind und auch hätten fortbleiben können, wie sie in Shakespeares 126. Sonett zufällig fortgeblieben sind, oder ob sie ein so ungeheures Gewicht haben, wie Heidegger will. Ich möchte in Heideggers schwindelerregende Überlegungen nur an einem Punkt eingreifen, ohne das Ganze bestreiten zu wollen. Er sagt, die letzten beiden Verse seien kein Ende sondern ein Anfang, kein Versagen im Verzicht, keine Stummheit, sondern –: „Als Sichversagen bleibt der Verzicht ein Sagen". Das Verhältnis zum Wort erfährt eine Wandlung. Das bezeugt das Gedicht selbst, „das den Verzicht sagt, indem es ihn singt". Nun kommt etwas wie ein Saltomortale: „Lieder sagen heißt: singen. Der Gesang ist die Versammlung des Sagens in das Lied". Ist nicht aber der Gesang eben Gesang, zur Musik, so daß wir Pindar gar nicht mehr „richtig" hören können, wenn wir ihn lesen, da wir die Musik nicht kennen? Die Trennung des Gesangs von der Musik ist ein Bruch, aber die Musik klingt nach. Heidegger stellt fest: „Verkennen wir den hohen Sinn des Gesanges als Sagen, dann wird er zur nachträglichen Vertonung des Gesprochenen und Geschriebenen". Das scheint nicht einmal gegen Schubert gerichtet zu sein, wo es immerhin diskutierbar wäre, sondern gegen jeden Dichter, der „singt" und nicht „sagt", wie etwa Eichendorff. So glaubt denn Heidegger, daß mit der Reihe „Das Lied" etwas *Neues* für George begann, das ihm in dem Gedicht „Das Wort" klar wurde: „Er tritt endgültig aus dem eigenen früheren Kreis heraus. Wohin? In den Verzicht, den er lernte". Auch dafür gibt der Denker ein positive Erklärung: „Doch je freudiger die Freude, je reiner die in ihr schlummernde Trauer. Je tiefer die Trauer, je rufender die in ihr ruhende Freude. Trauer und Freude spielen ineinander". Diese an sich schöne Erklärung spielt über den Dichter hinweg, der „traurig" ist, weil er den „Verzicht"gelernt hat, in *einem* Fall, in einem großen *Fall.* Hei-

degger schreibt dazu: „Unerahntes, Schreckhaftes blitzte ihn an, dies, daß erst das Wort ein Ding als Ding sein läßt".
Aufbauender dürfte die Überlegung sein: das Wort ist das Wort, und das Ding ist das Ding, die Welt ist die Welt, die durch das Wort geschaffen wurde, fortbestehend mit den Dingen, auch wenn sie unbenannt sind. Ein Paradox bleibt das dichterische Wort, wo es den Anspruch erhebt, schöpferisch zu sein. Mag „sei" ein Imperativ sein, der sich in den metrisch näher liegenden Konjunktiv verkleidet „kein ding sei wo das wort gebricht", der Dichter rührt hier ahnungsvoll an seine Grenze. Diese Grenze will Heidegger gesprengt wissen. Sein Hauptargument ist das vorletzte „Lied" im „Neuen Reich", das keinen Titel hat:

In stillste ruh
Besonnenen tags
Bricht jäh ein blick
Der unerahnten schrecks
Die sichre seele stört

So wie auf höhn
Der feste stamm
Stolz reglos ragt
Und dann noch spät ein sturm
Ihn bis zum boden beugt:

So wie das meer
Mit gellem laut
Mit wildem prall
Noch einmal in die lang
Verlassne muschel stösst.

Heidegger sagt mit Recht, daß der Rhythmus dieses Liedes „so herrlich wie deutlich" sei, und doch ist selbst diese Deutlichkeit zweideutig. Dieses Gedicht teilt keine Lehre mit wie die reimlosen Sprüche im „Stern des Bundes", sondern die drei gleich gebauten Strophen schreiten stark und gebrochen in der Weise des altgermanischen Stabreims vom traurigen Anfang bis zum tragischen Ende. Die erste Strophe verrät in einer Verschwiegenheit des Ausdrucks, die laut und deutlich spricht, daß hier einem Menschen etwas geschehen ist. Wenn der Dichter sich zu einer Überschrift entschlossen hätte, so

müßte sie „Der Blick“ heißen, denn er, dieser Blick, beherrscht die erste Strophe, die eigentlich das Gedicht selbst ist. Was folgt, ist Naturvergleich, in dem das Gelebte gesteigert wiederkehrt: der Baum wird vom Bergsturm zur Erde gebeugt; das Meer tobt durch die Muschel, die lange verlassen ist. Das Bestehen und der Schreck, der es in Frage stellt, die Besonnenheit des Tages und die Sicherheit der Seele gestehen ein, was sie nicht wollen: daß der Mensch, den dies traf, nicht mehr da ist. Die Reihenfolge der Vergleiche ist vielsagend. Am stärksten ist die Muschel, und sie enthält das Letzte, dem der Getroffene sich anvertraut, den tragischen Schrei beim Einbruch des Eros. Selbst die Hoffnung auf den Gesang ist überwunden, selbst das Vertrauen auf die eigene Unsterblichkeit erschüttert . . . Durch die Stille des Meeres ertönt ein Schrei, und die Muschel bewahrt ihn. Dem Symbol wächst eine Realität zu, die der Dichter unter Schmerzen preisgeben muß.
Im „Ewigen Augenblick“ sagt einer der jungen Freunde des Dichters:

> So hört ich ihn im nebenzimmer vor sich hinsagen, auf dem letzten wort verweilend: „noch einmal in die lang“, und dann nach einer pause fortfahren, schwer und tief: „verlassne muschel stösst“. Und das wiederholte sich so immer wieder.

Das klingt nicht wie ein Anfang, das klingt wie das Ende. Heideggers Deutung knüpft sich an das einzige Zeichen in dem Gedicht, außer dem Punkt am Schluß, an den Doppelpunkt nämlich am Ende der zweiten Strophe, welcher den in „So wie“ gleichen Bau der zweiten und dritten Strophe aufhebt und die letzte Strophe auf die erste „zurückdeuten“ läßt, indem er die zweite in diesen Hinweis einbezieht. Der „unerahnte schreck“, der den Dichter „stört“, zerstört ihn nicht, er beugt ihn zu Boden wie den „festen stamm“, aber er macht ihn „offen“ für die dritte Strophe, und nun lesen wir: „Noch einmal stößt das Meer seine unergründliche Stimme in das Gehör des Dichters, das die ‚lang verlassne muschel‘ heißt, denn der Dichter blieb bislang ohne das rein geschenkte Walten des Wortes. Statt seiner nährten die von der Norn erheischten Namen die Selbstsicherheit des herrischen Kündens“. Dies ist eine überaus triftige Deutung, daß dieser Dichter durch das Lied von seinem „herrischen Künden“ befreit werde zu etwas Neuem – und bleibt es sogar im bis auf weiteres luftleeren

Raum der Theorie –, wenn sie nur zuträfe. Sie trifft nicht zu, denn sie wird erreicht im Wege der Vergewaltigung des Wortlauts. Die Muschel, ein erschütterndes und gleichzeitig erschüttertes Symbol, dessen Gehalt an Wahrheit nicht überboten werden kann – sie ist „lang" verlassen –, wird zur *Ohr*muschel, in die das Meer „stösst", um „das rein geschenkte Walten des Wortes" zu vollziehen. Das gilt für die letzte gesteigerte Strophe, ja für das ganze Gedicht, darüber hinaus nicht! Es kommt nichts mehr, es sei denn „herrisches Künden".
Heidegger, als Deuter, irrt groß. Es könnte sein, daß an dem letzten Vers von „Das Wort" über seine geistige Bedeutung hinaus sprachlich etwas mißglückt ist. Die beiden Abschlußverse prägen sich gewiß ein, und doch ist es unmöglich, ein Gedicht mit einem Konjunktiv abzuschließen, der vielleicht ein Imperativ, oder mit einem Imperativ, der vielleicht ein Konjunktiv ist. Das Wortmaterial reicht zur Durchgestaltung dessen, was der Dichter gewollt hat, nicht aus. Etwas fehlt. Das große Gedicht besteht aus zwölf Versen. Die Abschlußverse hängen im Leeren. Sehr möglich ist es, daß George im schönen Tonfall dieses Abgesangs gar nicht gemerkt hat, da könne etwas fehlen. Es fehlt, vielleicht, das Wort, es „gebricht".
Peter Lutz Lehmann, ein kritisch kluger Bewunderer Georges, dem auf sonderbare Weise immer wieder die Kritik entgleitet, ist anderer Meinung. Sein Buch enthält ein Kapitel über Bacon, in dem George mit diesem zusammengesehen wird in der Idee der Aufklärung, und für diese Idee der Aufklärung ist das Gedicht „Das Wort" das stärkste Beispiel. Er spricht vom „Magier"[1] im Dichter, welcher George „untrüglich" in die Nähe der Faustgestalten unter Bacons Zeitgenossen bringe, „die aus Wissen Macht und Gold und Welten schöpfen wollten". Faust im zwanzigsten Jahrhundert könne sich nur „aufs magische Wort" und „auf das Ganze des Seins" beziehen: „die Dinge dazwischen, Gegenstände und Gespenster, sind der Physik und der Parapsychologie verfallen". Nun kommt der Übergang zu eben jenem Vers: „Und doch erhebt er über sie alle noch einmal jenen rätselhaften Schöpfungsanspruch: ‚kein ding sei wo das wort gebricht'". Nun folgt die Begründung:

1) Siehe von Ernst Schertel Zitate aus seinem Buch „Magie" (1923), mit Einsichten, „als habe der Verfasser seine Gespräche mit dem Dichter [= George] noch im Ohr". In G.P. Landmann: Stefan George. Dokumente seiner Wirkung. S. 230 ff

Nur diese berühmte Formel, die vielleicht kühnste Anmeldung der Macht im Reiche des Geistes, kann man in Anspruch nehmen, daß sie mit einer ganzen Tradition deutscher Sprachphilosophie übereinstimmt und ihre letzte, womöglich abschließende Verlautbarung darstellt. Von Johann Georg Hamanns Raunen über die Fleischwerdung des Gottesgeistes in der Menschensprache zu Wilhelm von Humboldts Lobpreis der Sprache als der edelsten Blüte des menschlichen Organismus, ja einer ganzen Nation über Heideggers Verabsolutierung der Sprache als Haus des Seins führt eine sinnvolle Folgerung zu Georges Dictum oder Dictatum.

Hamann, der geraden Weges zu Kierkegaard führt und zu Ferdinand Ebner und Karl Kraus und wem immer, nur nicht zu George und Heidegger, muß als ein christlicher Denker, der sich von jenem „Im Anfang war das Wort" ableitet, aus diesem Zusammenhang radikal gestrichen werden, denn nun entwickelt das „Dictatum" eine wahrhaft blendende Verwirrung:

> Und doch gibt er eben seiner Aussage eine Nuance, die alle anderen noch nicht kennen, sich wohl auch vor ihr scheuen, zumal der magische Irrgarten ihrer Konsequenzen unübersehbar und unvernünftig zu sein scheint. Der Konjunktiv „sei" schließt hier zwei sehr verschiedene und eigenständige Bedeutungen ein. Dem Wortlaut des ganzen Gedichtes entsprechend ist er als indirekte Rede nichts anderes als die Weitergabe einer Eröffnung höheren oder geheimnisvoll-inneren Ortes (die Norne erinnert an die „Mütter"), die Weitererzählung einer Mär, einer Sage. Diese erhaltene Kunde nun aber wird vom Dichter selbst erst überdacht, gedeutet, angewendet: „So lernt ich traurig den verzicht: . ." Und nun erhalten die Worte „Kein ding sei wo das wort gebricht" durch die konjunktivische Wendung den Charakter eines Befehls, gegeben aus empfangener, höherer Einsicht. Meisterhafte Handhabung der Grammatik zu Verdichtung der Sprache bis zur Magie! Aus geheimem Wissen – aus dem Nornenland – wird eine Seinsaussage von höchstem Belang dekretiert.

Nicht genug hiermit, jetzt folgt die direkte Zurückführung Georges auf Bacon:

> Herrscherliche Verlautbarung als Stilgeste ist eine an George oft geschmähte Eigenheit. Dahinter aber verbirgt der Spruch ein Prinzip, das wir in seiner reinsten Form nur bei Bacon formuliert finden, von wo aus es seine unseligen Wanderungen angetreten hat bis hinein in die Ideologie des Marxismus. Des Dichters eigenster Seinsbereich – das Wort – wird zur Gründungsmacht des ganzen menschlichen Lebens, ja mehr: der Dinge überhaupt, wie sie dem Menschen erscheinen. Die Verfügung über das Wort ist höchste Stufe des Wissens, ihre Ausübung letzte Gewalt über Sein oder Nichtsein ... Fürwahr, eine solche Potenzierung seiner Wahrheit hat sich Bacon gewiß nicht träumen lassen, als er im schlichten Ansporn wissenschaftlicher Sammlererkenntnis ausrief: „Wissen ist Macht!"

Und so schroff klingt es nicht einmal in dem englischen Original, das Lehmann selbst in einer Anmerkung mitteilt: „Human knowledge and human power meet in one ..." Da kann als weitere Folge, die Berufung auf Nietzsches „Willen zur Macht" nicht ausbleiben, und die Kritik an der „Ewigen Wiederkehr", einer Lehre, die gewiß nicht im Sinne Bacons war. Mag Lehmann im Recht sein, die Kritik greift mit exoterischen Gründen eine Geheimlehre Nietzsches an, über die wir nur sehr wenig wissen, wie selbst Nietzsche sehr wenig über sie gewußt haben mag. George ist weder ein exoterischer Denker noch ein esoterischer Wissender, sondern ein großer Dichter, der seine eigenen Grenzen zu sprengen versuchte.

DAS SCHÖNE UND DAS NEUE GESICHT

Unter den Liedern des „Neuen Reichs" ist eines der schönsten:

> Horch was die dumpfe erde spricht:
> Du frei wie vogel oder fisch –
> Worin du hängst, das weisst du nicht.
>
> Vielleicht entdeckt ein spätrer mund:
> Du sassest mit an unsrem tisch
> Du zehrtest mit von unsrem pfund.

Dir kam ein schön und neu gesicht
Doch zeit ward alt, heut lebt kein mann
Ob er je kommt das weisst du nicht
Der dies gesicht noch sehen kann.

Dies Gedicht hat vom ersten bis zum letzten Wort einen einzig schönen Klang, ohne Störung, und selbst die „harte“ Fügung „ob er je kommt“ entspricht der Schwere des Gehalts: „ob je er kommt“ wäre zu leicht. Es behält sich sofort auswendig, par coeur, wie der schöne französische Ausdruck lautet. Aber es zu verstehen ist schwer, es sei denn teilweise, der *ganze* Zusammenhang verschließt sich eher, als daß er sich öffnet. Edith Landmann berichtet (S. 117), Boehringer habe George nach dem Sinn einzelner Lieder aus dem „Neuen Reich“ gefragt. Er wunderte sich, daß es da überhaupt etwas zu verstehen gebe, gab es aber für dieses Lied zu: wegen der zwei verschiedenen Teile, aus denen es bestehe. Diese Äusserung bildet den Ausganspunkt für den Versuch der folgenden Deutung, es ist aber nur *eine* Deutung, andere sind denkbar. So die schöne von Hans-Georg Gadamer in dem Vortrag „Hölderlin und George“ aus dem George-Kolloquium, welcher ich nicht zustimme, deren letztem Satz ich wiederum ganz zustimme: „Das tiefe Beben, das durch diese Verse geht, ist nicht auf die anderen beschränkt, denen das Ich des Dichters gegenüberstünde“.
Der erste Teil umfaßt die sechs ersten Verse des Gedichts, die drei ersten schlagen das Thema an. Ein Jüngerer wird angeredet. Was die „dumpfe“ Erde spricht, das steht in einer Beziehung zu dem, was in „Der Mensch und der Drud“ dieser zu jenem sagt:

Die erden die in dumpfer urnacht atmen
Verwesen nimmer,

Daß der Angeredete frei wie Vogel oder Fisch ist und daß er nicht weiß, worin er hängt, bestätigt wiederum der Drud, wenn er dem Menschen, der sich auf „der götter sorge“ beruft, antwortet:

Unvermittelt
Sind sie euch nie genaht. Du wirst du stirbst –
Wes wahr geschöpf du bist erfährst du nie.

In einem Leben ohne Götter – oder mit ihnen, durch den Vermittler, durch George, was aber dieser hier keineswegs ausspricht – kann

das richtige Leben, das richtige Verhalten das Entscheidende bedeuten. Es ist Georges vielfach ausgesprochener Lieblingsgedanke, daß wie einer über die Straße geht, wie einer das Brot schneidet, wie einer sich in der engsten Gemeinschaft bewährt, mehr für seine Unsterblichkeit bedeute als Gedichte. Das meint der gemeinsame Tisch, das meint das gemeinsame Pfund. Diese Gemeinsamkeit wird immer bleiben, für die Späteren erkennbar.
Dennoch kann etwas geschehen, etwas Überraschendes. Dieses spricht der Dichter in der zweiten Hälfte des Gedichts aus, gerade weil es positiv gemeint ist und ein Mehr enthält als die dumpfe Erde hergeben kann. Dem Angesprochenen kam ein „Gesicht". Es ist „schön" und „neu". Daß es neu ist, kommt wohl daher, daß es schön, daß es schön ist, wohl daher daß es neu ist. Es ist unvorhersehbar, wie Gesichte kommen, sie sind eben plötzlich da. Nun kommt in negativer Erscheinung der Weisheit letzter Schluß. Nicht der, der da lautet: „Nur der verdient sich Freiheit wie das Leben,/Der täglich sie erobern muß", sondern eine Frage: Wer sieht dieses Gesicht, das, wie man vermuten darf, alle Heilsgewißheit in sich birgt? Niemand sieht es. Der Grund für dieses Versagen ist der, daß die Zeit „alt" wurde, die Zeit selbst wurde alt. Es gibt fruchtbare und unfruchtbare Zeiten, in jenen konnte man das Neue und Schöne, das Schöne und Neue hervorbringen, in diesen es erwarten, nun gibt es keinen Unterschied mehr, es ist alles dahin. Darum lebt heute nicht nur kein „Mann" mehr, welcher in „Der Dichter in Zeiten der Wirren" dämonisch verheissen wird, sondern „du" weißt nicht einmal, ob er je kommen wird, und das Gewicht dieser Unwissenheit wird dadurch verstärkt, daß sie die Unwissenheit im Bereich der dumpfen Erde verstärkend wiederholt.
Wichtiger ist dennoch das Gesicht selbst. Es kam ja einem, der noch nicht Mann, der jung ist, Bejahung und Verneinung, Hoffnung und Zweifel sind ineinander verknotet, obwohl der Ton mit wissender Gelassenheit erklingt. Die Frage, eingefaltet in das Geschehen, ist die: George ist im Sinne des Gedichts ein „Mann", kann er aber das Gesicht „noch" sehen? Das „schöne" Gesicht könnte er sehen, und kann es, das „neue" nicht mehr. Er, der Lebensträger der Hybris, scheint hier etwas Einmaliges auszusprechen, wenn nicht Bescheidenheit so doch Bescheidung. Er weiß, daß es ein Land gibt, dem das schöne und neue Gesicht entspricht. Er darf es nicht betreten. Das

Gesicht der Jugend ist ihm entzogen. Er steht an der Grenze zwischen Altem und Neuem, zwischen Leben und Tod. George war, um in seiner eigenen Sprache zu reden, der „Gründer“, (und „künder“) hier aber ist er der Dichter, der Abschied nimmt, das Alter von der Jugend, die ihn überlebt –: allein auch vor dem Tode. Das Gedicht ist ein Gesang, der alle Motive Georges noch einmal verkündet. Dahinter das Schweigen!
Und gesagt ist es uralt, in etwas wie Traumterzinen am Ende eines halb geträumten Gesanges der Divina Commedia, und sie schlagen den Lebensbogen zu einem der frühesten Gedichte des Dichters, zu dem Gedicht „Im Park“ aus den „Hymnen“:

> Rubinen perlen schmücken die fontänen,
> Zu boden streut sie fürstlich jeder strahl,
> In eines teppichs seidengrünen strähnen
>
> Verbirgt sich ihre unbegrenzte zahl.
> Der dichter dem die vögel angstlos nahen
> Träumt einsam in dem weiten schattensaal . .
>
> Die jenen wonnetag erwachen sahen
> Empfinden heiss von weichem klang berauscht,
> Es schmachtet leib und leib sich zu umfahen.
>
> Der dichter auch der töne lockung lauscht.
> Doch heut darf ihre weise nicht ihn rühren
> Weil er mit seinen geistern rede tauscht:
>
> Er hat den griffel der sich sträubt zu führen.

Dazu schreibt Borchardt schon 1908 in „Dante und deutscher Dante“: „Die erste Berührung Georges mit jenem parnassischen Metaphernkreise . . führt zu den ebenso Gautierschen wie Dantischen Terzinen der Hymnen . . Der letzte Vers mit seinen echt dantischen Einschnitten . . könnte übersetzt sein“. Es folgt dann über Seiten hin das Lob der Georgeschen Dante-Übersetzung, das ausklingt in dem Satz: „Es ist nicht nur ungeheure Arbeit, die sich unter leichtem Flusse verbirgt, sondern es ist künstlerische Arbeit von allererstem Range, von spezifischer Eigenschwere, volles Gewicht und echtes Metall, auf der Höhe des Schlegelschen Shakespeare und des Wielandschen Horaz“.

Das gilt auch von Georges Terzinen vom schönen und neuen Gesicht. Sie wirken im Zusammenhang mit Dante wie die große Übersetzung eines größeren Originals aus dem Schweigen in die Sprache. Vielleicht liegt das eigentlich Große des Schlusses darin, daß der Dichter seinen Glauben, der Mann werde kommen, „der dies gesicht noch sehen kann", in der Form der Schwermut ausdrückt.

DU SCHLANK UND REIN

Das Gedicht steht im „Neuen Reich" als letztes, ohne Überschrift, es erklingt als Lied:

> Du schlank und rein wie eine flamme
> Du wie der morgen zart und licht
> Du blühend reis vom edlen stamme
> Du wie ein quell geheim und schlicht
>
> Begleitest mich auf sonnigen matten
> Umschauerst mich im abendrauch
> Erleuchtest meinen weg im schatten
> Du kühler wind du heisser hauch
>
> Du bist mein wunsch und mein gedanke
> Ich atme dich mit jeder luft
> Ich schlürfe dich mit jedem tranke
> Ich küsse dich mit jedem duft
>
> Du blühend reis vom edlen stamme
> Du wie ein quell geheim und schlicht
> Du schlank und rein wie eine flamme
> Du wie der morgen zart und licht.

Zu sagen ist darüber wenig, außer daß es sehr schön ist und daß man es, hat man es einmal gelesen, nicht wieder vergißt. Das Lied ist an einen jungen Menschen gerichtet, alles drückt sich zart und innig aus, mit einem Taktgefühl, das an keinem Punkt die Grenze überschreitet, wo das Gesagte und Gesungene abgleiten könnte. Man sollte denken, daß ein solches Gedicht spontan gedichtet sei. Das ist es auch. Dennoch gibt es eine Quelle, auf die schon Boehringer hinweist. Das ist ein Gedicht von Francis Vielé-Griffin (1864-1937), einem Dichter aus dem Umkreis Mallarmés, mit dem George in seiner Jugend befreundet war. Das George-Heft der Revue Germanique zum 60. Geburtstag des Dichters enthält ein „Souvenir“ von Vielé-Griffin, in dem die Worte stehen: „Um seine Lippen war ein etwas trauriges Lächeln, aber ohne Bitterkeit, das die Augen nicht erreichte, aus denen der tiefe und ferne Blick eines Menschen kam, der lange in der Einsamkeit seines Traumes gelebt hat“. Vielé-Griffin, von dem ich nur wenige Gedichte kenne, darunter ein sehr schönes auf den Tod Mallarmés, hat das Gedicht „Vous si claire“ geschrieben. Es steht in dem Buch „Poèmes et poésies“ (1895), das der Dichter George schenkte, mit einer deutsch geschriebenen Widmung.[1]) Das Gedicht ist ein zweistimmiges sehr schönes Liebeslied in sechs Abschnitten und einem Abgesang von vier Zeilen, die auf die beiden Sprecher verteilt sind. Besonders schön ist der Vers der Liebenden: „Vous de qui seule je me rêvais cueillie“. Der Abgesang lautet:

“Vois, ma fierté faiblit et je suis lâche en l’ombre . . .“
„Vois, ma pudeur se meurt et se donne et te veut . . .“
„ . . . Il semble qu’une étoile, vois! vacille et sombre . . .“
„ . . . Ecoute: la forêt, au loin, là-bas, s’émeut . . .“

Das heißt auf deutsch und in Prosa: „Sieh, mein Stolz wird schwach, und ich bin feige im Schatten . . .“/„Sieh, meine Scham stirbt und gibt sich und will dich . . .“/„ . . . Es scheint, daß ein Stern, sieh, schwankt und stürzt . . .“/„ . . . Hör: der Wald, weit, dort unten, bewegt sich . . .“
Nun aber der Anfang des Gedichts:

Vous si claire et si blonde et si femme,
Vous tout le rêve des nuits printanières,
Vous gracieuse comme une flamme
Et svelte et frêle de corps et d’âme,
Gaie et légère comme les bannières:
Et ton rire envolé comme une gamme,
En écho, par les clairières –“

Das heißt auf deutsch: „Du so klar und so blond und so Frau,/Du

[1]) Dieses Exemplar befindet sich im George-Archiv in Stuttgart, welchem ich für eine Photokopie des Gedichts zu besonderem Dank verpflichtet bin.

ganz der Traum der Frühlingsnächte,/Du anmutig wie eine Flamme/Und schlank und zart an Leib und Seele,/Froh und leicht wie die Fahnen:/Und dein Lachen davongeflogen wie eine Tonleiter/Im Echo, durch die Lichtungen –" Es ist deutlich, daß die erste, die dritte und die vierte Zeile in George nachgewirkt haben. An ihnen hat er sich entzündet, aber alles wurde verwandelt. Das prachtvolle „si femme", wurde weggelassen, das Offene verhalten, die Leidenschaft maßvoll. Das „vous" wurde zum „Du". Dieses Du schlägt den Ton an für alles Weitere und Nähere. Und wie sagt Goethe im „Westöstlichen Divan"? „Ton und Klang jedoch entwindet/Sich dem Worte selbstverständlich,/Und entschiedener empfindet/Der Verklärte sich unendlich." So „selbstverständlich" geht es in zehnfachem „Du" bis zu der variierten Wiederholung am Ende, die den Anfang zum Kreis schließt. Dennoch scheint mir die dritte Strophe in ihrer Schönheit die schwächste, die zweite in ihrer Schönheit die stärkere, die stärkste zu sein.

ZWEIFEL DER JÜNGER

Am 20. 10. 1927 schreibt Ernst Glöckner an George: „In Samaden besuchten wir Mitte September den armen Gundolf im Krankenhaus. Er hatte gerade eine sehr schwere Magenoperation hinter sich und war nur noch ein armseliges Skelettlein . . Trotzdem noch voller Pläne – ein ungeheurer Lebenswille, der ihn hält. Ob er aber je wieder ganz zurecht kommt, weiß man nicht, da die Gefahr besteht, daß das Leiden weiter um sich greift. Mit einer rührenden Liebe sprach er von Ihnen und mit großer Freude über den Goethepreis. Ich weiß ja nicht, was die Ursache war, daß Sie sich von ihm trennten, mit dem Sie ein so langes Leben tief befreundet waren – und begriff es überhaupt nicht, als ich in ihm nur diese Liebe, Dankbarkeit und Verehrung fand". So steht es in dem George-Gundolfschen Briefwechsel, welchem auch die weiteren Briefzitate entnommen sind. Am 9. 7. 1929 hatte Ernst Gundolf einen Brief an George geschrieben, in dem er bemüht ist, etwaige Mißverständnisse aufzuklären und sich aus dem Spiel der Parteien zu halten. George dankt ihm am 6. 8. 1929 und schreibt: „Auch ich bedaure – mit Ihnen – dass in den lezten jahren der lebendige zusammenhang ziemlich gelockert wurde, das ist das schicksal für das Sie nichts können – ich aber auch nicht ... So müssen wir wieder auf Berlin hoffen! ..." Am 30. 11. 1929 schreibt Gundolf an Wolfskehl den vernichtenden Brief über das Buch von Wolters. Die Formulierung seines negativen Urteils dürfte zutreffen, nur darin nicht, daß es sich um ein „bedeutendes" Buch handle: es ist schlecht, obwohl George an ihm mitgearbeitet hat. Der Brief klingt in die Worte aus: ..."oder wenn der Meister durch zu laute und unreine Schallrohre spricht: dann will ich ihn nicht. Das ist nicht in der Wahrheit, auch in der erreichbaren nicht". Am 15.12.1929 schreibt Gundolf das Gedicht der Absage an den Meister, das er in die „Gedichte" aufgenommen hat. Am 9. 7. 1930 schreibt Ernst Gundolf, der sich immer Georges Achtung erfreut hat und der ein kluger und besonnener Kopf war, an ihn einen Brief, in dem die wahrhaft erstaunlichen Sätze vorkommen: „und kann nur die Bitte vorbringen daß Sie auch mir soweit es sein kann allen Anteil am geistigen Leben vergönnen und sowiel es sein kann den Zugang zu Ihrer Nähe offen halten. Es war ja schon sonst so daß ich nur für mich an diesem Tag Wünsche vorzubringen hatte denn alle Wünsche die Ihnen gelten verschwinden zu sehr wo ein ganzes volk schon mitwünscht und scheinen doch nichts anderes als selbsüchtige Gedanken. Die gegenwärtige Lage bringt es mit sich daß ich nicht einmal aus dem eigenen Bereich etwas zu nennen wüßte das Ihnen nicht auch anders woher zukommen könnte. Von Gundolf wissen Sie wohl so gut wie ich daß er es immer gut meint aber daß ihm immer mehr die beste Nahrung fehlt und daß ich selbst bei seiner jetzigen Zerstreuung fast keine Handhabe mehr besitze irgendetwas zu bestimmen oder zu verhindern, all seine Veröffentlichungen erfahre ich so gut wie nachträglich". Es geht über jeden Begriff, das Verhältnis der beiden Brüder war bis zuletzt intakt, und doch wird der eigene Bruder lautlos dem geopfert, der selbstverständlich rechtzuhaben hat. Ein Zeichen für die Konfusion aller ist der groteske Umstand, daß Ernst Glöckner, der kleinbürgerliche Antisemit und doch auch menschliche Mensch, einer der ganz wenigen war, die Gundolf *verteidigt* haben. In dem Brief an Ernst Bertram vom 13. 12. 1930 schreibt er: „Daß Du Gundolf einmal besuchen willst, ist gut: ganz gewiß könntest Du ihm nicht nur eine große Freude damit machen, sondern noch etwas geben; Es wäre ein jammer, wenn er so ganz unter den Einfluß dieser ... Jüdin gekommen wäre – aber was tut einer, der sich so verlassen und ausgestoßen fühlt! So etwas durfte George nicht tun, oder er mußte im Anfang wissen, daß solche Möglichkeiten, die in Gundolf immer schon lagen, einmal durchbrechen würden. In dieser Sache stehe ich ganz auf Gundolfs Seite, was ich G[eorge] gegenüber auch betont hatte: man kann es nicht anders sehen". Gegen diese offene Stellungnahme besagt nicht einmal viel ein antisemitischer Ausbruch gegen Gundolfs Frau, mit drei Punkten des Herausgebers Friedrich Adam für ein Schimpfwort. Am 20. 7. 1931 rät Glöckner Ernst Bertram in einem schönen Brief, Gundolf die Gedächtnisrede zu halten. Das ist auch geschehen. Sie ist abgedruckt in dem Buch „Möglichkeiten". Wolfskehl freilich nimmt überhaupt nicht zu dem Konflikt Stellung und bezieht Gundolfs Frau in selbstverständlicher Herzlichkeit in seine Freundschaft zu Gundolf ein. Dieser erkennt es in seinem Brief von Ende November 1926 drei Wochen nach der Hochzeit dankbar an: „Daß ich Ihnen in diesen entscheidenden Wochen nicht schrieb, kam aus der Ungewißheit worein mich die Erfahrung mit nahen Freunden versetzt hat: ob Sie noch mein Freund blieben auch nach meiner Ehe. Ohne Groll, wenn auch nicht ohne Schmerz mußte ich damit rechnen, daß Sie, vor die Wahl zwischen Treue gegen Freund oder Meister gestellt, gegen mich entschieden, wie manche andren. . kurz, ich bin froh daß Sie mich lieb behalten und es mir sogar noch zeigen! . . . und wichtiger als Seine Gunst ist mir Sein Bild, das ich jetzt, da ich der Geliebten ihr Recht gab, wieder reiner verehren kann, als ich es gekonnt hätte mit dem bösen Gewissen einer aus Feigheit verratenen Liebe. Ich habe georgischer gehandelt, als wenn ich ihm hier seinen Willen getan hätte, nämlich mutiger und wahrhaftiger."

Am 13. 11. 1930 schreibt Julius Landmann an Gundolf über dessen inzwischen erschienene Gedichte: „Ich habe den furchtbaren Konflikt, in dem Sie standen und vielleicht noch stehen, und der sich in vielen dieser Verse ergreifend ausspricht, geehrt, und ich bin mir wohl bewußt, wie sehr man auch Ihnen weh getan hat. Trotzdem haben Sie bisher Ihre alte Haltung dem Meister gegenüber bewahrt, ja gelegentlich schienen Sie sogar Wert darauf zu legen, dies öffentlich zu tun. Daß Sie sich jetzt förmlich und öffentlich lossagen, will mir schwer eingehen, ja mir ist diese Lossage selbst als Vorstellung schwer vollziehbar, denn ich verstehe nicht, wie eine Kraft, die einen Menschen entscheidend bestimmt und in ihm Gestalt gewonnen

hat, jemals als der Vergangenheit angehörend empfunden werden kann. Ich habe mit keinem der Freunde und nur mit Ihrem Bruder darüber gesprochen, habe aber den eindeutigen Eindruck, daß viele der Freunde diese Absage nicht werden verbinden können mit dem Bilde, das Sie in all den Jahren in uns aufgezeichnet haben". Gundolf bleibt die Antwort nicht schuldig. Schon drei Tage später schreibt er: „Zunächst: eine Absage an Georges Werk und Person ist es nicht: ich spreche und schreibe (wie die Neue Auflage meines ‚George' mit dem nach dem Gedicht entstanden Kapitel zeigt) mit der Ehrfurcht, die ich ihm schulde, und die mir schon mein Verstand gebietet. Doch nachdem unter Georges Zeichen, also mit seiner Billigung das heillos schlechte, durch und durch verlogene Buch von Wolters als die offizielle oder offiziöse Kreis-lehre und historie, also leider auch als mutmaßliche ‚Quelle' seiner Kirchengeschichte, veröffentlicht ist, mußte ich in der leisesten und knappsten Form bezeugen, daß ich mit der George-orthodoxie, mit dem Woltersschen Schranzen- und Pfaffentum nichts mehr gemein habe . . Der Fluch jedes großen Menschen, der aus Christi Wort die römische Curie herausfälscht, aus Cäsars Tat den Neronentaumel, und aus jedem tiefen Gedanken eine platte Lehre, schreitet mir um George herum zu rasch: solches Geschwätz wie das von W[olters] dürfte frühestens in zweihundert Jahren kommen . . Jedenfalls: dazu gehör ich nicht und muß es bekunden. Und es schien mir richtiger das in einem Vers an den Meister zu tun, der mich verwirft, als in einem Angriff auf das Buch seines Trompeters, was mich auf dessen Niveau gedrückt hätte". Und dann, überaus erschütternd: „Und was Sie Absage nennen, ist kein Angriff, sondern eine Klage und ein Verzicht aus dem ‚Stärkeren', dem Tod: ich bin drüben gewesen und kann nicht mehr mit den Augen eines uneingeweihten Eiferers sehn . . und zu tun, als säh ich noch so, ist mir nicht möglich, nicht erlaubt". Am 12. 7. 1931 ist Gundolf gestorben –: an Georges Geburtstag.
Die Beziehungen zwischen George und Gundolf waren nie völlig abgebrochen. Es gibt in den Gesprächen mit Edith Landmann neben bitterbösen Worten auch menschliche Töne. Aber bei der Vorbereitung der Druckvorlage für das „Neue Reich" im Winter 1927-28 „diktierte George dem Schreiber[1]) aus dem Kopf, ohne Unterlage

[1]) G. P. Landmann: Vorträge S. 216.

dieses – vielleicht letzte – Gedicht, das unter dem Titel „Zweifel der Jünger“ in das „Neue Reich“ eingegangen ist, wo es die „Sprüche an die Lebenden“ beschließt. An dieser Stelle hätte George bis zum letzten Augenblick die Möglichkeit gehabt, es *nicht* erscheinen zu lassen:

Wer je ging in deiner mitte
Wie ist möglich dass er weicht?

‚Manche sind die zeitlang dienen
Krankes blut schafft den verrat.‘

Wer je sass bei solchem mahle
Wie kann der noch untergehn?

‚Diese trinken sich das leben
Jene essen sich den tod.‘

Deine lehre ist ganz liebe –
Und so furchtbar ruft sie oft?

‚Diesen bringe ich den frieden
Jenen bringe ich das schwert.‘

Das Gedicht ist unangreifbar, da es von einem „Fall“ ausgeht, aber sich nicht auf diesen einen Fall beschränkt. Es ist angreifbar, da es den einen Fall meint, den alle kennen, und es ist der Fall eines auf den Tod Kranken, dargestellt in den Formen einer angemaßten höchsten richterlichen Autorität Eines, der nicht gekommen ist, den Frieden zu bringen sondern das Schwert, es ist ein höchst grausames Gedicht.
Zu diesem Gedicht schreibt Ernst Morwitz, der Treueste der Getreuen, der George sein ganzes Leben lang nahe stand und als Jude in seinem Auftrag Göbbels die Nachricht überbrachte, George lehne die Einladung ab, in die Deutsche Dichterakademie einzutreten, – dieser Ernst Morwitz nun schreibt in seinem Kommentar: „Es geht das Gerücht, daß dieses Gedicht als gelegentliche Antwort auf dem Dichter gestellte Fragen entstanden und nur deshalb in das Werk aufgenommen ist, weil noch eine Seite des Bandes bedruckt werden mußte. Ich halte dies für möglich, da hier die Verse nicht so kraftvoll und konzentriert sind wie in den übrigen Gedichten des ‚Neuen

Reichs'". Die Ablehnung dieses Gedichts wäre aufs höchste zu loben, wenn ein moralisches Urteil den Ausschlag gäbe. Sie zeigt aber die Hilflosigkeit vor der Entscheidung zwischen Moral und Kunst, zu der George seine Schüler erzogen hat. Die Verse sind genau so „kraftvoll und konzentriert" wie alle Gedichte im „Neuen Reich", sie sind darum abzulehnen, weil sie dämonisch sind. Wenn wir annehmen, daß beiden Partnern in dieser Lebenskrise gleiches Recht zustand und daß dies für beide eine Prüfung war, dann hat Gundolf diese Prüfung bestanden, George nicht.
Am 11. 5. 1933 schreibt Glöckner, der wie sein Freund Ernst Bertram sich zum Nationalsozialismus bekannte, an diesen: „Ich hoffe immer noch, daß es so wird (Berufung Georges und Bertrams in die Akademie), da dieses bedrohte Deutschl(and) *alle* Kräfte nötig hat, um sich zu behaupten – vor allem auch deshalb, weil G(eorge)s Erklärung zum Eintritt in die Akademie und eine Aufforderung an Dich die töricht zurückhaltende und zögernde ‚geistige' Welt in Bewegung setzen würde. Denn die große Gefahr bei einem Versagen der ‚Geistigen' ist die Radikalisierung der ‚Bewegung'". So verblendet schreibt einer, der sich 1928 nach Erscheinen des „Neuen Reichs" schweigend von George distanziert hatte. Als ob es einen Schutz geben könnte gegen die Radikalisierung, die von Grund auf in der Bewegung steckte! Nach Georges Tode im Dezember 1933 schreibt Glökkner an Bertram: „Daß George in *diesem* Jahr schied, gehört zu den Wundern seines wunderbaren Lebens". Er selbst starb ein Jahr später, unbelehrt.

Zwei Momentaufnahmen

Gertrud Simmel hat George oft in ihrem Hause gesehen. Sie war tief von ihm beeindruckt und er von ihr, der „seriösesten“ Frau, der er je begegnet sei. Der Aufsatz „Interpretation von Gedichten“ entwirft ein großes Bild von George, das doch trotz aller Verehrung konventionell bleibt, weil sie an die „Propheten des alten Bundes“ denkt. Sie lehnt alle Interpretation von Gedichten und von Georges Gedichten ab, wie etwa Gundolf sie eingeleitet hat. Das ist sicherlich falsch, obwohl es eine Art von Interpretation gibt, die darum nicht richtiger wird: sie höhlt alle dichterischen Gehalte aus. Es gibt aber eine Stelle die aufhorchen läßt:

> Man sucht Kategorien. Jeder Mensch, der etwas bedeutet, ist seine eigene Kategorie (vielleicht ist überhaupt jeder Mensch seine eigene Kategorie). Er ist Stefan George, das ist seine Kategorie.

Das kommt der Wahrheit nahe, die die gleiche Frau 1908 in einem Brief an eine Freundin, die Frau des Philosophen Heinrich Rickert, so formuliert:

> In Bingen war er sehr warm und schön. Und doch auch tragisch. Stefan George ist immer tragisch, wo er nicht Dichter sein kann. Sein Leben hat den pathetischen Ton, daß er sich wirklich als Instrument fühlt, auf dem Gottes Finger spielt, und seine Bestimmung ist dieses Instrument zu sein in einer weltabgeschiedenen stillen Klause. Der Alltag kann nichts mit ihm machen und er kann ihn nicht als Nebensache unter sich bringen – sie stehen immer grotesk zu einander. Wie er auch so zu den Menschen steht, die er nicht liebt und die ihn nicht lieben. Das Große an George ist mir, daß er nichts anderes sein kann und in allen anderen Augenblikken eigentlich nicht existiert. Schweres Leben!

Diese ernsten aber wahrscheinlich schnell hingeschriebenen Worte eines Briefes geben nach allen Seiten ein unvergleichliches Bild. Genau so war er in seiner eigenen Kategorie, in seinem schweren Leben!

Und beides wird bestätigt durch Alfred Mombert. Unter seinen Briefen ist einer vom 22. 12. 1925 an Hans Reinhart gerichtet. Er wendet sich halb humoristisch gegen den bekannten Zeichner Emil Orlik und fügt als Nachwort hinzu:

> Oh-oh-oh- Obiges *schrieb ich und ging dann aus.* Und begegnete – furchtbares Bild – dem heiligen Stefan George mit unbeschreiblicher Kopfbedeckung, Zigarette im Mund, und kaputtenem Regenschirm. Ich *nehme* alles gegen ORL. *zurück*".

Und dann auf der Mitte der nächsten Zeile: „Ecce Poeta". Auch das gibt ein Bild, ein „furchtbares", um so mehr als der „heilige" Dichter *nicht* ironisch gemeint ist, wenn auch sein Brief vom 3. 3. 1938 an Rudolf Pannwitz sich sehr zurückhaltend über ihn äußert, denn Mombert hielt sich für ein mindestens ebenso großes Ereignis der Dichtung wie George. Dieser würde von Mombert gesagt haben, was er auch über Claudel und Hauptmann gesagt hat: sie möchten Dichter sein, aber sie sind es nicht. Was hinter seinem Rücken eben doch auch etwas wie Anerkennung bedeutet, notgedrungen. Aber sie irren alle gegeneinander wie Betrunkene, die Antagonisten einer Generation. Dazwischen sehen sie wieder unheimlich scharf, wie hier Mombert. Und doch muß es so sein, „kranz und krone für den Ungenannten", der kaputtene Regenschirm und die eigene Kategorie!

BIBLIOGRAPHIE

George, Stefan: Gesamt-Ausgabe. Bd. 1-18. Berlin 1927-1934
Dasselbe. Verkleinerte Ausgabe. München 1964-1969
Einleitungen und Merksprüche der Blätter für die Kunst. München 1964

George/Hofmannsthal: Briefwechsel. Berlin 1938

Stefan George – Friedrich Gundolf: Briefwechsel. München 1962

Adorno, Theodor W.: Rede über Lyrik und Gesellschaft. In: Noten zur Literatur I. Frankfurt 1958.

Benjamin, Walter: Die Aufgabe des Übersetzers. In: Gesammelte Schriften (GS) IV, 1. Frankfurt 1972

Goethes Wahlverwandtschaften. In: GS I, 1. Frankfurt 1974

Über einige Motive bei Baudelaire. In: GS I, 2. Frankfurt 1974

Ursprung des deutschen Trauerspiels. In: GS I, 1. Frankfurt 1974

Boehringer, Robert: Ewiger Augenblick. München 1965
Mein Bild von Stefan George. 2. erw. Aufl. München 1967
Über Hersagen von Gedichten. In: Jahrbuch für die geistige Bewegung. Jg. 2. Berlin 1911

Bondi, Georg: Erinnerungen an Stefan George. Berlin 1934

Borchardt, Rudolf: Brief an Max Rychner über Hölderlin. In: Festschrift für Rudolf Hirsch. Frankfurt 1975
Dante und deutscher Dante. In: Prosa II. Stuttgart 1959
Die Gestalt Stefan Georges. In: Prosa I. Stuttgart 1957
Hölderlin und endlich ein Ende. In: Prosa I. Stuttgart 1957
Hofmannsthals Lehrjahre. In: Prosa I. Stuttgart 1957
Intermezzo. In: Prosa I. Stuttgart 1957
Rede über Hofmannsthal. In: Reden. Stuttgart o.J.

Breysig, Kurt: Aus meinen Tagen und Träumen. Hrsg. von Gertrud Breysig und Michael Landmann. Berlin 1962
Begegnungen mit Stefan George. In: Castrum Peregrini Heft 42, 1, 1960
Vom deutschen Geist und seiner Wesensart. Berlin 1932

Curtius, Ernst Robert: Kritische Essays zur europäischen Literatur. Bern 1950

David, Claude: Stefan George. Son oeuvre poétique. Paris 1952

Dilthey, Wilhelm und Yorck von Wartenburg, Paul: Briefwechsel. Halle 1923

Enckendorff, Marie Luise (= Gertrud Simmel): Interpretation von Gedichten. In: Die Kreatur, Jg. 3, 1929/30

Freymuth, Günther: Georg Simmel und Stefan George. In: Neue deutsche Hefte Jg. 17, 3, 1970

Glöckner, Ernst: Stefan George. Aus Briefen und Tagebüchern. Heidelberg 1972

Gundolf, Friedrich: Briefe. Neue Folge. Amsterdam 1965
Briefwechsel mit Herbert Steiner und Ernst Robert Curtius. Amsterdam 1963
Briefwechsel mit Karl Wolfskehl. I-II. Amsterdam 1976-1977
Gedichte. Berlin: Bondi 1930

Haecker, Theodor: Über Francis Thompson und Sprachkunst. München 1925

Heftrich, Eckhard: Stefan George. Frankfurt 1966

Heidegger, Martin: Unterwegs zur Sprache. Pfullingen 1959

Hellingrath, Norbert von: Pindarübertragungen von Hölderlin. Jena 1911

Kassner, Rudolf: Von den Elementen der menschlichen Größe. Neuaufl. Frankfurt 1953

Kommerell, Max: Notizen zu George und Nietzsche. In: Essays, Notizen und poetische Fragmente. Aus dem Nachlaß hrsg. von Inge Jens. Olten und Freiburg 1969

Kronberger, Maximilian: Gedichte und Tagebücher Maximins. O.O., o. J. (Zürich: Bürdecke 1937).

Landmann, Edith: Georgika. Heidelberg 1920. (Anonym erschienen.)
Gespräche mit Stefan George. München 1963

Landmann, Georg Peter: Stefan George. Dokumente seiner Wirkung. 2. Aufl. Amsterdam 1974
Vorträge über Stefan George. Eine biographische Einführung in sein Werk. München 1974

Landmann, Michael: Erinnerungen an Stefan George. In: Neue deutsche Hefte. Jg. 15, H. 3, 1968
Dasselbe erweitert. In: Castrum Peregrini Nr. 141–142. Amsterdam 1980

Lehmann, Peter Lutz: Meditationen um Stefan George. München 1965

Lepsius, Sabine: Stefan George. Geschichte einer Freundschaft. Mit Mappe: faksimilierte Briefe und Bildnisse. Berlin 1935

Lessing, Theodor: Einmal und nie wieder. Prag 1935

Mombert, Alfred: Briefe 1893-1942. Hrsg. von B. J. Morse. Heidelberg-Darmstadt 1961

Morwitz, Ernst: Kommentar zu dem Werk Stefan Georges. 2. Aufl. München 1969

Pannwitz, Rudolf: Albert Verwey und Stefan George. Heidelberg 1965

Reventlow, Franziska zu: Herrn Dames Aufzeichnungen. In: Gesammelte Werke. München 1925

Salin, Edgar: Um George. 2. Aufl. München 1954

Schultz, H. Stefan: Zur Deutung zweier Gedichte Stefan Georges. (Über „Morgenschauer“ und „Templer“) In: Deutsche Beiträge zur geistigen Überlieferung. Bd. VII, S. 137–158. Heidelberg 1972

Schulz, Günther: Stefan George und Max Kommerell. In: Das literarische Deutschland. Jg. 2, H. 5, 1951

Simmel, Georg: Zur Philosophie der Kunst. Berlin 1922

Steiner, Herbert: Begegnung mit Stefan George. New York 1947
Dasselbe in: Begegnungen mit Dichtern. Hamburg 1957

Verwey, Albert: Mein Verhältnis zu Stefan George. Erinnerungen aus den Jahren 1905-1928. Strassburg 1936

Wackernagel, Wilhelm: Auswahl deutscher Gedichte für höhere Schulen. 4. Aufl. Berlin 1845 (4. Aufl. von K. E. P. Wackernagel)

Weber, Marianne: Max Weber. Heidelberg 1950

Wolters, Friedrich: Herrschaft und Dienst. Berlin 1909
Stefan George und die Blätter für die Kunst. Berlin 1930